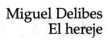
Miguel Delibes
El hereje

Miguel Delibes

El hereje

Ediciones Destino
Colección
Áncora y Delfín
Volumen 827

Ilustración de la cubierta: Georges de La Tour,
El recién nacido (fragmento)

© Miguel Delibes, 1998
© Ediciones Destino, S. A., 1998
Enric Granados, 84. 08008 Barcelona
Primera edición: septiembre 1998
Segunda edición: octubre 1998
Tercera edición: octubre 1998
Cuarta edición: octubre 1998
Quinta edición: octubre 1998
Sexta edición: noviembre 1998
Séptima edición: diciembre 1998
Octava edición: diciembre 1998
Novena edición: enero 1999
ISBN: 84-233-3036-2
Depósito legal: B. 2.037-1999
Impreso por Romanyà Valls
Verdaguer, 1. Capellades (Barcelona)
Impreso en España - Printed in Spain

A Valladolid, mi ciudad

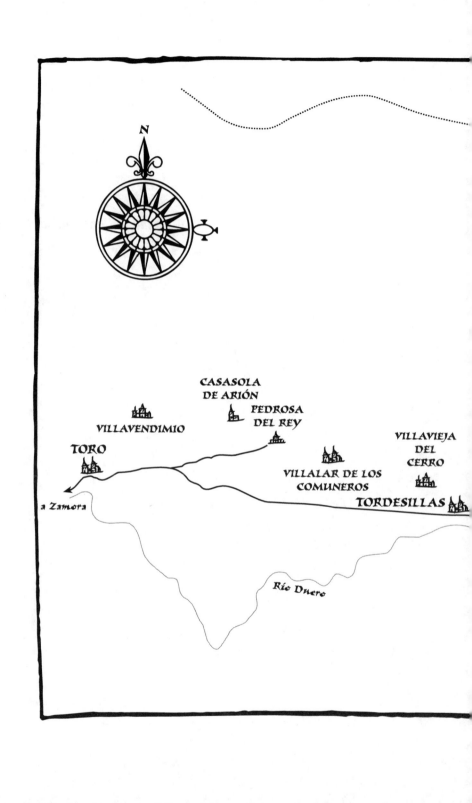

El Páramo

a Burgos
y Santander

LA MUDARRA

Itinerario de las colinas

Río Pisuerga

VILLANUBLA

El Cabildo

SANTOVENIA
DE PISUERGA

ZARATÁN

La Judería

Río Esgueva

Puente Mayor

VALLADOLID

ARROYO

TUDELA
DE DUERO

SIMANCAS

GERIA

Puente Romano

Río Duero

HERRERA
DE DUERO

PUENTE
DUERO

a Segovia

Tierra de
Pinares

a Madrid

0   5   10 km

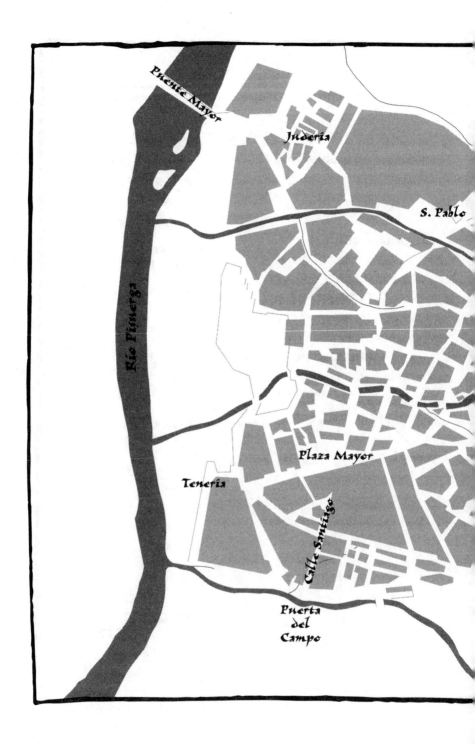

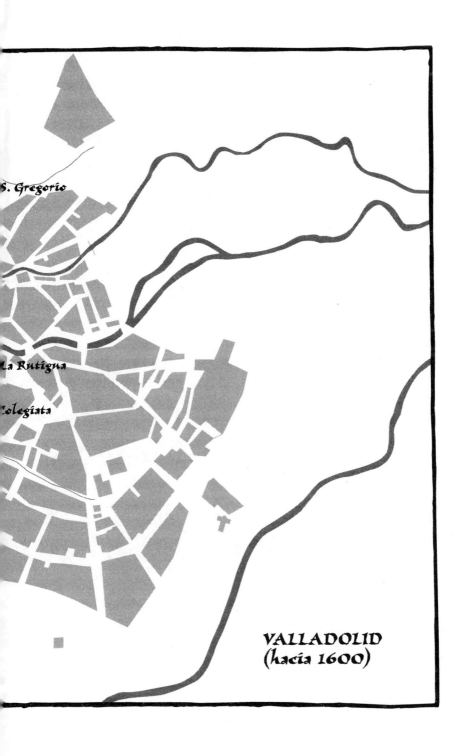

S. Gregorio

La Rutigua

Colegiata

VALLADOLID
(hacia 1600)

¿Cómo callar tantas formas de violencia perpetradas también en nombre de la fe? Guerras de religión, tribunales de la Inquisición y otras formas de violación de los derechos de las personas... Es preciso que la Iglesia, de acuerdo con el Concilio Vaticano II, revise por propia iniciativa los aspectos oscuros de su historia, valorándolos a la luz de los principios del Evangelio.

(Juan Pablo II a los cardenales, 1994)

PRELUDIO

El *Hamburg*, una galeaza a remo y vela, de tres palos, línea enjuta y setenta y cinco varas de eslora, dedicada al cabotaje, rebasó lentamente la bocana y salió a mar abierta. Amanecía. Se iniciaba el mes de octubre de 1557 y la calima sobre la superficie del mar y la estabilidad de la nave presagiaban bonanza, una jornada calma, tal vez calurosa, de sol vivo y suave viento del norte. Era el *Hamburg* un pequeño barco de carga, dotado con cincuenta y dos marineros, al que su capitán, Heinrich Berger, con un agudo sentido de la economía personal, superponía en el buen tiempo dos pequeñas tiendas de campaña sobre las cuadernas de toldilla para alojar a cuatro posibles pasajeros de confianza, mediante un módico estipendio.

En la primera de estas tiendas, viniendo de proa, viajaba ahora un hombre menudo, aseado, de barba corta, al uso de Valladolid, de donde procedía, tocado de sombrero, con calzas, jubón y ropilla de Segovia, que, acodado en el pasamanos de babor, oteaba con un anteojo el puerto que acababan de abandonar. Una bandada de gaviotas que sobrevolaba la estela del *Hamburg* se reunía, graznando destempladamente, preparando el regreso a puerto. Por la amura, sobre la silueta de tierra, la bruma comenzaba a rasgarse y permitía divisar, entre los flecos, fragmentos del cielo azul que la calma chicha de la madrugada auguraba. El hombre menudo y aseado hurgó con su mano pequeña y nerviosa en el bolso de la ropilla, extrajo el papel plegado que le había entregado un marinero al embarcar y leyó de nuevo el breve mensaje que contenía: «Bienvenido a bordo. Le espero a almorzar en mi camareta a la una del mediodía. El capitán Berger».

El Doctor le había hablado con afecto del capitán en Valladolid. Aunque hacía mucho tiempo que no se veían, entre el Doctor y Heinrich Berger se anudaba una vieja amistad de lustros. El Doctor confiaba de tal modo en el capitán que hasta que no supo su propósito de regresar a España en el otoño no se determinó a autorizar el viaje a Alemania de su correligionario Cipriano Salcedo. El hombre menudo contemplaba la mar mientras reconstruía mentalmente la imagen del Doctor, tan taciturno y medroso en los últimos tiempos, advirtiéndole de los riesgos de su estancia en Europa. La reciente prohibición de salvar las fronteras concernía, es cierto, a clérigos y estudiantes, pero era sabido que cualquier viajero que decidiera moverse por Alemania en estos días sería sometido a una *discreta vigilancia*. El Doctor había dicho *discreta vigilancia*, pero de su tono de voz dedujo Cipriano Salcedo que la vigilancia sería estrecha y conminatoria. De ahí sus precauciones a lo largo del viaje: sus repentinos cambios de medio de transporte, el miramiento en la elección de posada o de lugares de encuentro para sus citas, y aun en sus sim-

16

ples visitas a los libreros. Cipriano Salcedo se sentía orgulloso de que el Doctor le hubiera elegido a él para tan delicada misión. Su decisión le liberó de viejos complejos, le permitió pensar que todavía podía ser útil a alguien, que todavía existía un ser en el mundo capaz de confiar en él y ponerse en sus manos. Y el hecho de que este ser fuera un hombre sabio, inteligente y prudente como el Doctor satisfizo su incipiente vanidad. Ahora Salcedo, en la cubierta, pensaba que estaba a punto de rendir viaje; que durante la penúltima etapa, en el *Hamburg*, patroneado por el capitán Berger, podía dormir tranquilo, y que los encargos del Doctor Cazalla habían sido cumplidos.

Oyó voces en cubierta y se volvió con el anteojo en su mano pequeña y velluda. Media docena de marineros descalzos transportaban hacia popa unos maderos y las correspondientes estachas para unirlos. Detrás de ellos, otros tres cargaban con una estructura de madera, adaptable a la popa de la nave, en la que podía leerse, en letras grandes y doradas: *Dante Alighieri*. En pocos minutos, con una eficacia que revelaba una práctica habitual, el equipo descolgó los tablones por la popa y afianzó los cabos que los sujetaban a la mesana. Dos marineros saltaron a la guindola, mientras el resto dejaba resbalar con cuerdas el gran cartel que los de abajo superpusieron al nombre de *Hamburg*. Desde el andamio colgante, ajustaron con puntas y pasadores la estructura con el nuevo nombre y de esta manera, en apenas media hora, la galeaza quedó discretamente rebautizada.

Dos horas más tarde, en la camareta del capitán,

donde un marmitón les servía el almuerzo, aquél precisó que el cambio de nombre era una elemental medida de precaución que se adoptaba cada vez que la nave frecuentaba países enemigos de la Reforma de Lutero. Pero como el hombre menudo y aseado se mostrase dubitativo, el capitán Berger, que hablaba siempre con los ojos entrecerrados como si permanentemente escudriñase el horizonte, agregó, con la voz apolillada y bronca frecuente en los hombres que han vivido en el mar:

—El riesgo se evita fácilmente. El *Hamburg* tiene doble matrícula, en Hamburgo y en Venecia. Ambos nombres son, pues, legítimos. Usar uno u otro depende de nuestra conveniencia.

Acababan de tomar asiento alrededor de la mesa y Cipriano Salcedo reparó por vez primera en el tercer comensal, su vecino en la otra tienda de toldilla, a quien el capitán Berger había presentado como don Isidoro Tellería, sevillano, un hombre alto y flaco, rasurado, vestido totalmente de negro, que reconoció haber pasado en Ginebra el último medio año. Cuando el capitán inició la conversación, él guardó silencio y tan sólo levantó la vista del plato cuando aquél preguntó a Salcedo por el *Doktor*.

Cipriano Salcedo carraspeó. Vaciló al empezar a hablar. Era la reliquia que le había dejado el miedo al padre, a su mirada helada, a sus reproches, a sus toses espasmódicas en las mañanas de invierno. No era tartamudez sino un leve tropiezo en la sílaba inicial, como un titubeo intrascendente:

—E... el Doctor está bien de salud, capitán. Si es caso un poco más magro y desencantado, las cosas distan de ir bien allí. Teme que Trento devuelva el problema a su origen, que no consigamos nada. Éste ha sido el motivo de mi viaje: informarme. Conocer de cerca la realidad alemana, entrevistarme con Felipe Melanchton y adquirir libros...

—¿Qué clase de libros?

—De todo tipo, especialmente los últimos editados. Hace tiempo que no entran libros en España. El Santo Oficio acentúa su vigilancia. En este momento está revisando el Índice de libros prohibidos. Leer esos libros, venderlos o difundirlos constituyen de por sí graves delitos.

Hizo un alto Salcedo pensando que el capitán no se conformaría con su vaga respuesta y, en vista de su silencio, añadió:

—La que murió fue la madre del Doctor. La enterramos en el Convento de San Benito con cierta pompa, guardando debidamente las formas. Así y todo hubo murmullos y protestas en el funeral.

—¿Doña Leonor de Vivero? —inquirió el capitán.

—Doña Leonor de Vivero, exactamente. En cierto modo ella fue en tiempos el alma del negocio en Valladolid.

El capitán Berger denegó con la cabeza, sonriendo. Tendría doce o quince años más que su interlocutor, una roja perilla y un pelo muy rubio, casi albino, más propio de un escandinavo que de un alemán. Seguía observando las pequeñas manos de Salcedo con viva curiosidad, los ojos entrecerrados, y, paulatinamente, elevó la mirada hasta su rostro, reducido también, como reducidas y correctas eran sus facciones, dominadas por unos ojos sombríos y profundos. Para escapar de la sugestión del personaje, bebió medio vaso de vino de Burdeos, de una jarra colocada en el centro de la mesa, levantó los ojos y precisó:

—Creo que el alma del negocio en Valladolid fue siempre el *Doktor*. La madre fue uno de sus apoyos. Tal vez la que acogió la doctrina de la justificación con mayor entusiasmo. Al *Doktor* le conocí en Alemania, en Erfurt, cuando aún era un exasperado erasmista. Luego, al regresar a Valladolid, llevaba ya *la lepra* consigo.

Salcedo se revolvió inquieto. Le ocurría siempre que creía haber dicho algo improcedente, tal vez otra reminiscencia de su temor filial:

—En realidad, lo que quería decir —aclaró— es que doña Leonor era la mujer fuerte, la que sostenía al Doctor en sus horas bajas y daba vida y sentido a los conventículos.

El capitán Berger prosiguió como si no le hubiera oído:

—No le devolví la visita al *Doktor* hasta ocho años más tarde. Fue aquél un viaje inolvidable a Valladolid. Tuve el honor de asistir a un conventículo presidido por el *Doktor* junto a su madre, doña Leonor de Vivero. Sin duda, esta mujer tenía una visión clara de las cosas, una idea inequívoca de lo esencial, aunque en sus modales mostrase un cierto autoritarismo.

La línea azul del mar subía y bajaba en la portilla, acorde con el leve balanceo del navío. También acompañaba a los comensales un reiterado crujido del mamparo de madera que separaba el pequeño refectorio de la camareta del capitán. Dijo Cipriano Salcedo asintiendo:

—Todos sus hijos la veneraban. Les confortaba su fe. Uno de ellos, Pedro, párroco de Pedrosa, compartía con ella la afición de Lutero por la música porque entendía que la verdad y la cultura, para ser tales, deben marchar unidas.

El joven marmitón les servía ahora un plato de carne y, al concluir, colocó sobre la mesa otra jarra de tinto de Burdeos antes de ausentarse. El capitán vertió vino en el vaso de Salcedo. Tellería aún no lo había probado y seguía observando a Berger con una curiosidad de entomólogo, mientras cargaba de tabaco la cazoleta de su pipa, una pipa india, de barro, que los matuteros de los galeones introducían en Sevilla, junto con el tabaco, cuyo consumo empezaba a difundirse entre el pueblo pese a la enemiga de la Inquisición. El capitán aguardó a que el pinche cerrara la puerta corredera para decir:

—Al referirnos a Valladolid no debemos olvidar a un hombre clave, don Carlos de Seso, encarnación perfecta del macho veronés: apuesto, fuerte, inteligente y presumido. A mi entender, don Carlos de Seso es una figura imprescindible en el despertar del luteranismo castellano.

Cipriano Salcedo acariciaba a contrapelo su corta barba. Asentía de una manera mecánica, un poco forzada:

—Don Carlos de Seso es un hombre interesante, muy leído, pero hay algo oscuro en torno a su persona: ¿por qué marchó de Verona? ¿Por qué recaló en España? ¿Huía tal vez de algo o por simple espíritu de misión?

El capitán Berger no ocultaba ningún detalle que pudiera interpretarse como desconocimiento de la realidad luterana:

—Los papistas, en principio, aceptan a Seso, cuentan con él. Incluso lo enviaron a Trento, al Concilio, acompañando al obispo de Calahorra. Algún malintencionado llegó a decir que iba de intérprete simplemente, pero esto no es cierto. El propio obispo le dijo a Carranza, cuando preparaba el viaje de regreso a España, que con don Carlos de Seso iba en buena compañía, que era un caballero afable e ilustrado y que se hablaba de él con satisfacción y sin ningún escándalo en todos los círculos intelectuales. Por medio estuvo su famosa entrevista con el gran teólogo Carranza en Valladolid, pero nadie sabe a ciencia cierta qué es lo que ocurrió allí.

La galeaza empezó a cabecear ligeramente y Tellería, que acababa de dar una profunda fumada a su pipa, miró hacia el ojo de buey sorprendido, como si estuviera jugando a las cartas y hubiera advertido de pronto que le estaban haciendo trampas. Por su parte, Cipriano observaba con una viva desconfianza al sevillano, aquel hombre hierático y enlutado que fumaba su pipa sin inmiscuirse en la conversación. Pero la abierta actitud del capitán Berger hacia él, el irónico desdén con que le miraba, disipaba de antemano todo recelo. Sus ojos grises, tan conscientes y responsables, parecían decirle: Hable sin temor, amigo Salcedo. Nuestro invitado, don Isidoro Tellería, tiene más motivos que nosotros para callar. No obstante, el capitán miró a Tellería antes de aclarar lacónicamente:

—Hemos entrado en el Canal.

Retiró la jarra vacía y la sustituyó por otra. Isidoro Tellería, que seguía sin probar el vino, observaba a sus contertulios con una mezcla de estupor y escepticismo. Por contra, el capitán Berger ganaba en locuacidad a cada vaso que bebía:

—Me interesa el viaje de vuesa merced —dijo a Salcedo—. Comprar libros, buscar apoyos, visitar a Melanchton, dice que eran sus objetivos. ¿Ha podido usted cumplirlos? ¿Cómo ha viajado por el país? ¿Qué ciudades ha visitado?

Salcedo asentía a las palabras de Berger:

—El 13 de abril salí de Valladolid —respondió—. Salvo la cada día más problemática conexión con Sevilla, llevábamos meses aislados. Después de largas charlas, el Doctor reconoció que necesitábamos información de primera mano. Le interesaba mucho el pensamiento de Melanchton una vez muerto Lutero. No sabía exactamente de qué pie cojeaba.

—Y ¿cómo se las arregló vuesa merced?

—Era delicado —admitió Salcedo, que aún consideraba a Tellería con suspicacia—. El Santo Oficio acababa de prohibir las salidas de España a clérigos e intelectuales. Viajé, pues, a caballo hasta Pamplona y un experto me ayudó a pasar el Pirineo. Después combiné todos los medios de transporte imaginables: calchona, barco, a pie, a caballo. Era aconsejable no seguir una línea recta y cambiar a menudo de alojamiento y medio de locomoción. Así recorrí el sur de Francia: Burdeos, Toulouse hasta Lausana. Francia tiene buenos caminos a pesar de la densidad de tráfico.

El capitán se mostraba impaciente:

—Y ¿en Alemania?

—Continué con mis precauciones. Decían que había espías por todas partes y me dejaba ver lo menos posible. Tomaba contactos en las ciudades importantes. Visité Hamburgo, Erfurt, Eisleben y Wittenberg, el meollo luterano, con escapadas frecuentes al entorno rural. Pero fue en Wittenberg donde compré los libros y pude, al fin, entrevistarme con Felipe Melanchton.

Los ojos amusgados del capitán Berger animaban a Salcedo en su relato, le estimulaban. Prosiguió:

—Wittenberg me sorprendió por su actividad editorial. Había imprentas y librerías por todas partes. Recorriendo la ciudad entendí aquello de que «Lutero era hijo de la imprenta», porque, bien mirado, su fuerza estaba en ella. Era el primer hereje que disponía de un medio de comunicación tan eficaz, tan poderoso, tan rápido. Por otra parte advertí que la mayoría de los tipógrafos eran secuaces suyos, y, como seguidores fieles, se mostraban diligentes en aquellos trabajos que interesaban al reformador y, por contra, se demoraban y llenaban de erratas aquellos otros que venían de sus adversarios. Fue allí, en Wittenberg, donde pude hojear *Pasional*, ese libelo antipapista, lleno de textos torpes e ilustraciones groseras en las que conciben la figura del Papa como un asno defecado por el diablo.

Isidoro Tellería terminaba de fumar su pipa y sacudía la cazoleta de barro en un plato, cuando el capitán Berger atajó a Salcedo:

—Esos papeluchos no son la Reforma. No debe juzgar la Reforma por ellos. En toda revolución hay excesos. Es inevitable. En la crítica revolucionaria nunca hay matices.

Se le había calentado la boca y Salcedo hablaba y hablaba sin la menor vacilación, desapasionadamente, como si juzgase algo ajeno a sus ideas, completamente obvio:

—No son la Reforma, capitán, pero operan contra

ella. Ante estas cosas, el visitante extranjero en Alemania tiene la impresión de que Lutero fue demasiado lejos. Con razón consideraba la imprenta invento divino, pero sospecho que no hubiera aprobado el mal uso que una vez muerto se está haciendo de ella, siquiera sus primeros libros *Cautividad de Babilonia* y *El Papado fundado por el demonio* tampoco fueran cuentos de hadas.

—Pero piense en su *Biblia,* no olvide lo fundamental.

—Lo sé, capitán. La *Biblia* alemana, un monumento ¿no? Según algunos intelectuales españoles este libro justifica por sí solo la célebre frase de que «Dios ha hablado en alemán», tan bello es, tan eufónico. Lutero y su *Biblia* universalizan el idioma alemán sacralizado. Es evidente.

Se acentuaba el balanceo del *Hamburg* y don Isidoro Tellería se sujetaba la cabeza entre las manos como con temor de que se le despegara de los hombros en uno de aquellos vaivenes. El marmitón, que había retirado los platos, recogía ahora las migas de la mesa en una bandeja y, al concluir, sirvió unas copas de aguardiente. El capitán Berger contempló compasivamente a Isidoro Tellería y aguardó a que el pinche saliera y cerrara la puerta corredera para añadir:

—Es significativo que Lutero utilizara la música y la imprenta. Esto dice más a su favor que sus explosiones montaraces; al menos es más convincente. Y cuando dice: «No quiero retractarme de nada porque no es honrado actuar contra la propia conciencia» está hablando de sus tesis, no de sus escarnios y agravios.

La mirada fija, escrutadora, del capitán Berger desconcertaba a Salcedo. Le recordaba la mirada helada de su padre ante don Álvaro Cabeza de Vaca cuando éste le delataba: «Está ausente; no logro concentrarlo, señor Salcedo».

—Pero —advirtió rascándose la barba— en *la Cautividad de Babilonia* Lutero afirma que los sacramentos instituidos por Nuestro Señor son sólo dos: bautismo y comunión. Probablemente no es más que eso lo que se proponía decir pero aprovecha la ocasión para soltar la lengua, zaherir e insultar. Algo semejante sucede con *El Papado de Roma*.

El capitán alzó la mano derecha:

—Por favor, permítame una palabra. Las burlas de los papistas contra esos libros y contra el matrimonio de Lutero con una monja son aún más despiadadas que las de Lutero contra ellos.

Era un duelo verbal que Salcedo proseguía para sondear al capitán, para ver hasta dónde le dejaba llegar, para poner a prueba la ductilidad luterana. No le respondió porque notaba que algo le quedaba aún por desembuchar. Le miró fijamente a la punta de la nariz que era, según decía el padre Arnaldo en los Expósitos, lo que había que hacer con el desalmado para hacerle vomitar todo lo que ocultaba. El capitán Berger dijo:

—Insisto en que lo justo es poner en el otro platillo la sensibilidad del reformador, su amor a las bellas artes, el hecho de que utilizara la música en la liturgia. Concretamente el himno *Un castillo inexpugnable es nuestro Dios* tuvo más resonancia en Centroeuropa que el *Tedeum*.

La voz del capitán Berger cobraba trémolos emotivos como los de los nuevos predicadores. Se acaloraba. Deliberadamente Salcedo suavizó el tono:

—Lutero debe responder de todo, también de los luteranos, de sus ultrajes. Yo he aceptado la doctrina de la justificación por la fe, capitán, como todo el grupo de Valladolid, porque creo que la fe es lo esencial y que el sacrificio de Cristo tiene mayor valor para redimirme que mis buenas obras por desprendidas que sean.

Como un perro de caza siguiendo un rastro, Cipriano Salcedo no alzaba la nariz del suelo. Un rastro partía de otro y Salcedo hallaba un raro placer en levantar la pieza antes de tomar el nuevo. Todas sus denuncias respondían sin duda a un mismo origen pero él gozaba parcelándolas, atribuyéndolas motivaciones distintas, sacando al capitán del habitual proceso mental seguido en sus normales discusiones:

—Otra cosa, capitán; la furia de los campesinos de Turingia. Veinte años después de los «profetas de Zwickau», todavía aletea allí la violencia. El cambio religioso no lo entienden sin un cambio social. El mal ejemplo vino de los príncipes al adueñarse de los bienes del clero. Para los campesinos un cambio religioso sin dinero carece de interés.

El capitán Berger dejó el vaso sobre la mesa:

—La religión tiene inevitablemente un aspecto social —dijo midiendo las palabras, como queriendo poner las cosas en su sitio—: «Los profetas de Zwickau» eran los reformadores de la Reforma. Rompían imágenes sagradas y anhelaban dinero por encima de todo. Eran humanos. Aspiraban a que la religión los redimiera; luchaban por una religión práctica. Por esa razón provocaron la guerra. Franz von Siecbingen, con todo su prestigio, se puso al frente de ellos, pero Lutero pudo más, los derrotó. Y no porque le parecieran mezquinas sus aspiraciones, sino porque no era bueno el camino escogido para alcanzarlas.

—Tampoco yo apruebo ese camino.

—Todo es humano y comprensible. Los campesinos, los menestrales, los mineros no contaban con grandes cabezas, tan sólo disponían de cuatro ideas elementales pero bastaban para enardecerles. Así se extendieron por Alsacia. Ante todo el Derecho Divino, se decían. Pero ese Derecho debería prevalecer sobre la servidumbre, el privilegio de la caza, o el derecho de pernada... en suma, sobre todos los abusos señoriales. Y, al propio tiempo, aspiraban a elegir sus párrocos, a modificar el diezmo que les exigía su Iglesia y a vivir una vida evangélica. Para ellos, todo era religión.

Cipriano Salcedo no pensaba lo contrario pero hallaba cierto placer en desbaratar los planteamientos de su interlocutor:

—Hasta aquí, así fue. Más tarde pudo más la política.

—¿Se refiere vuesa merced a la pretensión de crear un Parlamento de campesinos? ¿Le parece excesiva esa aspiración de los desheredados? ¿No la considera cristiana? Thomas Müntzer, creyéndose un iluminado, decidió formar una teocracia, pero fue aniquilado en Frankenhausen. Más de cien mil muertos, una matanza. Y todavía hay quien afirma que Lutero firmó panfletos «contra las hordas ladronas y asesinas de los campesinos», pero no se ha demostrado que así fuera. Lutero detestaba la algarada pero amaba la justicia.

—Pero lo de los anabaptistas fue algo parecido.

—Lo que hizo impopulares a los anabaptistas fue

el hecho de retrasar el bautismo de los niños. A la gente le asustaba la amenaza del limbo. Por lo demás fue un grupo idealista que enarboló el anarquismo como bandera; Hubmaier lo llevó a Turingia. Pero además de la anulación del Estado, pretendían suprimir la Iglesia, la jerarquía, los sacramentos y la propiedad privada. Todo un programa revolucionario. Tenga usted en cuenta que Hutter, por hacer esto mismo, fue quemado en Austria en esos años. A la postre el pueblo mismo acabó levantándose y católicos y protestantes unidos los derrotaron en Münster. Después de tanta sangre ¿cómo le puede extrañar a usted que aún haya huellas de violencia en Turingia?

La voz apolillada de Berger se enardecía. «Hay veces en que parece un canónigo magistral», le había dicho bromeando el Doctor en una de las conversaciones anteriores a su viaje. «Hombre bueno, fundamentalmente bueno, e instruido», añadía inmediatamente ante el temor de estar atribuyendo a su amigo una imagen que no le correspondía. Salcedo advertía que el capitán conocía al dedillo la reciente historia alemana, los pros y los contras de la revolución de Lutero y que, probablemente, le consideraba a él un pobre intruso, un párvulo ayuno de toda formación. La nave continuaba moviéndose, cabeceaba, a ratos insistentemente, y don Isidoro Tellería, imperturbable, llenaba de nuevo la cazoleta de la pipa. Cipriano Salcedo hizo una pausa, miró a los ojos claros de Berger y prosiguió:

—Estas cosas y otras del mismo tenor avivaron mi deseo de conocer a Melanchton. Lutero y él no siempre habían marchado de acuerdo pero los partidarios de uno y otro le reconocen ahora como la cabeza del protestantismo. Al fin conseguí ser recibido en Wittenberg. Se mostró afable y comprensivo conmigo. Me habló de Lutero con exaltada devoción, con afecto filial. Habló del Lutero reformador y del Lutero exclaustrado, fiel esposo y padre amantísimo. Se interesó por los grupos luteranos españoles y me transmitió un saludo para ellos. Luego se sometió sumisamente a mi interrogatorio, un largo interrogatorio que arrancó de la Guerra de las hogueras en 1521, y terminó con la derrota del Emperador en Innsbruck y la división de Europa en dos bandos: católicos y protestantes.

—Y ¿no le habló a vuesa merced de su actuación personal?

—Naturalmente. Melanchton reconoció que él mismo alentó a los estudiantes de Wittenberg a quemar la bula papal y aludió luego a sus posteriores diferencias con Lutero en las dietas de Worms y de Spira que, en el fondo, no sirvieron más que para acrecentar la tensión entre ambos bandos. Melanchton se mostró en aquellos momentos humanista y conciliador, pero Lutero desaprobó su postura. Según me dijo expresamente, con un punto de añoranza, Roma y la Reforma estuvieron a punto de entenderse incluso en aspectos muy delicados como el del matrimonio de los clérigos y la comunión en las dos especies, pero ni Lutero ni los príncipes aceptaron tales propuestas.

—Y ¿de su papel de sistematizador?

—Me habló de ello también. Mencionó a Lutero, a la necesidad de crear unos códigos de fe y de conducta. Lutero mismo, con una clara visión del problema, redactó dos catecismos, uno para predicadores, muy elevado, y otro para el pueblo, más simple; ambos resultaron sumamente eficaces. También creó una bendición bautismal y otra nupcial para sustituir a los sacramentos del bautismo y el matrimonio sin provocar escándalo en el pueblo sencillo, que pensaba que con la nueva liturgia los cónyuges y los niños quedaban espiritualmente desamparados, eran un poco como animales sin alma. Personalmente —me dijo—, para participar en la organización del sistema, escribí el libro *Hogares comunes* que tuvo buena acogida. La formación dogmática era elemental: sólo Cristo, sólo la Escritura, sólo la gracia; basta la fe. El luteranismo falló a la hora de hacer de la Iglesia un ente invisible, sin estructura. Semejante cosa no fue posible y en este aspecto tanto Zuinglio como Calvino le desbordaron.

Isidoro Tellería tosió dos veces, dos toses secas y ásperas tras una larga fumada. Había sido tan hermético su silencio que el capitán Berger se volvió hacia él sobresaltado. Había olvidado por completo su presencia y su vozarrón oscuro, tan abrumador como su atuendo, atronó ahora en la pequeña camareta:

—Estoy de acuerdo —dijo, jugueteando con la pipa encendida a sabiendas de que iba a sorprender a sus contertulios—: Lutero creó una Iglesia en el aire; Calvino ha sido más práctico: ha hecho de Ginebra una ciudad-iglesia. He viajado mucho estos meses por Ginebra, Basilea y París, pero fue en una comunidad parisina, oyendo cantar el salmo *Levanta el corazón, abre los oídos,* cuando me sentí tocado por la gracia. Salí luterano de Sevilla y regreso calvinista.

El capitán Berger, por no enfrentar descaradamente su mirada a la de Tellería, volvió a observar las pequeñas manos inquietas de Salcedo tabaleando sobre la mesa:

—¿Cree vuesa merced en el poder absoluto? —inquirió.

—Amo la disciplina. Calvino acepta el beneficio de la fe y nos facilita un orden, una Iglesia y un modo de vida austero, vigilado discretamente por el Consistorio.

—Y ¿no ve usted en *esa discreta vigilancia* una réplica de la Inquisición?

Isidoro Tellería traía la lección bien aprendida:

—La fe sola no basta —dijo—. Debe ser servida. En este aspecto discrepo de Lutero. El calvinismo tiene espíritu misionero, algo que le falta al luteranismo y crea un concepto de Iglesia un tanto exasperado y radical.

—Usted lo dice: exasperado y radical.

—Entiéndame, no me refiero tanto a las normas en sí como a la exigencia de su cumplimiento: Calvino amenaza con la excomunión a todo aquel que no las acepte, que no acepte las normas. ¿Excesivo? Tal vez, pero un hombre tiene que estar muy seguro de lo que dice para adoptar una medida semejante. Creo que el asunto bien merece una reflexión. Y Calvino se somete voluntariamente a ella en Estrasburgo, durante tres años, el tiempo que permanece en la ciudad como capellán de la colonia francesa. Al mismo tiempo aprovecha para darle un empujón al libro que trae entre manos, *Institución Cristiana*, tan largo como edificante. En Estrasburgo, la posición de Calvino es pasiva, de simple espera.

—¿Cree usted que esperaba la llamada de los ginebrinos?

—La esperara o no, la llamada se produce. Ginebra se pone en sus manos y se somete al experimento. Los ginebrinos están arrepentidos de haberle expulsado. Entonces Calvino inicia la formación de una Iglesia. Esto es esencial. Pertenecer a ella, a esa Iglesia, es algo así como la fe para ustedes, una garantía de salvación. Calvino organiza una verdadera teocracia, el gobierno de Dios. A partir de ese momento en la pequeña ciudad apenas funciona otra cosa que la predicación y los sacramentos. El creyente viene obligado a ser devoto. El mundo es un valle de lágrimas y debemos acomodar la vida a una idea religiosa y a una actitud de servicio.

—Y todavía va más allá. Todo lo que no aparece en la *Biblia* está de más, queda prohibido.

—Cierto, pero este rigor, alejado de las frivolidades luteranas, es lo que en principio me atrajo del calvinismo; un poco más tarde vino la caída del caballo, en París. Cuando regresé a Ginebra, la ciudad me edificó. Era como un templo gigantesco en contraste con las ciudades luteranas: nombres bíblicos en los niños, catequesis, estudio, oraciones, prédicas... El juego fue declarado maldito y a los jóvenes se les prohibió cantar y bailar. Se les imponía el espíritu de sacrificio. Naturalmente se produjeron algunas protestas, pero, al cabo, prevaleció la razón: el mundo no estaba hecho para gozar y el pueblo aceptó de grado la autoridad de Calvino.

La luz del portillo languidecía. Cipriano Salcedo consideraba a don Isidoro Tellería con una remota piedad. Le roían la cabeza sus escrúpulos de infancia, su azarosa vida espiritual, el nacimiento de su pesimismo. Las negras palabras de Tellería le habían abstraído de tal forma que tuvo que hacer un esfuerzo para reintegrarse a la realidad, volver a notar el balanceo de la nave, el crujido de las cuadernas maestras y del mamparo. Vagamente tomó conciencia de que, de una manera u otra, todos buscaban a Dios en aquella extraña reunión en alta mar. Se sintió en la necesidad de intervenir:

—Pero en Francia —dijo, recordando su paso por este país— los hugonotes bautizan a sus hijos en católico a escondidas y, a escondidas, asisten a las misas papistas en París. Es decir, la doctrina de Calvino, aun siendo éste francés y francesa su lengua, no ha uniformado religiosamente a Francia.

Cuando se le contradecía, la voz oscura de Tellería se tornaba más opaca y brumosa, fruto del acaloramiento:

—No es lo mismo —sonrió rígidamente con media boca—. No es lo mismo una pequeña ciudad como Ginebra que un reino entero como Francia. Francia es un vasto mundo por conquistar y Calvino ha aceptado este desafío: ha enviado allí grandes contingentes de misioneros. He aquí otro tanto a su favor. De este modo, y poco a poco, el calvinismo se va afirmando: Francia, Escocia, Países Bajos... Son los intelectuales, formados en la Academia de Ginebra, los que han catequizado estos países. Yo vengo de Ginebra, he pasado seis meses allí y puedo asegurarle que la ciudad es un ejemplo de religiosidad para cualquier persona que sepa verlo sin prejuicios.

La tez de Isidoro Tellería había empalidecido y los ojos amusgados del capitán Berger se posaban en él con evidente escepticismo. Se diría arrepentido de haberle dado acogida en su galeaza. Volvió la mirada hacia el ojo de buey:

—Señores —dijo de repente, dando por terminada la reunión que empezaba a pesarle demasiado—, está anocheciendo.

Se puso en pie torpemente. El taburete, sujeto a las planchas del suelo, le obligaba a flexionar las piernas para salir. Cipriano Salcedo le imitó. Cuando, a su vez, fue a hacerlo Isidoro Tellería dio un traspiés, se sujetó a la mesa y se llevó la mano derecha a la frente sudorosa:

—Se mueve mucho este barco —dijo—. Estoy un poco mareado.

El capitán Berger se aplastó contra la mampara para dejar pasar a su invitado:

—Es el encierro —corrigió—. Y la pipa. El tabaco hace más daño a la cabeza que el mar. ¿Por qué ese empeño en imitar a los indios?

Cipriano Salcedo ayudaba a un trémulo Isidoro Tellería a subir a cubierta por la escotilla de proa. Contra el cielo se divisaba un marinero inmóvil en la cofa y, por babor, muy diluida, la tenue silueta de la costa francesa. Isidoro Tellería inspiró profundamente el aire puro y sacudió la cabeza de un lado a otro:

—Olía intensamente a brea, ahí abajo —protestó—: olía a brea como si acabaran de calafatear el barco.

Con el mareo, Tellería había perdido su austera apostura. Ante un rollo de cuerdas en cubierta, Salcedo le animó a sentarse, a hacer un alto en su camino hacia toldilla, donde se levantaba la tienda. Las pequeñas manos peludas y vitales de Cipriano Salcedo sujetaban a su compañero de travesía por un brazo. Entre los celajes, una luna menguante exhibía un resplandor desvaído, sin contrastes. Un jirón suelto de lona azotaba la vela mayor con violencia intermitente. Tellería renunció a sentarse. El cambio de postura habría acrecentado su sensación de inestabilidad:

—Puedo llegar a mi cama —dijo—. Prefiero acostarme.

El tiempo había refrescado y, cuando alcanzaron su tienda, Tellería se metió por la rendija de la puerta y se tumbó en el coy sin descalzarse. Apenas había luz dentro y Tellería, apoyándose en el codo, encendió el candil que tenía a la cabecera. A su lado, amontonados, estaban los fardos del equipaje. Salcedo se sentó en el arcón que, con el coy, componía el mobiliario de la tienda. El viento traía la voz de un marinero que cantaba, lejos, en alguna parte. A la luz del candil, y en contraste con sus ropas fúnebres, Isidoro Tellería estaba verde, desencajado. Salcedo se incorporó y se inclinó sobre él:

—¿Le traigo algo para cenar?

Tellería denegó:

—No debo comer. En mi situación no sería conveniente.

Extendió la manta sobre el estómago y el vientre. Cipriano Salcedo dijo a media voz:

—Le dejo descansar. Volveré dentro de un rato.

Salió de la tienda y entró en la suya. Divisó en el rincón el fardillo de los libros y, casi ocultándolo, los tres del equipaje. Llevaba varios meses en esta incómoda provisionalidad, con la ropa enfardada, de fonda en fonda. Soñaba con verse estabilizado en una casa, la ropa limpia y planchada, bienoliente, ordenada en un gran armario. Faltaban poco más de treinta horas para arribar a puerto y confiaba en que Vicente, su criado, no faltara a la cita concertada cuatro meses antes. Si Vicente había cumplido sus indicaciones, dispondría de alojamiento en Laredo, en la posada del Fraile, y de un caballo y una mula para llegar a Valladolid. Dudó un momento sobre si tenderse también en el coy, como Tellería, pero finalmente desistió y salió de nuevo a cubierta. Era, efectivamente, el marinero de la cofa el que canturreaba y el jirón de vela continuaba azotando a la mayor mientras dos jóvenes se encaramaban descalzos por las jarcias con ánimo de reparar el pequeño estropicio. Infló el pecho y una bocanada de aire salino ventiló sus pulmones. Paseó despacio por cubierta pensando en sus cofrades de Valladolid, en su casa, en el taller de confección de la Judería, en sus propiedades de Pedrosa, donde su amigo Pedro Cazalla, el párroco, seguiría armando el tollo cada tarde, a la entrada de La Gallarita, para cazar con el perdigón. Por asociación de ideas pensó en el Doctor, su hermano, tan pusilánime y abatido en los últimos tiempos, como si barruntara una tragedia, en el empeño con que le propuso este viaje y sus cautelas exageradas. Salcedo estaba ese invierno enredado en mil asuntos, pero le conmovió la confianza del Doctor, el hecho de que le antepusiera a los demás miembros del grupo, más antiguos que él. Entonces le expuso su temor de que la Inquisición tuviera alguna sospecha de la existencia del conventículo. Al Doctor hacía tiempo que le desazonaba la actividad de Cristóbal de Padilla, el criado de los marqueses de Alcañices, su torpe proselitismo en Toro y Zamora. En líneas generales estaba satisfecho del grupo, de su alto nivel intelectual, su posición social, su discreción, pero desconfiaba de la gente baja, de algunos pobres analfabetos, decía, que se habían infiltrado en el mismo. «¿Qué puede esperarse —le decía a Salcedo días antes de marchar— de ese impenitente correveidile haciendo proselitismo?» En la carta a Erfurt había vuelto sobre el tema. Salcedo compartía su temor en cierto modo, pero recelaba aún más de Paula Rupérez, la mujer del joyero Juan García, aunque no perteneciera al conventículo. Ello le llevó a pensar en Teo, su propia esposa, el extraño fracaso de su matrimonio, la disparidad física entre los dos, su incapacidad para hacerla madre y su hundimiento final. Teo carecía del calor maternal que ingenuamente le había atribuido al conocerla. De esta manera, la soledad de Cipriano se había acrecentado con el matrimonio. Había admitido impávido la separación de lechos, de habitaciones, de vidas. A Pedro Cazalla, párroco de Pedrosa, le habló un día del asunto: no sólo no quería a su mujer sino que la despreciaba. Era un grave pecado y Nuestro Señor se lo tendría en cuenta. Con su padre, don Bernardo, le había sucedido algo parecido. ¿Es que había seres que nacían solamente para odiar? Fue entonces cuando Pedro Cazalla le dijo que confiara en los méritos de Cristo y no diera tanta importancia a sus sentimientos. Una nueva luz apareció en su angosto horizonte. Así que no todo estaba perdido, la Pasión de Cristo valía más que sus propias obras, que sus sentimientos mezquinos. Detrás vino don Carlos de Seso y, más tarde, el Doctor, a profundizar en la misma idea: el purgatorio no era, pues, necesario. La secta venía a ofrecerle una fraternidad que no había conocido hasta entonces. Se entregó a ella con fruición, con entusiasmo. El viaje a Alemania formaba parte de esta entrega.

Pero ahora, mientras recorría en la noche la cubierta del *Hamburg*, el tierno recuerdo de Ana Enríquez no podía impedir que se encontrase solo e insignificante. Costeaban Francia y, de cuando en cuando, una luz vacilante y mortecina hacía guiños desde tierra, señalaba los difusos límites del mar. La galeaza se aproximaba al litoral, esperando hallar mar planchada, pero, pese a todos los esfuerzos, no cesaba de cabecear. Salcedo pensó en Tellería y pasó por las cocinas. Un pinche grueso y rosado, con el torso desnudo y las tetillas rojizas, le dio dos manzanas para «el pasajero español que se sentía indispuesto». Isidoro Tellería se las comió sin mondarlas, a grandes mordiscos, sentado en el coy, a la luz del candil. Tenía mejor aspecto que por la tarde y, al concluir, sopló la llama, se arrebujó en la manta y se despidió hasta la mañana siguiente.

Salcedo madrugó. Lo primero que advirtió fue que la costa francesa había desaparecido de la amura y un viento terral desmelenado sacudía las velas frenéticamente. Hacía frío. Salvo una alargada franja azul a poniente, los nimbos grises entoldaban el cielo. Media docena de marineros descalzos baldeaban con bruzas y lampazos la cubierta de estribor y, a intervalos, vaciaban los cubos de golpe y el agua burbujeaba en los imbornales antes de perderse en el mar. Paseó por cubierta para estirar las piernas y, al cabo, pasó por las cocinas donde el marmitón de las tetillas rojas le facilitó una tisana para don Isidoro Tellería.

Lo encontró despierto, más entonado, pero se

negó a levantarse. Lo mismo le ocurrió a la hora del almuerzo —un caldo y dos manzanas— de lo que Salcedo dedujo que, así durase un mes la travesía, el sevillano permanecería tumbado en el coy sin moverse. Salcedo le acompañó un rato, sentado en el arcón, y casualmente descubrió el *Nuevo Testamento* de Pérez de Pineda, como libro de cabecera, junto al candil, a su lado.

Cipriano Salcedo dedicó la tarde a recorrer las dependencias del pequeño navío: el sollado de los remeros, vacío ahora, las sentinas de carga, la duneta, el puente, los pañoles, el castillo de mando... Apenas reposó la comida unos minutos. Había pasado mala noche y se sentía intranquilo y nervioso. Le asaltaban temores infundados que se incrementaban cuantas más vueltas les daba en la cabeza. Recelaba que Vicente, su criado, por ejemplo, no saliera a esperarle al muelle al día siguiente y él se encontrase solo, sin medio de transporte, en el amarradero, con un fardo de libros prohibidos en la mano. Después de cenar, se serenó contemplando la puesta de sol, aun resistiéndose a admitir que aquel astro brillante y húmedo que se acostaba en el mar fuese el mismo que Pedro Cazalla y él veían desaparecer tras los ardientes rastrojos desde los cerros de Pedrosa. Ya anochecido, se acodó en la popa, mirando distraído los dibujos de la estela dividiendo el mar, y no oyó llegar al capitán Berger. Lo vio alzarse, de repente, a su lado, las anchas manos en la baranda, inquiriendo con acento burlón:

—¿Descansa nuestro amigo, el ínclito calvinista?

Cipriano Salcedo señaló con un dedo la tienda silenciosa. Luego se acodó de nuevo en el pasamanos e informó al capitán de sus motivos de preocupación. Le inquietaba la posibilidad de que su criado hubiera tergiversado sus instrucciones y no le aguardase en el puerto al día siguiente. Le inquietaba, asimismo, que, durante su ausencia, el Santo Oficio hubiese decretado nuevas normas para impedir la circulación de libros peligrosos. Ambos recelos, unidos, le producían una profunda desazón.

El capitán Berger no pareció dar a sus temores excesiva importancia. Los guardas y alguaciles del Santo Oficio vigilaban la carga de los barcos, destripaban los toneles o los fardos si les parecían sospechosos, pero no solían molestar a los viajeros. Al concluir le preguntó si traía muchos. Cipriano Salcedo levantó la cabeza hacia él:

—¿Libros? —inquirió.

—Libros, claro.

—Diecinueve —respondió Salcedo y, abriendo un hueco entre sus manos, precisó—: Un fardo pequeño... pero lo arriesgado es el contenido: Lutero, Melanchton, Erasmo, dos *Biblias* y una colección completa del *Pasional*. —Algo impensado le vino de pronto a la cabeza y añadió con alguna precipitación—: ¿Sabía usted que la censura de Biblias impuesta en Valladolid hace tres años supuso la recogida de más de cien ediciones distintas del libro de libros, la mayor parte de autores protestantes?

Los dientes del capitán Berger brillaban en la oscuridad al sonreír:

—Los capitanes de barco somos expertos en ese tema. Los últimos veinte años los hemos vivido en perpetuo sobresalto. De una de las *Biblias* de las que usted habla introduje doscientos ejemplares por el puerto de Santoña el año 28 en dos toneles. No pasó nada. Entonces los toneles eran una cosa inocente. Hoy meter un libro en una cuba es como fabricar un explosivo.

—Y ¿en qué momento cambió la situación?

—En el año 30 diez grandes cubas con libros llegaron al puerto de Valencia en tres galeazas venecianas. Fueron interceptadas y el descubrimiento puso en guardia al Santo Oficio. Lo más acre de Lutero, todo lo escrito en Wartburg, en docenas de ejemplares, estaba allí. La Inquisición montó un verdadero auto de fe. Los capitanes de las galeazas fueron apresados y en la plaza de la ciudad ardieron cientos de libros en una pira gigantesca, entre el griterío y el entusiasmo del pueblo analfabeto. Al Santo Oficio siempre le atrajeron los grandes alijos para montar con ellos un espectáculo popular.

La noche queda, de luceros brillantes, invitaba a la confidencia. Salcedo no se movió. Esperaba que el capitán Berger prosiguiera. Estaba seguro de que lo haría y lo esperaba mirándole el entrecejo:

—Las quemas de libros han sido en España pasatiempos habituales —dijo al fin—. De la quema de Salamanca todavía se está hablando. La ciudad más culta del mundo quemando los vehículos de la cultura; no deja de ser un contrasentido. Dos años más tarde hubo otra quema aparatosa en San Sebastián... Pero no vaya usted a pensar que España tuviera la exclusiva. Miles de ejemplares de *La libertad del cristiano*, traducido al español, fueron incinerados en Amberes con toda pompa y solemnidad. Yo estuve allí, viví el acontecimiento.

Salcedo emitió una apagada sonrisa:

—La Inquisición —dijo— se muestra cada día más intolerante. Ahora exige a los confesores que obliguen a los penitentes a denunciar a los que ocultan libros prohibidos. Y al que se niega no se le absuelve. Ni los obispos, ni el mismo Rey están exentos de esta medida.

El capitán Berger, que había estado recostado en la barandilla, dio media vuelta y se acodó en ella:

—Tengo entendido —dijo— que cada vez que la Inquisición condena a un hombre por causa de un libro, este libro queda en entredicho. Y no me refiero solamente a obras anticristianas. El *Catálogo de Lovaina*, por ejemplo, prohibió hace seis años la *Biblia* y el *Nuevo Testamento* traducidos al castellano. Es cosa sabida que el pueblo español está condenado a desconocer el libro de libros.

Cipriano Salcedo miró de reojo al capitán antes de hacer esta observación:

—La afición a la lectura ha llegado a ser tan sospechosa que el analfabetismo se hace deseable y honroso. Siendo analfabeto es fácil demostrar que uno está incontaminado y pertenece a la envidiable casta de los cristianos viejos.

Se abrió un alto silencio entre los dos hombres que hizo perceptible el leve murmullo de la estela bajo las estrellas. Para el capitán Berger no pasó inadvertido el ademán de Cipriano Salcedo de aproximar el reloj a los ojos:

—Es tarde —anticipó.

—Son casi las dos, capitán —dijo Salcedo—. Una hora muy oportuna para retirarse a descansar.

El nuevo día amaneció con calima. Desde su tienda Salcedo divisó a Isidoro Tellería en cubierta fumando una pipa. Se había quitado el luto. Calzaba unos borceguíes de badana hasta media pierna y, sobre la camisa fruncida y el jubón, vestía una ropilla de paño fuerte. Incomprensiblemente, parecía más alto y delgado que vestido de negro, tal vez a causa de las calzas, muy ajustadas, o a que realmente había adelgazado por mor de la sobria dieta mantenida a bordo durante la travesía. Salcedo se aproximó a él y le saludó. Había dormido bien —le dijo. Los trastornos habían desaparecido, se encontraba recuperado. Él no abandonaría la galeaza en Laredo sino que continuaría viaje hasta Sevilla.

La bruma iba levantando y la costa, de nuevo visible y ahora muy próxima, cobraba animación y relieve bajo un sol desfallecido. En las leves ondulaciones del terreno se alzaban pequeños caseríos diseminados, ceñidos por bosques de hayas y fresnos, y vacas y yeguas pastando en los prados colindantes. La línea del mar se detenía en los acantilados y, poco más allá, en la vasta playa dorada, sobre la cual se extendía el pueblo con las chimeneas de sus casas humeantes.

El *Hamburg* viró en redondo a babor y su proa hendió las aguas de la bahía con el malecón al fondo. Una tropilla de marineros abatían las velas desde las jarcias y el barco se deslizaba suavemente sobre la superficie para detenerse, minutos después, en la bocana, junto al espigón. Isidoro Tellería y Cipriano Salcedo se habían aproximado al puente, bajo el cual impartía órdenes el capitán. De pronto, sonó la campana del portalón, la nave se detuvo y un marinero

44

descolgó una escala por la borda, por la que ascendió el práctico que se hizo cargo del timón. Los costados del velero se habían erizado de remos que bogaron rítmicamente tan pronto el capitán Berger dio la orden por el tubo acústico. El *Hamburg* avanzó hasta el ostial lentamente. El capitán se aproximó a Salcedo y le señaló un hueco en los muelles del fondo, a lo largo de los cuales se extendían los almacenes de lana:

—Ahí tiene vuesa merced nuestro atracadero —dijo.

La nave se deslizaba sobre la superficie del agua y, poco mas allá, viró de nuevo a babor, colocándose paralela al muelle. El capitán Berger oteaba los alrededores con el anteojo, dos charrúas empujaban la nave contra el atracadero mientras cuatro marineros arrojaban por el costado las defensas al tiempo que desaparecían los remos de babor. En tanto amarraban la nave al bolardo, el capitán dejó de mirar y sonrió a Salcedo entregándole el anteojo:

—No parece que haya moros en la costa —dijo.

Salcedo enfocó el anteojo a la dársena y fue recogiendo la mirada hacia los diques: los veleros desmantelados, el pueblo, una reata de mulas por el camino de la playa. Al abocar al bosquecillo de hayas, su ojo retornó poco a poco por la línea de galeazas atracadas, el muelle, los almacenes y, súbitamente, lo descubrió: un hombrecillo desmedrado ante la puerta número 2, vestido con un humilde sayo de cordilla y calzado de cuerda, que miraba sin pestañear el navío recién atracado. Sostenía dos caballos por las bridas y, detrás, atada a una argolla del almacén, una mula pateaba el empedrado con impaciencia.

Salcedo le señaló con un dedo:

—Ahí está —dijo sin cesar de mirar al capitán—. Ese muchacho de los caballos que está a la puerta del almacén es Vicente, mi criado. ¿Podrá subir a bordo a hacerse cargo del equipaje?

Libro I

LOS PRIMEROS AÑOS

I

Asentada entre los ríos Pisuerga y Esgueva, la Valladolid del segundo tercio del siglo XVI era una villa de veintiocho mil habitantes, ciudad de servicios a la que la Real Chancillería y la nobleza, siempre atenta a los coqueteos de la Corte, le prestaban un evidente relieve social. Con el Duero, Pisuerga y Esgueva, antes de desmembrarse éste en los tres brazos urbanos, daban acogida, por un lado, a las casas de placer de la aristocracia, mientras facilitaban, por otro, una suerte de muralla natural a los periódicos asedios de la peste. El recinto propiamente urbano estaba circuido por huertas y frutales (almendros, manzanos, acerolos) y éstos, a su vez, por un círculo más amplio de viñas, que se extendían en ringleras por los cerros y el llano, hasta el extremo de que las calles de cepas, revestidas de hojas y pámpanos en el estío, cerraban el horizonte visible desde el Cerro de San Cristóbal a la Cuesta de La Maruquesa. En la margen izquierda del Duero, avanzando hacia el oeste, detonaban los nuevos pinares, en tanto, más allá de las grises colinas, en dirección norte, una ancha franja de cereal enlazaba el valle con el Páramo, una gran extensión de pastos y encinas habitada por los pastores de ganado lanar. Semejante disposición facilitaba el abastecimiento de la villa, tierra preferentemente de pan y vino, con un tinto flaco en los majuelos más próximos, alegres tintillos en la zona de Cigales y Fuensaldaña y los extraordinarios blancos de Rueda, Serrada y La Seca. Según normas de la Cofradía Los Herederos del Vino, monopolizadora de esta bebida, en Valladolid no podían ser vendidos mostos ajenos en tanto no hubieran sido consumidos los propios. Una ramita verde a la puerta de una taberna anunciaba cuba nueva y, en tales casos, los criados de casa grande, las criadas de casa media y los vallisoletanos más pobres en persona, formaban largas colas a la puerta del establecimiento, para decidir sobre la calidad del nuevo caldo. Amigo del zumo de cepas, el vallisoletano del siglo XVI, hombre de paladar sensible, distinguía el vino bueno del malo, aunque gustara de ambos, de tal modo que la cifra de consumo por habitante y año ascendía a los doscientos diez cuartillos, guarismo que, descontando a las mujeres, no bebedoras en general, los niños, los abstemios y los pobres, expresaba una cantidad per cápita de mucho respeto.

Encajonada entre los dos ríos, la villa, de pequeñas dimensiones (donde, al decir de las gentes de la época, cuando el pan encarecía había hambre en España), componía un rectángulo con varias puertas de acceso: la del Puente Mayor al norte, la del Campo al sur, la de Tudela al este y la de La Rinconada al oeste. Y salvo el cogollo urbano, empedrado y gris, con una reguera de alcantarillado exterior en el centro de las rúas, la villa resultaba polvorienta y árida en verano, fría y cenagosa en invierno y sucia y hedionda en todas las estaciones. Eso sí, allí donde la nariz se arrugaba, la vista se recreaba ante monumentos como San Gregorio, la Antigua y Santa Cruz o los recios conventos de San Pablo y San Benito. Calles estrechas, con soportales a los costados y casas de dos o tres pisos, sin balcones, con comercios o tallercitos gremiales en los bajos, Valladolid ofrecía en esta época, con su vivo tráfago de carruajes, caballos y acémilas, un aspecto casi floreciente, de manifiesta prosperidad.

Antes de que se instalara la Corte, la noche del 30 de octubre de 1517, el coche que ocupaban el hombre de negocios y rentista, don Bernardo Salcedo, y su bella esposa, doña Catalina de Bustamante, se detuvo ante el número 5 de la Corredera de San Pablo. Al salir de la casa de don Ignacio, rubio y lampiño, oidor de la Real Chancillería, hermano de don Bernardo, donde habían pasado la velada, doña Catalina había confiado discretamente a su marido sentir dolores en los riñones y, en este momento, al detenerse bruscamente los caballos ante el portal de su casa, volvió a aproximar los labios a su oído para comunicarle en un susurro que también notaba humedad en el nalgatorio. Don Bernardo Salcedo, poco experto en estas lides, primerizo a sus cuarenta años, instó al criado Juan Dueñas, que sostenía la portezuela del coche, que acudiese vivo a casa del doctor Almenara, en la calle de la Cárcava, y le hiciera saber que la señora de Salcedo estaba indispuesta y requería su presencia.

Don Bernardo Salcedo consideraba al niño que se anunciaba como un verdadero milagro. Casado diez años atrás, el inesperado embarazo de su esposa constituyó para ambos una sorpresa. Los Salcedo no solían incurrir en estas vulgaridades. Fue doña Catalina, la que, intrigada por la infertilidad de su matrimonio, se puso en manos de don Francisco Almenara. Don Francisco era el más prestigioso médico de mujeres en toda la región. Autorizado para curar en 1505 por el Real Tribunal del Protomedicato después de brillantísimas pruebas, sus prácticas junto al acreditado doctor don Diego de Leza no hicieron sino confirmar los esperanzadores auspicios. Hoy la fama del doctor Almenara había salvado fronteras y los más importantes industriales tejedores de Segovia y los más famosos comerciantes de Burgos acudían habitualmente a su consulta. Sin embargo a doña Catalina Bustamante le costó lágrimas la decisión. ¿Cómo mostrar las partes pudendas a un desconocido por muy eminente que fuera? ¿Cómo consultar con nadie un problema tan íntimo como que sus relaciones sexuales con su marido no dieran fruto? Pero su curiosidad pudo más que su pudor. Aunque ella no suspiraba por un hijo, como buena pragmática deseaba saber por qué su conducta, análoga a la de tantas mujeres, no producía los mismos efectos. Días después el noble porte del doctor Almenara, embutido en su loba de terciopelo oscuro, el rubí pendiente del gorjal, su luenga barba puntiaguda y la disforme esmeralda que ornaba su pulgar derecho, acabaron con sus escrúpulos y reticencias. A su aceptación contribuyeron también los correctos modales del sanador, sus palabras suaves apenas musitadas, la delicadeza con que solicitaba acceso a las partes más íntimas de su cuerpo y los contactos, mínimos pero turbadores, que exigía su cometido. El largo período que estuvieron en sus manos disipó todo recelo en el ánimo de doña Catalina y abrió el corazón de don Bernardo a una leal amistad. Pero antes tuvo que soportar terribles pruebas, como la del ajo, para intentar averiguar quién de las dos partes era la causante de la esterilidad matrimonial. Con este objeto, don Francisco Almenara introdujo en la vagina de doña Catalina un diente de ajo, debidamente pelado, antes de meterla en cama:

—Mañana no se levante hasta que yo llegue. Debo ser el primero en olerla —advirtió.

Don Bernardo se despertó con el alba. Intuía vagamente que algo grave relativo a su masculinidad estaba en entredicho. Divagó por la casa durante horas y cuando, sobre las nueve de la mañana, oyó a la puerta los cascos de la mula del doctor levantó el visillo de la ventana con inquietud manifiesta. El criado del doctor, que traía a la caballería del ronzal, ayudó a apearse a su dueño y ató aquélla a la armella de la columna. Todo lo que vino a continuación resultó para don Bernardo desconcertante y confuso. Don Francisco ordenó levantarse a doña Catalina y, tal como estaba, en salto de cama, la condujo de la mano hasta la jofaina y, una vez allí, requirió amablemente su aliento.

—¿Cómo? —A doña Catalina se la veía sensiblemente turbada.

—El aliento, señora, écheme vuesa merced su aliento —insistió el doctor inclinando el busto sobre el rostro de la paciente. Ésta, finalmente, obedeció.

—Otra vez, si no le importa.

La esposa de don Bernardo Salcedo alentó ante la nariz de don Francisco quien frunció sombríamente el ceño. Acto seguido, en una actitud de gravedad extrema, el doctor Almenara se encerró con don Bernardo en el despacho de éste, se sentó en el escritorio y miró al señor Salcedo con inusitada frialdad:

—Lamento tener que decirle que las vías de su esposa están abiertas —dijo simplemente.

—¿Qué quiere decir, doctor?

—La esposa de vuesa merced está apta para la concepción.

La sangre le bajó de golpe a los talones a don Bernardo:

—¿Quiere sugerir...? —apuntó, pero fue incapaz de proseguir.

—No insinúo nada, señor Salcedo, afirmo rotundamente que el aliento de su esposa huele a ajo. ¿Qué quiere decir esto? Muy sencillo, las vías de recepción de su cuerpo están abiertas, no opiladas. La concepción sería normal tras una fecundación oportuna.

Don Bernardo había arrancado a sudar y sus movimientos se habían hecho torpes y resignados:

—Eso quiere decir que soy yo el causante del fracaso matrimonial.

Almenara le miró de abajo arriba con un asomo de desprecio:

—En medicina dos y dos no siempre son cuatro, señor Salcedo. Quiero decirle que estas pruebas no son matemáticas. Existe la posibilidad de que ambos estén en condiciones de procrear y, por lo que sea, sus respectivas aportaciones no se entiendan.

—O sea, que mi esposa y yo no congeniamos.

—Llámelo como quiera.

El señor Salcedo guardó cauto silencio. Le constaban los conocimientos del doctor Almenara, sus éxitos espectaculares entre las familias más distinguidas de la ciudad, su lucidez. Asimismo era del dominio público que en su biblioteca se alineaban trescientos doce volúmenes, no tantos como en la de su hermano Ignacio, pero suficientes para dar idea de su grado de ilustración. No era cosa de coger una pataleta por motivo tan nimio. Sin embargo inquirió:

—Y ¿la ciencia no dispone de ninguna otra prueba, doctor, digamos menos afrentosa, un poco más delicada?

—Podríamos someter a su esposa a la prueba de la orina, pero es una operación asquerosa y tan poco fidedigna como la del ajo.

—¿Entonces?

Almenara se levantó lentamente del escritorio. Embutido en su loba de terciopelo oscuro parecía un gigante. Su barba puntiaguda le alcanzaba al tercer botón. Tomó ligeramente del codo a don Bernardo:

—Sinceramente, señor Salcedo, ¿qué resultaría para vuesa merced más deprimente, el hecho de no tener descendencia o tener que reconocer ante su esposa que el responsable es usted?

El señor Salcedo carraspeó:

—Veo que también vuesa merced es especialista en hombres —dijo.

—Aquel que conoce bien a las mujeres termina conociendo a los hombres. Son conocimientos complementarios.

Don Bernardo alzó unos ojos vacuos, extrañamente opacos:

—¿No sería suficiente, doctor, comunicar a mi esposa que nuestros organismos no riman, que nues-

55

tras respectivas aportaciones, como usted dice, no se entienden?

—Es un buen consejo —sonrió—. Hagamos lo que usted dice. En realidad vuesa merced no me pide que mienta.

Aquella concesión del doctor Almenara salvó la armonía del matrimonio y la amistad entre los dos hombres. Pero, cuando ocho años después, sin otra novedad en la vida matrimonial que el simple paso del tiempo, don Bernardo y doña Catalina volvieron por la consulta, informando que la señora había tenido dos faltas, el doctor Almenara se congratuló de su discreción. Hizo tender a doña Catalina en la mesa ortopédica y le tomó el pulso detenidamente. Luego colocó la palma de su mano derecha en el pecho izquierdo, sobre el corazón de la paciente, y al sentir la agitación de doña Catalina, murmuró: tranquila, tranquila, señora, no tiene usted fiebre. Se volvió hacia su amigo y rubricó: calentura no tiene, señor Salcedo. Seguidamente se dobló por la cintura, aplicó la oreja al pecho de la mujer y escuchó el apremiado latido de su corazón. Al concluir, su mano experta abrió un hueco entre el corpiño y la faldilla y exploró el vientre, las durezas del bazo y el hígado, las más escurridizas de los intestinos. Pero su mano descendió todavía un poco más. A doña Catalina se le cortaba el resuello; estaba a pique de desmayarse, era la mano derecha, la de la esmeralda en el pulgar, y a veces sentía en el pubis las suaves aristas de la piedra. El doctor Almenara actuaba con excesiva audacia esta mañana. Finalmente sacó la mano y fue a lavárselas a la jofaina. Habló mientras se secaba:

—Las faltas son casi siempre un indicio concluyente de preñez —observó—, pero en tan poco tiempo no es posible apreciar nada al tacto. —Miró a Salcedo y añadió como si retomara el tema de ocho años atrás—: Estas cosas ocurren en medicina. Las aportaciones de vuesas mercedes, que parecían no entenderse, han amigado de pronto. Celebrémoslo. Les espero dentro de ocho semanas.

El matrimonio volvió por la consulta dos meses después pero, para entonces, doña Catalina pasaba las mañanas en náusea permanente y, en dos ocasiones, había llegado al almadiamiento y el vómito. Se lo dijo al doctor antes de tenderse en la mesa. El doctor la auscultó pacientemente pero, apenas inició el tacto en el vientre, las comisuras de su boca se distendieron: Aquí tenemos la cabeza del joven Salcedo —dijo y sonrió más ampliamente—: Se han salido ustedes con la suya.

Mes tras mes, doña Catalina, acompañada por su esposo, visitaba al doctor Almenara. Suponía un motivo de orgullo oír de su boca la confirmación periódica de la próxima maternidad. No obstante, a los ocho meses de embarazo, el doctor formuló una pregunta enfadosa: ¿Están vuesas mercedes seguras de haber llevado bien las cuentas? Don Bernardo se aceleró: las faltas no engañan, doctor. La primera vez que le visitamos llevaba dos, luego ahora son ocho exactamente. La cabecita es muy chica —comentó el doctor—: no mayor que una manzana.

Al mes siguiente confirmó que todo iba bien, salvo el tamaño del feto, demasiado ruin, pero que ya no cabía hacer otra cosa que esperar. Finalmente, como si formulara la pregunta más inocente del mundo, inquirió de don Bernardo si tenían en casa silla de partos. Don Bernardo Salcedo asintió satisfecho. Se sentía feliz de poder complacer al doctor Almenara hasta en aquel pequeño detalle. Se extendió en pormenores sobre la flotilla de la lana y la previsión de don Néstor Maluenda, el conocido comerciante burgalés, al regalársela a su esposa no bien apareció en los mercados de Flandes como una novedad. Ellos la inventaron —sonrió el doctor. Pero de nuevo adoptó un tono despectivo para puntualizar—: Por más que, dado su tamaño, tampoco el joven Salcedo precisará ayudas para irrumpir en este mundo.

Ahora, doña Catalina esperaba al doctor deambulando por la sala y, de vez en cuando, asía la consola con ambas manos, contraía el rostro y enrojecía sin decir palabra:

—¿Otra vez? —preguntaba don Bernardo solícito consultando el reloj. Ella asentía—. Son cada vez más frecuentes, apenas un par de minutos, quizá menos —añadió él.

Salcedo, en el fondo, se sentía envanecido de haber provocado esta conmoción. Le latía en los pulsos la inmodestia del semental, antes que la de padre. Después de tantos azares lo había conseguido. Admiraba la serenidad de su mujer y le chocaba su atuendo discreto, dadas las circunstancias, su falda acampanada de verdugos disimulando la preñez, el gonete de escote redondo, abriéndose a los lados, sugestivamente, sobre los hombros. Sonrió para sí. El día que estrenó aquel gonete no tuvo paciencia para desnudarla. A veces le asaltaban estos impulsos inmoderados sin que acertara a explicar la causa. Dependían más de sus exigencias carnales que de la vestimenta de su esposa. No obstante siempre le había excitado este gonete insinuante, los blancos y frágiles hombros compitiendo con la seda de la prenda. De nuevo su esposa contraía el rostro agarrada a la consola y, una vez pasado el dolor, doña Catalina agitó nerviosamente la campanilla de plata. Apareció Blasa, la vieja cocinera, rutando, arrastrando las chinelas, con una saya de paño burdo y una cofia en la cabeza. Blasa había empezado a servir a los cinco años en casa de la abuela de doña Catalina para entretener a la madre de ésta, recién nacida. Luego la había visto nacer a ella. Era una institución en la casa. Sin embargo, no hizo ningún comentario cuando la señora comunicó que su hijo se anunciaba ya, que preparase la habitación y calentara agua en la cocina. A Modesta, la doncella, era preferible no decirle nada. Que se acostara. No estaba bien que a sus pocos años se viera envuelta ya en estos bretes. En cuanto a Juan Dueñas, el criado que había ido a recoger al doctor, no tardaría pero convenía que estuviera dispuesto para cualquier eventualidad durante la noche. Por de pronto que sacara del cuarto de los armarios la silla de partos que llevaba dos lustros encerrada en lo alto de uno de ellos. La Blasa asentía y asentía, con su pesada cabeza, con sus hinchados párpados, totalmente pasiva ante el revuelo que se avecinaba. Miró a su señora con ojos fatigados:

—¿Alguna cosa más, señora?

Pero doña Catalina atendía a su esposo que le aconsejaba, en tono didáctico, que se pusiera cómoda, que no pensaría dar a luz con el gonete y la falda verdugada. Entre el nerviosismo y las contracciones, doña Catalina no había pensado aún en la vestimenta apropiada. Don Bernardo precisó:

—Ropas de noche, flojas y abiertas naturalmente.

Se oyó rodar un carruaje. El señor Salcedo conocía cada bache, cada adoquín desajustado en la calle, y el crujido especial de su viejo coche al salvarlos:

—Pronto —dijo—, ha llegado el doctor.

Doña Catalina escapó de la habitación por el falsete mientras don Francisco de Almenara, con su loba de terciopelo oscuro y su maletín negro en la mano de la esmeralda, accedía por la puerta principal. El doctor sabía de la importancia de una irrupción ostentosa. El médico o la comadre en casa de una primeriza era una especie de dios. Don Bernardo se acercó a él, preso de una extraña agitación:

—La cosa ha comenzado, doctor.

—¿Siente dolores?

—Hace más de una hora. Cada dos minutos.

Don Francisco de Almenara miró en derredor y echó en falta la presencia de la comadre. Don Bernardo se excusó: ignoraba que fuera indispensable. El doctor anotó en un papel dos nombres y dos direcciones y el señor Salcedo llamó a Juan Dueñas: Recoja a la primera. A la segunda, únicamente si la otra estuviera ausente. Después condujo al doctor hasta el dormitorio pero, como buen hombre celoso, golpeó con los nudillos antes de entrar. Doña Catalina dijo «adelante» con voz sofocada. Se había encamado con el camisón de novia y una bata floja sobre los hombros y se recostaba sobre dos almohadas de lana. El doctor Almenara retuvo la puerta y se dirigió a don Bernardo con delicadeza:

—Es preferible que espere fuera.

El señor Salcedo dio un paso atrás, humillado. ¿Qué pretendía hacer el aguerrido doctor Almenara a solas con su esposa? Los minutos discurrían con lentitud exasperante. Con la gruesa puerta de roble por medio, apenas se oían tenues murmullos y cuando el doctor le dio acceso se precipitó en el santuario, como había denominado al dormitorio conyugal desde el día de su matrimonio. El doctor Almenara le frenó:

—Todo normal —dijo—. La dilatación ha comenzado.

La comadre había llegado. Era una mujercita pequeña y dura, de piel apergaminada, embutida en una saya vieja y con la cabeza cubierta por una toca. El doctor se dirigió a ella:

—Buenas noches, Victoria —dijo—. Las cosas marchan correctamente pero no conviene dormirse. Prepare a la parturienta un agua de artemisa.

Modesta, con sus andares saltarines, iba tras ella pero Don Bernardo la detuvo:

—Usted debe acostarse —dijo—. Blasa atenderá a la señora. —Se volvió a Juan Dueñas que le miraba inmóvil desde la puerta:

—Usted espere abajo, Juan. Aún no sabemos si vamos a necesitarle.

Doña Catalina tomó dócilmente la pócima sin que aparentemente las cosas cambiaran. Sin embargo la dilatación progresaba. La comadre iba y venía a la sala:

—La dilatación es suficiente, doctor, pero no veo voluntad de participar. Está pasiva.

—Déle un ruibarbo.

La paciente movió el vientre con el ruibarbo. Escondía el rostro contra las almohadas a cada contracción pero no se esforzaba.

—Apriete —dijo el doctor.

61

—Que apriete, ¿dónde?

Cundía el desconcierto:

—Cuando le venga el dolor, haga usted fuerza.

El doctor se sentó en la descalzadora. Al oír que la parturienta se quejaba volvió la cara hacia ella:

—¡Apriete!

—No puedo, doctor.

Don Francisco Almenara se levantó. La cabeza está ahí, es pequeña, ¿por qué demonios no sale? —dijo el doctor. Pero transcurrió media hora y el panorama no había cambiado. La dilatación estaba hecha pero doña Catalina seguía sin participar:

—¡Victoria! —voceó el doctor entonces con energía—: ¡La silla de partos, por favor!

El propio don Bernardo ayudó a introducirla en el dormitorio. Era un artefacto de madera y cuero, el asiento más bajo que los soportes de las piernas y dos correas en los brazos donde debería agarrarse la paciente para hacer fuerza. La comadre y Blasa, la cocinera, ayudaron a doña Catalina a acomodarse en la silla. La parturienta, demacrada, con las piernas abiertas en alto y el nalgatorio apoyado en el asiento de cuero negro, ofrecía un aspecto desairado y ridículo. Le asaltó un dolor y el doctor dijo: Haga fuerza y ella frunció la cara, pero, cuando el dolor se disolvió, empezó a alterarse y ordenó a su marido con cajas destempladas que saliese y esperase en la sala, que le disgustaba que fuese testigo de su degradación. Nunca pensó don Bernardo que el nacimiento de un hijo comportase un proceso tan prolongado y vejatorio.

A las dos y media de la madrugada del 31 de octubre de 1517, la dilatación estaba prácticamente terminada pero el niño no salía y doña Catalina gritaba pero seguía sin poner nada de su parte para llevar el proceso a buen término. Fue en ese momento cuando el prestigioso doctor Almenara pronunció una frase que había de hacerse popular en la villa: Este niño está pegado —dijo. Justo en ese instante ocurrió algo inimaginable: la cabeza de la criatura desapareció del acceso y, en su lugar, asomó su bracito con la mano abierta que se agitaba como si se despidiese o saludase. Y allí quedó después el brazo, desmayado y flojo como un pene, entre las piernas abiertas de la dama.

—Este condenado se ha dado la vuelta —dijo el doctor fuera de sí—. Atiéndale, rápido.

La comadre abrió la cesta y sacó de ella un frasco de aceite de eneldo y una cajita de manteca, untó el bracito varado con ambas sustancias y mediante un rápido movimiento, muy profesional y sabio, volvió a meterlo en el vientre de su madre. La paciente se dejaba hacer dócilmente y, cuando advirtió que el doctor se quitaba del dedo pulgar el gran anillo de la esmeralda y lo dejaba sobre el tocador, se sintió tan desvalida como si se hubiese desenroscado la mano y descargara en ella toda la responsabilidad. Pero, de manera imprevista, sucedió todo lo contrario. Ella notó de repente su poder en el vientre, el doctor sujetó el hombro del bebé con sus dedos afilados y, muy hábilmente, le hizo girar de forma que la pequeña cabeza quedara de nuevo opilada sobre la vulva. Doña Catalina, que había perdido los modales y gritaba e insultaba a todos los presentes, volvió a experimentar una acumulación de energías en la pelvis, chilló, apretó con todas sus fuerzas mientras la comadre la animaba: así, así y, de pronto, como si fuese un bolaño, un pedazo sanguinolento de carne rosada salió proyectado con fuerza, el doctor retiró la cabeza para evitar el impacto, y la criatura aterrizó sobre la blanca toalla que la comadre sostenía entre sus brazos poco más atrás. Le miró atónita:

—¡Un niño! —dijo—. Qué menudo es, parece un gatito.

Entró apresurado don Bernardo y el doctor Almenara, que se lavaba las manos en la jofaina, le miró fijamente y le dijo:

—Ahí tiene a su hijo, señor Salcedo. ¿Creen vuesas mercedes que han contado bien? Por el tamaño parece sietemesino.

Pero el esfuerzo, el bochorno, el reteso de doña Catalina, que por vez primera en su vida había realizado una tarea personal por sí misma, sin apelar a manos mercenarias, tuvo sus dolorosas consecuencias. Se sentía exhausta y desarmada y, cuando a la mañana siguiente le entregaron el niño para que mamase, el pequeño retiró la cabecita del pezón aquejado de un llanto convulso. El doctor Almenara, que había presenciado la reacción del recién nacido, auscultó pacientemente a doña Catalina, colocó la mano del anillo sobre el pecho izquierdo de la enferma, se volvió hacia don Bernardo y sus hermanos, que se habían presentado en la casa inopinadamente, y pronunció otra de sus frases lapidarias:

—La parturienta padece calenturas. Habrá que buscar una nodriza.

La influencia de la familia Salcedo se desplegó por la villa y pueblos limítrofes. Don Ignacio, oidor de la Chancillería, donde se preparaba esa mañana la re-

cepción del Rey, dio el parte entre el personal subal-
terno: urgía una nodriza joven, con leche de varios
días, sana y dispuesta a alojarse en casa de los padres. Los corresponsales de la lana, en el Páramo,
recibieron de don Bernardo la misma consigna: Se
precisa nodriza. La familia Salcedo requiere urgente-
mente una nodriza. A las doce del día siguiente se
presentó una muchacha, casi una niña, procedente de
Santovenia, madre soltera, con leche de cuatro días,
que había perdido a su hijito en el parto. A doña Catalina, aún no demasiado cargada de fiebre, le gustó
la chica, alta, delgada, tierna, con una atractiva sonrisa. Daba la sensación de una muchacha alegre a pesar de todos los pesares. Y una vez que el niño se en-
roscó en su regazo y estuvo una hora inmóvil tirando
del pezón y se quedó dormido, doña Catalina se conmovió. El *fervor materno* de aquella chica se advertía
en su tacto, en el cuidado meticuloso al acostar a la
criatura, en la comunión de ambos a la hora de ali-
mentarlo. Deslumbrada por tan buena disposición,
doña Catalina la contrató sin vacilar y la alabó sin reservas. De esta manera apresurada Minervina Capa,
natural de Santovenia, de quince años de edad, madre
frustrada, empezó a formar parte de la servidumbre
de la familia Salcedo en la Corredera de San Pablo 5.

Tampoco Minervina encontró resistencia en la cocina donde Blasa, la cocinera, era, en principio, un
hueso duro de roer. Había dado al niño dos tomas de
leche de burra, rebajada con agua y muy azucarada,
como vio en tiempos hacer a su madre, antes de aparecer Minervina, y doña Catalina temió un recibimiento hostil. Pero a la señora Blasa le había intri-
gado la procedencia de la chica y, tan pronto se vio a

solas con ella, le preguntó si conocía en su pueblo a un tal Pedro Lanuza, padre de dos rapazas bien apersonadas y ligeras de cascos, y no había terminado de formular la pregunta cuando Minervina rompió a reír:

—Toda la famila alumbrada, señora Blasa.

—Y ¿qué quieres decir con eso?

—Lo que oye, señora Blasa, alumbrados, de esos que dicen que Nuestro Señor prefiere ver a un hombre y una mujer en la cama que en la iglesia rezando latines.

—¿Eso dicen en tu pueblo? Siempre fue un poco rara esa familia.

Minervina se esforzó por recordar más cosas para complacer a la señora Blasa, para caerle en gracia:

—También dicen que Nuestro Señor viene a ellos sin más que sentarse a esperar. Que basta quedarse quietos y aguardar para que el Señor los ilumine. Por eso les dicen también los *dejados*.

La Blasa asentía:

—Ese mote le cae mejor al Pedro Lanuza que el otro, ya ves. En la vida vi a un hombre más vago y abandonado que él.

—Pues si quiere verlos, los sábados bajan a Valladolid, en la burra, a casa de una tal Francisca Hernández y de un cura que también le dicen don Francisco.

La Blasa abrió el ojo:

—Y ¿dónde vive la Francisca Hernández esa, hija?

—Ni me recuerdo, señora Blasa, pero si usted tiene interés el primer día que vaya al pueblo lo pregunto.

Así tomó Minervina posesión de los dominios de la Blasa. La Modesta, corta y tímida, pero disparatada, también aceptó a la chica complacida. Habituada a la vieja, halló en la nueva compañera juventud, unos puntos de vista más afines y una conversación fluida, impropia de una chica de pueblo.

Doña Catalina pasó el día tranquila. La aparición de Minervina, tan limpia como bien mandada, la había sosegado. Para acrecentar su bienestar, a mediodía se presentó doña Gabriela, su cuñada, a darle cuenta de los festejos de la villa: los cuarenta mil forasteros llegados para recibir al Rey, las calles hirvientes, los arcos de madera revestidos de follaje en las esquinas, los paneles y tapices engalanando las casas más nobles. Y, luego, la marcial parada en el Nuevo Espolón, el infante don Fernando, flanqueado por el cardenal de Tortosa y el arzobispo de Zaragoza, seguidos de heraldos, alguaciles, ujieres y maceros. El gentío se desgañitaba dando vivas al Rey al aparecer don Carlos sobre el adoquinado, solo, apuesto, por el centro de la calzada, caminando al ritmo de los timbales, los diamantes engarzados en su traje brillando al sol de noviembre. Le precedía una banda de trompetas y tambores y velaban su retaguardia quinientos arcabuceros, cuatrocientos alemanes y cien españoles, tras los cuales desfilaban su hermana, doña Leonor, con las damas del séquito atendidas por nobles y, cerrando el cortejo, una compañía de arqueros haciendo caracolear a sus caballos y dando vivas a Castilla y al Rey. Doña Catalina, mujer de fáciles emociones, comenzó a temblar bajo el edredón y doña Gabriela, al advertir su encendimiento, hizo derivar la conversación hacia el gran elefante instalado en la Plaza del Mercado para regocijo de niños y adultos.

Al día siguiente, sin razones aparentes, doña Catalina empeoró. Le subió la calentura y el doctor Almenara admitió que podía tratarse del mal de madre y, con objeto de ganar tiempo, ordenó al barbero cirujano Gaspar Laguna, que en su día había vuelto a la vida al presidente de la Chancillería en situación desesperada, que practicase a la enferma una sangría, cosa que llevó a cabo con admirable destreza. Pero como, al día siguiente, doña Catalina continuara en el mismo estado, don Francisco Almenara abrió un nuevo camino a la esperanza apelando a la triaca magna:

—Hay que dársela. No queda otro remedio.

La matrona asintió. Don Bernardo, resignadamente, buscó unas monedas en los bolsillos de la ropeta para el remedio, pero el doctor, al advertir su ademán, le informó que se trataba de un medicamento caro. ¿Como cuánto de caro? —inquirió Salcedo. Doce ducados —concretó el doctor. ¡Doce ducados! —estalló don Bernardo. El doctor argumentó las razones de este precio: Tenga usted en cuenta que sólo se fabrica en Venecia y que en el preparado entran más de cincuenta elementos distintos. Mientras la Modesta bajaba a la botica de Custodio, se oyeron pasar caballerías por la calle y, acto seguido, un *viva el rey* y el rumor de alabarderos desfilando acompasados por el redoble de un tambor. De pronto, como una tiple que respondiera en escena a la voz poderosa del barítono, sonó el tintineo de una esquilita entre el estruendo militar. Don Bernardo retiró el visillo de la ventana. Había encargado en el Convento de

68

San Pablo la misa de las Cinco Llagas por la salud de la enferma y el santo viático por si acaso las cosas se torcían. A su derecha vio venir a fray Hernando, con el cáliz cubierto, y a un monacillo a su lado, agitando la campanilla. La gente se hincaba de rodillas a su paso y, al levantarse, sacudían vigorosamente el polvo de las calzas o de las sayas. En las escaleras, la campanilla del monacillo se hizo más aguda, sonora e imperativa. Don Bernardo se acercó a fray Hernando:

—La unción es suficiente, padre; ya no conoce.

Y, en el momento en que el sacerdote iniciaba las preces, la barbilla de doña Catalina se desplomó sobre el pecho y quedó inmóvil, con la boca abierta. El doctor se adelantó hasta ella, le tomó el pulso y puso la mano de la esmeralda sobre su corazón. Se volvió a los asistentes:

—Ha muerto —dijo.

Un cuarto de hora más tarde, la Modesta, con la triaca magna en la mano, se tropezó con Juan Dueñas en el portal. Dijo Juan Dueñas lacónicamente:

—La señora doña Catalina ha muerto.

A la Modesta se le escapó un sollozo. Ascendió la escalera lentamente, sujetándose al pasamanos. La imponían los muertos y aspiraba a dilatar su entrada en la casa. Por la puerta entreabierta divisó a don Bernardo, sus hermanos, Blasa y la nueva compañera alterando la posición de los muebles en el vestíbulo, haciendo sitio. Permaneció quieta, sin entrar. Pocos minutos después llegaban las endechaderas e instalaron, en el despacho, la capilla ardiente. Modesta aprovechó el momento de confusión para llegar a la cocina. Minervina, deshecha en lágrimas, sentada en un taburete, daba de mamar al niño recién nacido, en tanto Blasa, la cocinera, atizaba el fuego impávida, con esa indiferencia propia de los seres muy vividos, arrancados prematuramente de su origen. Modesta se incorporó a la actividad doméstica. Entregó la medicina al señor. Don Bernardo musitó: doce ducados tirados a la calle. Ella dijo con vocecita inaudible: Lo siento, señor Bernardo; salud para encomendar su alma.

Pero ya empezaba el trajín de las visitas, las llamadas a la puerta, las flores, y ella acudía sin demora. La gente venía en pequeños grupos y pasaban a la sala donde don Bernardo y su hermano los recibían. Una de las veces que cruzó ante la puerta abierta del despacho, miró de soslayo y divisó a la señora sobre una mesa, los ojos y la boca cerrados, exangüe, indiferente y tranquila. Durante toda la tarde no cesaron las visitas. Llegaban cabizbajos y salían aliviados, descargados de una obligación penosa. Aparecían ramos de flores que la Modesta llevaba hasta el despacho con los ojos entrecerrados. Le aterrorizaba volver a ver a la señora. Junto al cadáver, doña Gabriela, la cuñada de la difunta, dirigía las oraciones de grupo. Ya avanzada la noche, cuando los amigos se despidieron y quedaron solos, don Bernardo y su hermano, el albacea, se sentaron juntos a los pies de la difunta, como era vieja costumbre familiar, para leer sus disposiciones testamentarias. Por primera providencia, doña Catalina deseaba ser enterrada en el atrio del Convento de San Pablo, no en el interior de la iglesia, ya que, a causa de los enterramientos, dentro había unos desagradables efluvios «que le quitaban la devoción». Doce mujeres jóvenes y pobres la acompañarían a su última morada, vestidas de azul y blanco y con un cirio encendido en la mano. Don Bernardo abonaría a cada una de ellas un real de vellón por su compañía. El entierro debería efectuarse tras una misa de réquiem en la misma iglesia, a la que seguirían, en fechas sucesivas, un novenario de misas cantadas con diáconos y subdiáconos y otras en cada templo de la villa en la octava de su fallecimiento. Don Bernardo leía estas disposiciones con voz entrecortada, no tanto por su aflicción, como porque conocía la liberalidad de doña Catalina, que temía se manifestara a cada paso. Y su voz temblorosa se quebró del todo cuando, con su característica letra picuda, la difunta ordenaba, sin lugar a otras interpretaciones, que se constituyese un juro en favor del Convento de San Pablo que rentase, cuando menos, dos mil seiscientos cincuenta maravedíes al año. Cuando al fin pudo leer esto, don Bernardo hizo una pausa, miró a su hermano por encima del papel y dijo con acento alambicado:

—Catalina había nacido para princesa.

Pensó en el almacén de la Judería, en sus fincas de Pedrosa y en Benjamín, el rentero:

—Un juro así no bajará de treinta aranzadas —añadió.

Su hermano Ignacio, oidor de la Chancillería, rubio, con el pelo corto, y barbilampiño, se sintió molesto, arrugó la nariz como ante un mal olor:

—Es de ley —dijo—. Tú puedes pagar sobradamente ese juro.

Siempre hubo una relación muy estrecha entre ambos hermanos, tan diferentes, empero, en la estimación del dinero. Discutieron a los pies del cadáver, entre el aroma mareante de las flores, y don Bernardo tildó a su esposa de manirrota, pero don Ignacio, discretamente, cortó la conversación haciendo ver a su hermano que no era el momento apropiado para emitir tales juicios.

A la mañana siguiente, con el cadáver sentado en el coche, sujeto con cuerdas, y conducido por Juan Dueñas, Bernardo e Ignacio Salcedo presidieron los sufragios por la difunta. Doce muchachas, casi niñas, con rostros seráficos, vestidas de azul y blanco, flanqueaban el coche, entonando con voces nasales cánticos religiosos. Alineadas luego, en la nave central del templo, escoltando el cadáver, sus rostros juveniles restaban severidad a la ceremonia. A continuación, los restos de doña Catalina Bustamante recibieron tierra en el atrio y el acompañamiento desfiló ante los hermanos, estrechando sus manos, dándoles paz en el rostro o prodigándoles palabras de consuelo. Concluidos los pésames, ante la emoción de los amigos, el joven viudo distribuyó entre las jóvenes penitentes los doce reales de vellón acordados en las disposiciones.

De regreso a casa, doña Gabriela, acompañada por los dos hombres, pasó por el cuarto de plancha para ver al pequeño Cipriano y, ante él, aparentemente dormido, soltó dos lágrimas inoportunas. Don Bernardo, en cambio, a su lado, contemplaba a la criatura con rostro impasible. A la cabecera de la cunita, la joven Minervina había colocado un lazo negro de tafetán. Los ojos de don Bernardo se endurecieron.

—¿Qué pensará mientras duerme el pequeño parricida? —murmuró.

Don Ignacio le tomó por el hombro.

—Por favor; no disparates así, Bernardo. Nuestro Señor te puede castigar.

Don Bernardo movió la cabeza de un lado a otro:

—¿Es que cabe aún mayor castigo que el que vengo padeciendo? —sollozó.

II

La casa de la Corredera de San Pablo asumió a la muerte de doña Catalina una nueva disposición. El niño Cipriano se incorporó a la vida del servicio, en las buhardillas de madera del piso alto, en tanto don Bernardo quedó como dueño y señor del primer piso, sin otra novedad que la de haber cambiado de sitio el santuario conyugal, instalado, ahora que había dejado de ser santuario, en su despacho de toda la vida.

Como era previsible, dada su corta edad, el niño vivía pegado a su nodriza; de ella mamaba cada tres horas, con ella pasaba el día gorjeando en el cuarto de plancha y con ella dormía en uno de los cuchitriles de arriba, junto a la escalera. Los bajos, en cambio, no sufrieron la menor alteración. Juan Dueñas, el criado, siguió viviendo allí, en el pequeño chiscón junto a la cuadra, con los dos caballos y las dos mulas y la pequeña cochera al lado.

Ninguna de estas novedades implicó un cambio sustancial en la vida de don Bernardo Salcedo aunque externamente entró en una fase de derrotada pasividad. Dejó de ir al almacén de lanas, en la vieja Judería, y se olvidó por completo de Benjamín Martín, su rentero de Pedrosa. En su inactividad, don Bernardo dejó incluso de visitar a mediodía, con sus amigos, la taberna de Dámaso Garabito y de entonarse con sus blancos selectos. En rigor, el señor Salcedo pasó unos días sentado en un sillón de la sala, frente a los visillos de la ventana, viendo cómo venía la luz y cómo marchaba. Apenas se movía hasta que Modesta le avisaba para comer y él, entonces, se levantaba del sillón de mala gana y se sentaba a la mesa. Pero no comía, se limitaba a manchar el plato para engañarse a sí mismo y, de paso, inquietar al servicio. Interiormente se había señalado una semana de luto pero, en siete días, llegó a un punto de simulación tan perfecto que empezó a gozar de las mieles de la compasión. Desde niño, don Bernardo Salcedo había impuesto a sus padres su voluntad. Era un muñeco autoritario que no aceptaba imposiciones de ningún tipo. Así creció y, una vez casado, a su esposa doña Catalina la tuvo siempre sometida a una dura disciplina marital. Tal vez por eso sufría ahora, porque le faltaba alguien a quien mandar, con quien ejercitar el poder. Y Modesta, la doncella, al servirle las comidas, mostraba su aflicción con dos lagrimitas. Un día no se pudo contener y le llamó al orden: no se deje vuesa merced —le dijo—. No le vaya a dar que sentir. Estas sencillas palabras hicieron ver a don Bernardo que había otros placeres sutiles en el mundo además del que proporcionaba la autoridad: ser compadecido, provocar lástima. Atribuirse un sentimiento de dolor tan fuerte como nadie había sentido en el mundo era otra manera de parecer importante. Así llegó a ser maestro en el oficio, maestro de la afectación. Se pasaba el día estudiando ante el espejo gestos y actitudes que evidenciaran su pena. La ostentación del dolor llegó a ser su meta y lo mismo que fingía no comer ante Modesta, afirmaba que había renunciado a dormir y se lamentaba de sus largas noches en vela, de no pegar ojo, de su insomnio irremediable. Pero, en realidad, don Bernardo, cuando la casa quedaba a oscuras y en silencio, encendía una mariposa y buscaba en la alacena y la despensa algún manjar apetecible que le compensara de su dieta diurna tan escrupulosamente observada. Acto seguido, se desplazaba de un lugar a otro haciendo ruidos deliberadamente para despertar al servicio y confirmar así su vigilia. De este modo la compasión por el viudo doliente se iba extendiendo. Del servicio pasaba a sus hermanos, don Ignacio y doña Gabriela, de don Ignacio a Dionisio Manrique, el jefe del almacén, del jefe del almacén a Estacio del Valle, el corresponsal en el Páramo, y de Estacio del Valle a los demás corresponsales de la meseta y a sus amigos de la taberna de Dámaso Garabito. Don Bernardo no comía, ni dormía, no hacía otra cosa, decían, que dar unas instrucciones cada mañana a Juan Dueñas, su criado, y charlar un par de horas por la tarde con su hermano, el oidor. La única novedad en la primera quincena de viudo fueron sus paseos por la sala, paseos solemnes, sin objeto, una vez que se cansó de reposar en el sillón. Solía ponerse en pie de manera automática, cada media hora, y recorría a grandes zancadas la estancia, los ojos en el suelo, las manos a la espalda, la mente en sus propios progresos como actor. En relación con estos paseos, Minervina advirtió una cosa chocante: tan pronto el señor se ponía en movimiento y empezaban a sonar sus pasos sobre el entarimado, Cipriano, el niño, se despertaba. Y otro tanto ocurría cuando don Bernardo subía al piso alto, antes que para ver al niño para que la chica le viera a él abatido y lloroso. Pero diríase que la criatura notaba en sus párpados el filo de su mirada, una molesta sensación de intromisión, porque se despertaba enseguida, estiraba su arrugado pescuecito de tortuga, abría los ojos y recorría con su mirada la habitación girando lentamente la cabeza, antes de arrancarse a llorar.

A Minervina le desagradaba que el señor subiera a los altos sin avisar, que mirase al niño con aquellos ojos inyectados, fríos, llenos de reproches: al niño no le quiere, señora Blasa, no hay más que ver cómo le mira —decía. Pero cada vez que el señor Salcedo subía a verle dormir, el niño quedaba incómodo para el resto del día, se desazonaba y lloraba a cada rato sin razón alguna. Para Minervina las cosas estaban claras: la criatura lloraba porque su padre le daba miedo, le asustaban sus ojos, su luto, su sombría consternación. Y una vez anochecido, a la hora del baño, Minervina daba cuenta a sus compañeras de las novedades, en tanto el niño jugeteaba en la redonda bañera de latón, chapuzaba con sus manitas, y cada vez que la niñera oprimía la esponja contra sus ojos y los hilillos de agua escurrían por sus mejillas, se sentía sofocado y feliz. Al concluir el baño, le tendía sobre la toalla, en su regazo, le perfumaba concienzudamente y le vestía. Era en esos momentos, ante el cuerpecillo rosado de Cipriano, cuando hablaban entre ellas de su tamaño y la Blasa rezongaba, una y otra vez, que el niño era menudo pero no flaco, porque en lugar de huesos tenía espinas como los peces.

El fingido desconsuelo de don Bernardo y su distanciamiento real hacia el pequeño determinaron la cada día más cálida aproximación de la muchacha. Minervina gozaba viendo la avidez con que el niño tiraba de sus rosados pezones, los juegos de sus manitas, los gorjeos inarticulados, su confiada dependencia. Con el niño en brazos, se le ocurría a veces que su hijo no había muerto, que reposaba allí confiadamente en su enfaldo y que tenía que mirar por él.

—¡Qué boba! —se decía de pronto—. Pues no estaba pensando que el niño era mío.

Fuera de la atención permanente del recién nacido y de los comentarios que despertaba, lo único que rompía la monotonía cotidiana en aquellos días era la visita vespertina de don Ignacio y doña Gabriela. La belleza y elegancia de ésta encadilaban a Modesta y Minervina y el esplendor de sus atuendos las deslumbraba. Jamás repetía modelo, pero, con unos o con otros, había una tendencia clara a marcar la línea de los pechos y la flexibilidad de la cintura. Las sayas francesas, las lobas abiertas de brocado, las mangas abullonadas dejando entrever la tela blanca de la camisa, facilitaban motivos de conversación a las muchachas. Pero, además, estaban los andares de doña Gabriela, muy vivos y atildados, sin lastre, como si su cuerpo tuviera el privilegio de flotar, de eludir la acción de la gravedad. Enternecida por la suerte del pequeño, Modesta y Minervina la acompañaban cada vez que subía a visitarlo a las buhardillas. Doña Gabriela nunca aludía al tamaño del niño, le gustaba así, le conmovía su orfandad y, valiéndose de tretas y ardides, trataba de adivinar los sentimientos de su padre hacia él. Se desazonaba cada vez que Minervina le daba cuenta de su sequedad y estuvo a punto de sufrir un soponcio el día que le comunicó que don Bernardo había llamado *pequeño parricida* a la criatura. Dada la aversión de su cuñado hacia su hijo, y confirmada la infertilidad de su matrimonio, una de aquellas tardes silenciosas y confidenciales que siguieron a la viudez de don Bernardo, doña Gabriela, con voz emocionada, brindó a su cuñado la posibilidad magnánima de hacerse cargo del recién nacido, sin papeles ni compromisos de adopción, simplemente para atenderlo, en tanto no alcanzara una edad razonable que su padre determinaría. Don Bernardo pestañeó dos veces hasta que notó en los ojos el calor de una lágrima y dijo rotundo: el niño es mío; su casa es ésta. Hábilmente doña Gabriela le hizo ver que el niño, lejos de consolarle, revolvía en él *tortuosos recuerdos*, y don Bernardo convino que así ocurría en efecto, pero que ésa no era una razón para desentenderse de sus deberes de padre. Le brillaban los ojos y él parpadeaba para simular el tósigo, pero don Ignacio, siempre atento a las reacciones aflictivas de su hermano, le habló de manera discreta de la conveniencia de dar a la criatura una *madre artificial*, vinculada familiarmente a él, a lo que su hermano replicó que, sin necesidad de vínculos, la joven Minervina, con sus pequeños pechos eficaces y su cariño, cumplía ese papel a satisfacción de todos. No hubo en la discrepancia fraterna tirantez ni palabras incorrectas. Simplemente don Bernardo dio la negativa por respuesta.

Algunas tardes, durante la visita de su hermano, el viudo quedaba en silencio, como hipnotizado, mirando el visillo de la ventana oscurecida. Era una de

80

sus habituales puestas en escena, pero su hermano se inquietaba, le preguntaba cosas, le contaba hablillas para sacarle de su pasividad. A don Bernardo le hacía feliz el desasosiego de don Ignacio, el hermano intelectual, la eminencia de la familia. La felicidad de ser compadecido la experimentaba sobre todo en relación con su hermano, el número uno, el discreto. Ajeno a sus fingimientos, don Ignacio seguía con preocupación el extraño proceso de Bernardo. Debes marcarte una tarea, Bernardo, le decía: algo que te distraiga, que te absorba. No puedes vivir así, mano sobre mano, con esa tristeza encima. Don Bernardo replicaba que las cosas marchaban solas y había que dejarlas; que el secreto de la vida estribaba en poner las cosas a funcionar y dejarlas luego para que avanzasen a su ritmo. Pero Ignacio argumentaba que tenía el almacén abandonado y que a Dionisio Manrique le faltaban luces para sustituirle. Y otro tanto le ocurría con Benjamín Martín, el rentero de Pedrosa, a quien debería visitar al menos para formalizar el juro de doña Catalina. Pero don Bernardo, en principio, no atendía los consejos de su hermano. Únicamente, transcurridos unos meses, cuando empezó a aburrirse en su papel de viudo inconsolable y a echar de menos los vinos en la taberna de Garabito, admitió que el placer de ser compadecido no bastaba para llenar una vida. Entonces empezó a mostrarse más blando y receptivo con su hermano que, por su parte, había llegado a la conclusión de que únicamente un acontecimiento inesperado, una sacudida, podía sacar a Bernardo de su postración. Y la sacudida se produjo, en forma de correo urgente, una tarde en que don Ignacio, como de costumbre, animaba a su hermano a cambiar de vida. El correo venía de Burgos y se trataba de una carta de don Néstor Maluenda, el notable comerciante burgalés que en su día tuvo la atención de regalarle a su señora una silla de partos, de tan amargos recuerdos. Para don Bernardo, que guardaba hacia el comerciante consideración y respeto, aquella carta anunciándole la salida de Bilbao de la flotilla de la lana significó una advertencia liberadora. Los vellones llevaban almacenados en la Judería desde el mes de agosto y la lana de toda Castilla —salvo Burgos y Segovia— se pudría allí sin que él hubiera tomado ninguna determinación. Despachó el correo de vuelta con una carta para don Néstor Maluenda pidiendo disculpas por el retraso y anunciándole que la expedición castellana partiría hacia Burgos el 2 de marzo, que harían el viaje en tres días, quemando etapas, y que él, personalmente, conduciría la caravana.

A la mañana siguiente, contrató con Argimiro Rodicio cinco tiros de ocho mulas cada uno y cinco grandes plataformas para el día 2. Avisó asimismo a Dionisio Manrique y Juan Dueñas para que estuvieran preparados para el viaje. Él mismo conduciría la primera plataforma. No lo había hecho más que una vez en su vida pero ahora debía a don Néstor Maluenda una reparación. Por otro lado intuía que conducir ocho mulas a trote largo, a punta de látigo, le produciría el desahogo físico que precisaba. Así, en la madrugada del día 2, una vez cargados los fardos, don Bernardo se vistió la ropa campera, con sombrero y zamarro, y cruzó el Puente Mayor capitaneando la expedición. Tras él marchaban Dionisio, el encargado del almacén, con otra carreta de ocho mulas, otros dos carreteros blasfemos por él contratados y, cerrando filas, el fiel Juan, a quien don Bernardo Salcedo había adiestrado en los más variados oficios.

Ya en el camino, lleno de charcos y de rodadas, don Bernardo fustigó a las guías con el látigo, forzando a los numerosos jinetes, arrieros y carros, que venían en dirección contraria, a apartarse asustados en las cunetas para dejarle paso franco. Las guías de la plataforma de Salcedo eran dos mulas de su propiedad, la *Alazana* y la *Morisca*, que atendían a sus voces y latigazos, sosteniendo un trote largo, más bien un galope corto que, a los que venían de frente, se les antojaba un devastador ataque de caballería. Poco a poco, don Bernardo, de natural pacífico y sosegado, se fue encorajinando y empezó a golpear a los animales sin duelo, de forma que la salida del sol les sorprendió en el pueblecito de Cohorcos. Cambió cuatro mulas en la venta del Moral y otras cuatro en la Posta de Villamanco, donde durmió la segunda noche. Rufino, el ventero, viejo conocido, le atendió con su agreste amabilidad: ¿Dónde va vuesa merced con estas prisas? Lleva las caballerías llenas de mataduras. Don Bernardo sonreía con una media sonrisa destemplada: Todos estamos obligados a cumplir con nuestro deber, Rufino. La guía y el pericón son de mi propiedad, no te preocupes.

Liberado de sus fingimientos, durmió de un tirón por primera vez desde la desgracia. No obstante, a la mañana siguiente, y pese a tener la cabeza despejada, le dolían todos los huesos del cuerpo. Acusaba las sacudidas del carro, los baches profundos del pavimento, los vaivenes de la velocidad. De este modo, el tercer día, antes de que el sol se pusiera, la caravana entraba en la ciudad de Burgos por la Puerta de las Carretas. Eran tales el estrépito y las voces de los carreteros que los transeúntes se detenían en los bordes de las calles para verlos pasar. Las llantas de los carros y los cascos de las mulas, que levantaban chispas en el adoquinado, producían un retumbo aturdidor: la caravana de Salcedo se ha retrasado este año, comentó un ciudadano. Frente al Monasterio de Las Huelgas se levantaba el enorme almacén de Néstor Maluenda que recibía, en dos expediciones anuales, los vellones de media España. Dionisio Manrique y Juan Dueñas permanecieron junto a las carretas, vigilando la descarga, mientras don Bernardo Salcedo reservaba una habitación en el mesón de Pedro Luaces, donde siempre había parado, y buscaba ropa para la cena en los establecimientos más lujosos de la ciudad.

Don Néstor Maluenda le recibió amablemente. La presencia de don Néstor, tan fino, tan señor, tan en su sitio, siempre había cohibido a don Bernardo: me encuentro más suelto mano a mano con el Príncipe que con don Néstor Maluenda, solía decir. Todo en el viejo le imponía: su fortuna, su figura alta y esbelta pese a la edad, las pálidas mejillas impecablemente rasuradas, aquella melena corta, al estilo de Flandes, y su indumento, el sayo con ropa encima, el escote cuadrado dejando asomar la camisa y el jubón acuchillado que sería moda un año más tarde. Como siempre, don Néstor se mostró acogedor, le enseñó sus últimas adquisiciones, el gran espejo con marco de oro del vestíbulo y el matrimonio de arquetas venecianas, enfrentadas artísticamente en el salón. Don Bernardo pisaba las alfombras devotamente y, devotamente, admiraba los cortinones gruesos, largos hasta el suelo, que clausuraban las ventanas. Las voces se aterciopelaban inevitablemente en una mansión tan lujosamente vestida. Don Néstor se mostró consternado cuando don Bernardo le comunicó que su esposa había fallecido y que esto y las secuelas previsibles habían sido la causa de su retraso:

—Era mi primer hijo —dijo, los ojos brillantes.

—¿También ha muerto?

—El niño, no, don Néstor. El niño vive, pero ¡a qué precio!

Inevitablemente salió el tema de la silla de partos y don Bernardo, pese a los tristes recuerdos, reconoció su eficacia:

—El niño estaba opilado —dijo—, pero la silla flamenca facilitó su expulsión. Desgraciadamente la silla no pudo evitar las fiebres de doña Catalina ni su posterior fallecimiento.

Le había sentado entre los dos candelabros y don Néstor parpadeaba contrariado, lamentando que ni siquiera la silla flamenca hubiera podido evitar la desgracia. Pero como buen comerciante encontró enseguida la salida pertinente:

—Todo esto que me cuenta es muy sensible, amigo Salcedo, pero Nuestro Señor, ser previsor, hizo posible que todos los males de esta vida tengan remedio. Un hombre no puede vivir sin mujer y, bien mirado, la mujer no es más que un repuesto para el hombre, una pieza de recambio. Usted debe casarse otra vez.

Don Bernardo agradecía esta conversación confidencial con el gran comerciante castellano, pero no dejaba de mortificarle, de mantenerle en tensión el tema de que trataban:

—El tiempo dirá, don Néstor —dijo cuitadamente.

—Y ¿por qué no ganar al tiempo por la mano? La vida es breve y sentarse a esperar no es la fórmula pertinente; no tenemos derecho a cruzarnos de brazos. Aquí me tiene vuesa merced, tres matrimonios en treinta años y ninguna de las tres mujeres me negó descendencia. El comercio de la lana con Flandes está asegurado por tres generaciones.

Atropelladamente le vinieron a Salcedo varios temas a la cabeza: el problema de su descendencia, la humillante prueba del ajo, el juro de doña Catalina, pero únicamente dijo con un hilo de voz:

—Me temo que yo sea hombre de una sola mujer, don Néstor.

Cuando sonreía, el rostro de don Néstor se llenaba de arrugas. Al fruncírsele la máscara del maquillaje envejecía diez años:

—No hay hombres de una sola mujer, querido amigo. Eso es una falacia. Con mayor motivo hoy que tiene dónde elegir. En Burgos ha habido una dote de cien mil ducados el mes pasado. Muchas grandes fortunas han comenzado así, con un matrimonio de conveniencia.

Bajó los ojos don Bernardo. Después de meses de reclusión y aislamiento, esta conversación en un apartamento tan muelle, con un interlocutor sabio y prudente, le parecía un sueño:

—Lo pensaré, don Néstor. Pensaré en ello. Y si algún día cambiara de opinión vendría a consultarle, se lo prometo.

Don Néstor le sirvió una copa de vino de Rueda y le agradeció la atención de acarrear las pieles personalmente: hemos ganado un día, dijo don Bernardo con cierta jactancia. Después el señor Maluenda le confió que el presente estaba siendo un año excepcional, que las acémilas hacían la ruta a Bilbao en reatas de doce o quince y que más de setenta mil quintales estarían ya estacionados en los muelles vascos. Que este año movería más de ochenta mil acémilas, cosa que no se había conseguido en Castilla desde 1509. Se le llenaba la boca con las grandes cifras y remató su disertación económica con una fatuidad:

—Hoy día, Salcedo, estoy en condiciones de hacer un préstamo a la Corona.

Sentados en los cabeceros de la gran mesa de nogal, mirándose el uno al otro como las arquetas venecianas del salón, don Bernardo pensó que, a pesar de haberse casado tres veces, nunca había conocido a ninguna de las esposas de don Néstor: son un simple recambio, pensó. Nunca las mezcló en sus reuniones de negocios. Según él la mujer únicamente debía vestir al hombre en las reuniones de sociedad. Era su oficio. El criado negro les sirvió la sopa de gallina. Don Bernardo se azoró al distinguir su color pero no dijo nada hasta que el criado salió. Entonces continuó sin hablar pero miró interrogativamente a su anfitrión:

—Damián —dijo éste con la mayor naturalidad— es un esclavo de Mozambique. Me lo obsequió hace cinco años el conde de Ribadavia. Lo mismo pudo regalarme un morisco pero hubiese sido una vulgaridad. El favor era demasiado alto para una atención tan mezquina. Hoy en día, un esclavo de Mozambique es un lujo propio de la aristocracia. A los quince años le hice bautizar y hoy está entregado a mi servicio con una fidelidad ejemplar.

Don Bernardo se sentía cada vez más achicado. El escaparate de don Néstor no podía ser más deslumbrante para un pobre burgués como él. La fortuna de don Néstor era comparable, quizá, con la del conde de Benavente. Y el dinero comportaba para don Bernardo una importancia singular. Tras la sopa de gallina, el criado les sirvió truchas y un excelente vino de Burdeos. Se movía silenciosamente, sin rozar los platos de plata con los cubiertos, ni las copas de cristal de Bohemia con el borde de la jarra. El esclavo andaba como un fantasma, levantando mucho los muslos para evitar los roces de las chinelas con la alfombra. Durante sus ausencias, don Néstor completaba su historia, sus designios respecto a él:

—Es perezoso y huidor —dijo—, pero fiel. Le he elegido como hombre de confianza pero el resto de los criados están celosos de él. Para mí, es un miembro más de la familia, Salcedo. Aunque negro, tiene un alma blanca como nosotros, susceptible de ser salvada. Lo que no le permito de momento es casarse. Imagínese un semental como él suelto por estos salones. Repugnante. Eso sí, cuando cumpla cuarenta años lo emanciparé. Será un modo de agradecerle sus servicios.

El viaje a Burgos, la velada con don Néstor Maluenda, hizo mucho bien al señor Salcedo. Olvidó su negligencia, su simulación, se desembarazó, al fin, del cadáver de doña Catalina y tan pronto llegó a casa, sin quitarse las calzas abotonadas, ni el zamarro de piel de cordero, subió al piso alto, en el que dormitaba Cipriano y permaneció en pie, a los pies de la camita, mirándole fijamente. El pequeño se despertó como de costumbre, abrió los ojos y se quedó mirando a su padre sin pestañear, asustado. Pero, en contra de lo que era previsible, don Bernardo no cambió de actitud ante su tierna mirada:

—¿Qué estará tramando el taimado parricida? —dijo una vez más entre dientes.

Su mirada era de hielo y esta vez, el niño, en lugar de estirar su pescuecito de tortuga y otear el horizonte, rompió a llorar desconsoladamente. Acudió presurosa, cimbreando su elástico talle, la nodriza Minervina:

—Le ha asustado vuesa merced —dijo tomando al niño en sus brazos y haciéndole fiestas.

Don Bernardo hizo notar que una criatura de meses, siendo varón, debería mostrarse más duro y resistente y, a renglón seguido, se quedó mirando la airosa figura de la muchacha con el niño en brazos y dijo algo que a don Néstor Maluenda hubiera sorprendido:

—¿Cómo es posible, hija mía, que con esa cara tan bella y ese cuerpo tan esbelto os dediquéis a una tarea tan prosaica como la de amamantar a una criatura?

Don Bernardo Salcedo quedó abochornado de su audacia. Por la tarde, su hermano Ignacio, el oidor, le abrazó alborozado como si llegara de las Indias. Había encontrado a Bernardo cambiado, dispuesto a comerse el mundo. A raíz de su viaje a Burgos entró, en efecto, don Bernardo en una fase de recuperación febril. Una semana más tarde, acuciado por la feria de ganado de Rioseco, afrontó otra de las tareas que tenía pendientes desde el año 16: subir al Páramo, visitar y reorganizar las corresponsalías de Torozos. En realidad, todo el ganado lanar de Valladolid se había refugiado allí. En torno a la villa no había pastos, las huertas ocupaban las tierras lindantes, y las viñas y los campos de cereales el resto. Sólo quedaban los altos, donde los herbazales se alternaban con los montes de encina. Los ediles de la villa aspiraban a limitar a los páramos los derechos de pasto de lanar y cabrío, únicamente un macho por rebaño ya que las ovejas carecen de importancia y molestan a todo el mundo, decían. Pero luego los obligados y los fabricantes de zamarros luchaban por su carne y por su piel. Todo era aprovechable en aquel animal necio y mansurrón, es decir tenía mayor importancia de la que le atribuían sus ediles. Y cuando el municipio dictó una disposición prohibiendo que los rebaños pastaran en dos leguas a la redonda de la villa, su desplazamiento al Páramo se hizo inevitable y definitivo. Entonces no sólo se ocuparon las tierras de Torozos, concretamente los predios de Peñaflor, Rioseco, Mazariegos, Torrelobatón, Wamba, Ciguñuela, Villanubla y otros, sino que hubo que arrendar pastos más lejos aún, en otros territorios como Villalpando y Benavente.

Don Bernardo Salcedo conocía el itinerario al dedillo. Camino de Rioseco pensaba en las posadas, ventas, mesones y casas de viuda que le esperaban en el trayecto. Le vino a la cabeza la viuda Pellica, de Castrodeza, donde dormía en cama de hierro de dos colchones y dos almohadas, hacía tres comidas al día y guardaba el caballo por ocho maravedíes. El carácter del viaje le llevaba a cambiar de cama cada noche y a caminar dos o tres leguas cada día. Don Bernardo Salcedo confiaba en tener recorrido el Páramo, de este a oeste, en un par de semanas para bajar después a la vega, frente a Toro, y detenerse en Pedrosa donde tenía su hacienda. Pensaba en sus corresponsales, respirando el aire fino de la varga, cuando divisó las primeras casas de piedra de Villanubla. A mano derecha, sin moverse del camino, estaba el mesón de Florencio que le acogió, como en él era usual, con educación y pocas palabras. El laconismo era proverbial en la gente del Páramo. A veces conversaba sobre estos hombres con su hermano Ignacio y llegaban a conclusiones más bien optimistas: los hombres de Torozos eran rudos, concisos y sentenciosos pero trabajadores y resueltos. En Villanubla, salvo media docena de vecinos que desempeñaban oficios concretos, el resto sobrevivía alrededor de la agricultura: contados labradores de posición, una decena de labrantines, y jornaleros que vivían de trabajos eventuales con los primeros. En general, eran gente desheredada, pobre, que habitaban en tabucos de adobe, sin enlosar, sobre la tierra apelmazada.

Don Bernardo hizo un alto en el mesón de Florencio y dedicó la tarde a platicar con Estacio del Valle, su representante en el Páramo. Las cosas no iban mal o no tan mal como el año anterior. Los rebaños del común habían aumentado en mil doscientas ovejas y la última temporada de pastos había sido favorable. Dos pastores de labradores independientes habían emigrado y habían sido sustituidos por dos braceros inexpertos que, sin embargo, eran hábiles esquiladores. Una cosa podía compensar a la otra. Lo único grave en esta localidad era la tendencia a la emigración entre los jornaleros sin tierra, desocupados en el largo invierno mesetario y con trabajos ocasionales, mal retribuidos, en la recolección y la trilla. Pensando a largo plazo, Villanubla podría ser mañana un problema si la emigración continuaba al ritmo actual. La vida de los desheredados, sometidos a una dieta inalterable de legumbres y cerdo, resultaba monótona, insana y embrutecedora. Estacio del Valle, labrantín sin ambiciones, con sus zaragüelles de lienzo y las abarcas, ofrecía una cierta prestancia indumentaria comparado con los mozos que cruzaban las calles embarradas, descalzos, con sucios calzones hasta la rodilla. Éste era el sino de los hombres del Páramo donde la jerarquía social se establecía por la forma de llevar las pantorrillas: desnudas, con zaragüelles o con calzas abotonadas como los pastores.

Don Bernardo partió de Villanubla al día siguiente. La vida, en la meseta profunda, ofrecía escasa variación y, sin embargo, encontró la feria de Rioseco inusitadamente animada. El pueblo no ofrecía novedad visible, salvo en el crecimiento respecto al resto de los poblados del Páramo. Los niveles de los rebaños se sostenían y los esquiladores preparaban sus trebejos para el mes de junio. La reserva de madera y hierba se mantenía y el señor Salcedo pasó una noche tranquila, a pesar de las chinches, en la posada de Evencio Reglero.

El recorrido por el Páramo le deparó algunas sorpresas. Una positiva: el crecimiento de los rebaños en Peñaflor de Hornija, donde se había rebasado la cifra de diez mil cabezas, y otras dos negativas: la viuda Pellica había muerto y Hernando Acebes, el corresponsal de Torrelobatón, había sufrido una perlesía y, aunque el barbero de Villanubla le había sangrado dos veces, no recuperaba y allí estaba sentado el día entero en una butaca de mimbre en el zaguán de su casa, como un inútil. El propio Hernando Acebes, sin bienes de fortuna, se espantaba las lágrimas al facilitarle los nombres y direcciones de los que podían sustituirle.

Tal como había proyectado, don Bernardo Salcedo abandonó el Páramo, iniciado mayo, por el camino de Toro. Hacía un día templado, de sol franco, y los grillos aturdían en las orillas del camino. Las lluvias de otoño y primavera habían caído regularmente y las espigas anunciaban una prieta granazón. También los palos de los sarmientos se esponjaban y, de no presentarse una insolación prematura, la uva maduraría a su ritmo y, a diferencia del último año, se recogería una buena cosecha. Desde las cuestecillas de La Voluta, Salcedo divisó el cerro Picado y, a su pie, el pueblo de Pedrosa, entre las viñas, apiñado a la izquierda de la iglesia. El día estaba tan claro que, desde la Mota del Niño, se divisaba el soto del Duero, con álamos y negrillos a medio vestir, y, tras él, el verde oscuro de los pinares, pincarrascos y pinos negros, plantados en las tierras arenosas al comenzar el siglo.

Don Bernardo faldeó un montículo con láminas de yeso cristalizado y dos conejos corrieron atolondradamente a refugiarse en el vivar. Benjamín, el rentero, le aguardaba. Era hombre rechoncho, como casi todos los de la zona, como sus hijos, calvo prematuro, con unas facciones abultadas, negroides, tan características que el señor Salcedo le hubiera reconocido entre mil. El capotillo de dos haldas, de tela burda, los calzones de loneta hasta media pierna y sus cortas piernas peludas eran su uniforme inalterable. Benjamín era uno de los pocos hombres, en aquella época de ostentaciones, a quien agradaba aparentar menos de lo que era. Sus ingresos y su categoría social como rentero, hombre del que en cierto modo dependía el trabajo de los braceros, le daban derecho a otra imagen física que él y los suyos desdeñaban. Tanto la Lucrecia del Toro, su señora, como sus hijos Martín, Antonio y Judas Tadeo, vestían sayas y capotillos marrones repasados y vueltos a repasar, y en los que Lucrecia había puesto más puntadas que los tejedores de Segovia. Benjamín confirmó a don Bernardo los buenos auspicios: el trigo y la cebada estaban granando bien y, aunque cualquier juicio sobre la vid pecaba de prematuro, de no surgir algún imprevisto, la cosecha de uva podría superar en una quinta parte a la del año anterior. Se oían los relinchos impacientes de *Lucero*, el caballo de don Bernardo a la puerta del chamizo y, dentro, en el zaguán, donde conversaban, hacía fresco y olía a alholvas. Don Bernardo se sentaba rígido en el escañil y Benjamín en un tajuelo, junto al arcón donde Lucrecia guardaba las sábanas y la ropa blanca entre hierbas olorosas. La casa de Benjamín era elemental y sórdida. Contaba con pocos muebles y ningún adorno, por lo que conservaba, como oro en paño, una colgadura con figuras que representaban el nacimiento de Nuestro Señor y el dosel de guadamecíes bajo el que dormía con su esposa desde hacía veinticinco años.

La misma austeridad emanaba su figura, caballero en mulo matalón, con manta en lugar de silla, y la de su hijo Martín, el primogénito, sobre una burra lunanca de medio pelo, cuando le acompañaron a inspeccionar las tierras. Detrás de la lomilla, don Bernardo advirtió que Benjamín había sustituido una tierra de cebada por un bacillar: es la uva la que nos saca de pobres, don Bernardo, hay que desengañarse —le dijo por toda explicación. Pero al señor Salcedo lo que le interesaba era conocer las aranzadas más escatimosas de la propiedad, las que menos daban: las que faldean La Mambla, había respondido Benjamín sin pensarlo dos veces. Y ahora recorrían las calles de estos majuelos, de buena apariencia, cuya poquedad solamente se advertía a la hora de la vendimia. ¿Son los más escatimosos? —insistió don Bernardo. De largo, señor Salcedo; menos fruto y más agraz; a saber la razón —dijo.

Únicamente al regreso, don Bernardo, desde lo alto de su caballo, comunicó a Benjamín Martín y a Martín Martín, su primogénito, que doña Catalina había muerto. Benjamín, aposentado en su mulo, se sacó el sombrero de la cabeza y se persignó: Nuestro Señor dé salud a vuesa merced para encomendar su alma —dijo a media voz, mientras Martín Martín, el muchacho, más avergonzado que dolido, se limitó a bajar la cabeza.

La señora Lucrecia le dio de comer en la cocina, sobre la mesa de pino, sentados en escañiles, frente a la alacena, colmada de pucheros y cazuelas, con dos lebrillos de agua a cada lado. Tras cada ausencia prolongada, Lucrecia le hacía este honor, le preparaba la comida sin advertirlo, sin invitación previa. Era un hecho ya sabido y cuando don Bernardo se sentó a la mesa, en el seno de la confianza, Benjamín ya estaba comiendo. Masticaba ferozmente, el sombrero calado, y cada ocho o diez bocados hacía ademán de llevarse la mano a la boca y eructaba sin disimulo. Entre eructo y eructo, pasó revista a las novedades, particularmente a aquellas que afectaban a su peculio. Los salarios subían sin cesar. Hoy un vendimiador no se agachaba por menos de veinte maravedíes, ni se encontraba un obrero por cuarenta, ni un podador por sesenta. En ese sentido las cosas estaban mal. Por si fuera poco, la última cosecha había venido muy mermada y, en consecuencia y, como don Bernardo habría advertido, no le había pagado la renta de la Pascua. Don Bernardo le hizo ver que los reveses del campo le afectaban a él tanto como al rentero y que el retraso en el pago de las rentas estaba lejos de ser una solución: Acabarás en manos de usureros, Benjamín —sentenció apuntándole con el dedo índice. Pero Benjamín reservaba la gran cuestión para la sobremesa, una vez que el espeso vino de Toro hubiera producido sus efectos. En su primitivismo, Benjamín era inteligente y, en lugar de afrontar directamente el tema de la sustitución de los bueyes por mulas, inició lateralmente el debate, poniendo en cuestión el barbecho al que calificó de labor anticuada e inútil. Don Bernardo, que tenía un somero conocimiento de la tierra, pero suplía su ignorancia con la experiencia de sus contertulios en la taberna de Garabito, en la calle Orates, respondió que para mullir y orear la tierra se precisaba otro cultivo, el mijo ceburro, por ejemplo, del que había poca práctica en Castilla. El rentero miraba a don Bernardo de hito en hito y argumentó que el abono era preferible al cambio de cultivo, que en Toro llevaban dos años tirando abono y les iba mejor con ello que con el año y vez. Martín Martín, como cachorro educado en la sumisión, apoyaba a su padre con la mirada, pero don Bernardo, a quien irritaba la mendaz argumentación de padre e hijo, les preguntó si podía saberse dónde encontraban abono en Toro puesto que en Castilla, dijo, lo único que aumentan son las ovejas pero lo que el campo necesita es estiércol, no cagarrutas, y el poco estiércol de que disponemos se consume en las huertas. La conversación había seguido los cauces previstos por Benjamín, quien alegó, a propósito del estiércol, que lo más moderno en usos agrarios estribaba en sustituir el buey por la mula, ya que ésta come menos, es más fina, más ligera y gana tiempo, especialmente con el arado. Don Bernardo, sofocado por la discusión y el tinto, arguyó que la mula era un animal que carecía de fuerza y apenas arañaba la tierra por lo que su trabajo era pobre e inútil, mientras el buey, por mor de su fuerza, araba en surcos profundos con lo que defendía mejor la simiente. A esto adujo el rentero que el buey comía más y el pasto de que se alimentaba era difícil y caro, pero don Bernardo, lejos de doblegarse, intentó hacerle ver que la decadencia agrícola en otros lugares de España venía precisamente del hecho de haber sustituido el buey por la mula. Benjamín Martín, más pragmático, hizo hincapié en que en Villanubla únicamente dos labradores seguían con los bueyes de arado, pero, en tal coyuntura, don Bernardo Salcedo preguntó, con mucho tino, si no era Villanubla el único pueblo en decadencia del Páramo. El rentero lo admitió pero señaló una nueva dificultad: la exagerada parcelación de la tierra exigía traslados rápidos de las yuntas, y de los bueyes podía esperarse todo menos rapidez. Los jarros de espeso vino de Toro iban desapareciendo de la mesa y don Bernardo, acodado en el tablero, con las orejas rojas y la mirada perdida, acabó adoptando una solución salomónica: Podía ensayarse; las innovaciones requieren experimentación. Es así como avanza la ciencia. Se podían cambiar, por ejemplo, los bueyes de una yunta y dejarlos en las otras dos. La eficacia y el tiempo hablarían. El grano diría si la agilidad y alimentación de la mula compensaba el mejor trabajo del buey, o éste, por el contrario, seguía por delante de las presuntas virtudes de la mula.

Don Bernardo estaba cansado. Eran demasiados días embromado en discusiones necias y las discusiones necias le fatigaban especialmente. Por otro lado le sacaban de quicio los interlocutores analfabetos. Y era ya casi de noche cuando abandonó la casa de los renteros con la cabeza cargada y brumosa. El pueblo se adentraba pausadamente en las tinieblas y el señor Salcedo tomó a *Lucero* de la brida y lo condujo al paso hasta la casa de la viuda de Baruque, donde, como de costumbre, pensaba pernoctar. En la calle no había un alma y la viuda se llegó a la puerta de la calle con un candil. Acomodaron a *Lucero* en la cuadra y ella le preguntó qué iba a cenar. Don Bernardo prefería no cenar. La comida, a base de cerdo y judías pintas, le había resultado empachosa; le había dejado ahíto. Al desprenderse de sus ropas embarazosas y estirarse desnudo en las planchadas sábanas gimió de placer. Habían sido dos semanas cambiando cada día de dieta y alojamiento. Muy de mañana pagó a la viuda y, por el atajo del Vivero, salió al camino de Zamora. En la encrucijada brincó una liebre de la viña y corrió cien metros zigzagueando por delante del caballo. Luego espoleó a éste y, a galope corto, se encaminó a Tordesillas. Su carácter metódico y rutinario no le permitió cambiar de ruta. Por unos segundos pensó en su hijo y en el donaire de Minervina con él en brazos. Sonrió. Rebasada Tordesillas picó a *Lucero*, atravesó las tierras de Villamarciel y Geria, orilló Simancas, cruzó el río por el puente romano y, a mediodía, entraba en Valladolid por la Puerta del Campo, dejando a mano derecha la Mancebía de la Villa.

III

Sin apenas advertirlo, don Bernardo Salcedo se encontró enganchado de nuevo a la rutina. Meses atrás había llegado a pensar que podía morir de aburrimiento, pero ahora, como si aquello hubiera sido un amago de tormenta, pensaba que sus temores habían sido exagerados. Su *acceso de melancolía*, como él llamaba pomposamente a sus meses de vagancia, había sido vencido, así que volvió a tomar las riendas de su casa y de sus negocios. Por la mañana, tras el opíparo desayuno que le servía Modesta, don Bernardo se encaminaba al almacén de la vieja Judería, en los aledaños del Puente Mayor, y allí se encontraba con Dionisio Manrique, su fiel colaborador, que meses atrás había llegado a pensar que el amo se moría y el almacén habría que cerrarlo. Se imaginó sin trabajo, sin oficio ni beneficio, pordioseando entre los niños llenos de bubas que llenaban las calles de la villa, en invierno y en verano. Ahora, de pronto, el señor Salcedo, sin saber por qué ni por qué no, había salido del bache y había vuelto a hacerse cargo de la situación. El viaje a Burgos había sido el inicio de su resurgimiento. En el mismo despacho de don Bernardo, en una mesa de pino de Soria paralela, se sentaba él y, mal que bien, iba llevando las cuentas de las reatas de mulas que bajaban del Páramo y de los vellones almacenados en la inmensa nave de la Judería. *Atila*, el mastín feroz que le regalaron de cachorro, correteaba ladrando entre la tapia y el edificio y dormía con un ojo abierto en la caseta de la entrada. Era un can de oído fino y malas pulgas, y las noches, especialmente las de luna llena, las pasaba aullando en el corredor. No se sabía de ningún exceso cometido por el perro pero, tanto don Bernardo como su fiel Dionisio, presumían de que nadie se había llevado un vellón desde que *Atila* vigilaba el almacén.

Manrique, sin otra ayuda que Federico, un galopín de quince años, mudo de nacimiento, era el alma del establecimiento. El despacho, la mesa y los manguitos eran la tapadera de actividades más prosaicas. Por un lado, Dionisio anotaba los vellones que entraban y salían, pero por otro echaba una mano artesana y servicial para todo lo que fuera menester. Dionisio, por ejemplo, salía con Federico a la explanada, casi siempre embarrada, cada vez que se anunciaba una expedición y, entre ellos y el arriero, descargaban las sacas sin apelar a manos mercenarias, almacenando ordenadamente las pieles. Del mismo modo Dionisio, en una prisa, como aconteció con el último viaje a Burgos, no dudaba en tomar el zamarro y el látigo y conducir personalmente una carreta hasta las instalaciones de don Néstor Maluenda en Las Huelgas o donde hiciera falta. Una vez metido en harina, no ponía reparos a nada, comía en el mostrador con los arrieros o dormía en las habitaciones colectivas de las ventas con objeto de que el patrón ahorrase unos maravedíes.

En el pequeño comercio que don Bernardo sostenía con la fábrica de zamarros de Camilo Dorado, en Segovia, era el propio Manrique el que alquilaba las reatas y las conducía por atajos pedregosos de la sierra que sólo él conocía. Don Bernardo, que sabía de la versatilidad de Dionisio, de su disponibilidad, definía a su subordinado de una manera peculiar, no exenta de tintes despectivos, como un hombre que hace lo mismo a un roto que a un descosido.

Los primeros días de verano fueron fechas de agitación en el almacén y la actividad desaforada desplegada por don Bernardo vino a restablecerle de la plétora causada por sus excesos gastronómicos, restablecimiento al que ayudó sin duda la sangría practicada por Gaspar Laguna que, en su día, había intervenido también a su señora inútilmente. Pero Salcedo no era hombre rencoroso. Detestaba la chapuza pero valoraba el trabajo bien hecho aunque no llegara a buen fin. En las personas que confiaba no dejaba de creer por un desacierto. Don Bernardo partía de la base de la imperfección humana y así, cuando avisó al barbero-cirujano, demostró que no le tenía ojeriza, pero, al propio tiempo, lo recibió con estas palabras: A ver si tenemos más suerte que con doña Catalina que gloria haya, amigo Laguna, lo que obligó al barbero a extremar toda su ciencia y habilidad.

A las doce del mediodía, don Bernardo marchaba del almacén. Eran semanas de calor y las calles hedían a basuras y desperdicios. Los niños, con las caritas llenas de bubas y landres, le salían al paso pordioseando, pero él los desatendía. Ya tienen a mi hermano, pensaba, ¿hay alguien en Valladolid que haga más por sus prójimos que mi hermano Ignacio? Caminaba despacio, evitando las alcantarillas, atento al «¡agua va!» de las ventanas, hasta abocar a la taberna de Garabito, en la calle Orates, con su inevitable ramita verde junto al rótulo, donde solían reunirse tres o cuatro amigos a degustar los blancos de Rueda. El primer día que llegó, después de su larga ausencia, todos le manifestaron que le habían echado de menos porque eran de esa clase de amigos circunstanciales, de apeadero, tímidos, que habían asistido al sepelio de doña Catalina, como Dios manda, pero no osaron poner pie en su casa. Para doña Catalina eran *los amigotes* y no encontraba expresión más ajustada para designarlos. Pero los amigotes celebraron con unos vasos la reincorporación de don Bernardo a las tertulias mañaneras. Él les habló de su *acceso de melancolía* y, aunque ninguno de ellos sabía a ciencia cierta en qué consistía este mal, le preguntaron, con la reiteración propia de los borrachos, cómo se las había arreglado para pelarlo. Don Bernardo, dado al ingenio verbal, miró uno a uno a los amigotes del grupo e hizo la revelación que había preparado en casa dos semanas antes: A mí me curó un correo urgente de Burgos. Los amigotes rieron, le propinaron palmadas en la espalda y se lo comunicaron a otros amigotes y todos coincidieron en que con el pellejo de vino de La Seca que acababa de abrir Dámaso Garabito terminaría de restablecerse.

Allí, en la taberna, don Bernardo se salía de la norma y la hipocresía: juraba, soltaba palabrotas, reía los cuentos obscenos y estos excesos le aligeraban y le disponían a afrontar con mejor ánimo la jornada vespertina de la villa. En ocasiones también buscaba consejo en la taberna de Garabito, como aconteció con Teófilo Roldán, labrador de Tudela, que cada semana atravesaba dos veces el Duero en la barcaza de Herrera, junto a su caballo, para atender su labranza. Teófilo Roldán bebía en tazón pues para él el blanco tras un cristal transparente perdía buena parte de sus propiedades. Escuchó a don Bernardo la historia de su rentero y cuando aquél le preguntó qué le parecía más conveniente tener el rentero a la parte o a sueldo fijo, don Teófilo, inspirado por el vino, con una lógica apabullante, le respondía que dependía de la parte. Don Bernardo se mostró franco por una vez: digamos un tercio de la cosecha, dijo. Don Teófilo fue rápido: en Tudela damos más —sugirió antes de que don Bernardo terminara de hablar. Salcedo se ruborizó ligeramente; tenía un cutis suave, apto para ello: no vayamos a comparar, Tudela es un pueblo próspero mientras Pedrosa, malvive. Luego apuntó que con un tercio una familia en su pueblo podía redimirse, e incluso hacer fortuna, pero era difícil que lo consiguiera si el rentero era analfabeto, no sabía sumar y ventoseaba todo el tiempo delante de su señor. Es lo mismo —dijo— que hacerle desechar una idea una vez que ha arraigado en su pobre cerebro. Teófilo Roldán empinaba el codo sin cesar. Había llegado a ese punto soñado en que se pierde la gravidez del cuerpo y se siente uno flotar. ¿Qué idea? —dijo—. ¿A qué idea se refiere, Salcedo? —preguntó tambaleándose. Concretamente —replicó don Bernardo— a persuadirle, sin necesidad de hacer números, de que el buey en el campo es un animal más rentable que la mula. Roldán se inclinó hacia él hasta casi topar con su cabeza: ¿De veras lo cree usted así? Don Bernardo se desconcertó: ¿Usted no? Según —dijo don Teófilo—. Según la labor y el terreno. Don Bernardo, sin razón alguna, salvo que iban aumentando sus libaciones, empezó a sentirse optimista. De repente habían dejado de importarle el buey y la mula y la rentabilidad del uno y de la otra; únicamente le importaba oír su voz, sentirse vivo y paladear el buen vino de La Seca: labores de arada —dijo—. Me refiero a labores de arada. La mula no ara, araña, y deja que se coman la simiente las palomas y los cuervos. Todos los pájaros se comen la simiente, tartajeó Roldán poniéndole una mano en el hombro. Don Bernardo sonreía denegando con la cabeza: pero no siempre, amigo mío, el buey ahonda y defiende la semilla. Los ojos de don Teófilo se ponían turbios: pe... pe... pero ¿usted tiene tanta autoridad como para dar órdenes a su rentero? Me concede esa licencia —aclaró el señor Salcedo—: me cede el poder espontáneamente porque él no entiende de papeles.

Don Bernardo se dejaba envolver con gusto en la vieja rutina. Acudía diariamente a la taberna de la calle Orates, junto a la casa de locos, o a cualquier otra donde apareciera una rama verde en el rótulo del establecimiento. Era significativo porque, sin ponerse de acuerdo, los amigotes siempre coincidían en la cantina que abría cuba o pellejo ese día. De ordinario eran vinos que habían entrado en la villa por la puerta del Puente Mayor o la de Santiesteban, antes de cumplirse los cinco meses de la vendimia como era preceptivo, e inscritos en el registro de entradas para saber a cuánto ascendía el consumo. Los tintos solían ser flacos, a medio hacer y poco cotizados, pero el buen catador siempre esperaba la sorpresa.

Tras probarlo, como buenos degustadores, comentaban las virtudes y defectos del nuevo mosto. Y, de cuando en cuando, reaparecía otro amigote, menos asiduo que los demás, que había oído algo de la enfermedad de don Bernardo y le preguntaba por su restablecimiento. Y Salcedo, que consideraba su respuesta una de las más ingeniosas de los últimos tiempos, se echaba a reír y respondía: un correo urgente de Burgos me sanó, aunque vuesa merced no lo crea. Y el amigote reía con él, y le palmeaba fervorosamente la espalda porque el nuevo vino tenía una graduación más alta de la esperada y con cuatro vasos se nublaba la inteligencia.

A las dos, don Bernardo se retiraba a casa con el buen humor que le proporcionaba la taberna de Garabito. Modesta, mientras le servía la comida, solía hacerse lenguas sobre las nuevas gracias del niño. Ella no entendía que un padre pudiera mostrarse indiferente ante los progresos de su propio hijo, pero lo cierto es que Salcedo apenas la escuchaba y se preguntaba mil veces qué era lo que, en el fondo de sí mismo, sentía por aquella criatura. De regreso de Pedrosa, don Bernardo imaginó que sus sentimientos hacia el pequeño oscilaban entre la atracción y el rechazo. Algunas tardes, sin embargo, subía a las buhardillas y, al ver a su hijo, reconocía que nunca sintió amor por él, a lo sumo mera curiosidad de zoólogo. Entonces podía pasarse siete días sin volver por el piso alto. Al cabo de una semana tornaba a sentir esa vaga atracción, que únicamente existía en su imaginación, y se presentaba en las buhardillas por sorpresa. Minervina planchaba o cambiaba los pañales al niño, acompañando su acción de canciones a media voz o palabras cariñosas. Don Bernardo miraba a la muchacha sin dejarlo: tenía el convencimiento de que la legumbre y el cerdo, el alimento invariable del pueblo, generaba seres anchos y retacos. Por eso le sorprendía aquella chica de Santovenia, alta y fina, en la que cada día descubría un nuevo encanto: el largo y frágil cuello, los pechitos picudos sobre la burda saya, el trasero pequeño y prominente cada vez que se inclinaba sobre la tabla de planchar. Toda ella era belleza y armonía, una especie de aparición. Un mes más tarde se dio cuenta de otra cosa: que el niño no le provocaba atracción o rechazo, sino simplemente rechazo y que la atracción provenía de Minervina. Entonces rectificó su confidencia a don Néstor Maluenda en el sentido de que él no era hombre de una sola mujer sino de una sola esposa. Conforme pasaba el tiempo, las más elementales exigencias lascivas crecían cada vez que veía a la muchacha. Pero ella se mostraba tan ajena, tan indiferente a sus miradas, tan recriminadora a veces, que no se atrevía a pasar de la mera contemplación. Sin embargo, un día ardiente de verano, sugirió a la chica que bajara a dormir al piso primero donde el bochorno se hacía más soportable.

—¿Y el niño? —dijo Minervina a la defensiva.

—Con el niño, naturalmente. Si le aconsejo eso es pensando en la salud del pequeño.

Minervina le midió de arriba abajo con sus transparentes ojos lilas sombreados por espesas pestañas, luego miró al niño y denegó con la cabeza, subrayando después su negativa:

—Estamos bien aquí, señor —dijo.

A partir de este tropezón pueril la imagen de la

nodriza no se apartaba de su cabeza. Y, hechizado por sus encantos, la espiaba día y noche. Sabedor de que el niño mamaba cada tres horas, procuraba informarse de la última toma para sorprenderla en la siguiente con el pecho descubierto. Y, cada vez que lo intentaba, subía las escaleras de puntillas, las manos temblorosas y el corazón acelerado. Mas, si antes de abrir la puerta de la escalera, les oía reír y retozar en la habitación inmediata, regresaba a la sala sin asomarse. Ocurría que Minervina tomaba sus precauciones ante la frecuencia de sus visitas, pero una tarde, cuando menos lo esperaba, la sorprendió por el resquicio de la puerta con el niño en el enfaldo, el brazo derecho fuera de la saya y el pequeño pecho firme y puntiagudo, de pezón sonrosado, en espera de que la criatura lo tomase. Dios mío, murmuró don Bernardo, deslumbrado por tanta belleza, pegando su ojo a la rendija.

—¿Es que no lo quieres hoy, mi tesoro? —dijo la chica.

Y sonreía con sus labios jóvenes y gordezuelos. En vista del desinterés del niño tomó su pecho con dos dedos y dibujó con la punta del pezón la boca del bebé, quien, tan directamente estimulado, agarró ávidamente el pecho como la trucha la lombriz que el pescador le ofrece de improviso en el hilero. Entonces don Bernardo, incapaz de reprimir el jadeo, se apartó de la puerta y bajó las escaleras temeroso de delatarse. Repitió la excursión en las tardes siguientes. El recuerdo de aquel pechito inocentemente ofrecido le volvía loco. En el almacén no era capaz de concentrarse, rendía poco, delegaba la mayor parte de las tareas en manos de Manrique. Luego en la taberna de

Garabito se emborrachaba en las catas y, al llegar a casa, se encamaba pretextando dolor de cabeza. Los vapores del alcohol se iban disipando pero, a cambio, la imagen de aquel pechito desnudo volvía a subírsele a la cabeza. Hacía el cálculo de las mamadas y subía al piso alto sobre las seis, la cuarta toma del día. Pero una tarde bochornosa de finales de septiembre, con las puertas del piso alto abiertas de par en par, una ráfaga de viento caliente cerró violentamente la puerta de Minervina y la señora Blasa apareció, sin avisar, en la última del pasillo.

—¿Necesita vuesa merced alguna cosa?

Don Bernardo se sintió abochornado:

—Subía a ver al niño. Hace días que no le veo —dijo.

La señora Blasa entró en la habitación de Minervina y volvió a salir con la misma diligencia. Tenía más marcadas las arrugas horizontales de la frente, fenómeno que acontecía cada vez que en su cabeza surgía una idea. Al mismo tiempo en las comisuras de la boca se insinuaba un mohín burlón:

—Está mamando, señor. La Miner lo bajará en cuanto termine.

Descendió las escaleras lentamente, avergonzado, como un ladrón sensible sorprendido con las manos en la masa. Pero a la noche, en su visita diaria a su hermano Ignacio, le confesó:

—Ahora pienso si a don Néstor Maluenda no le diría la verdad, Ignacio. ¿No crees tú que se puede ser hombre de una sola esposa pero de varias mujeres? El cuerpo me pide, Ignacio, me apremia; hay días que no pienso en otra cosa. Me parece que echo en falta una mujer a mi lado.

110

Esperaba que su hermano, ocho años más joven que él, pero probo y justo, le diese un sabio consejo o, siquiera, la oportunidad de contarle su naciente pasión por Minervina, pero Ignacio Salcedo cortó en flor sus ilusiones:

—¿Quién te dijo que seas hombre de una sola esposa, Bernardo? Tú necesitas otra mujer. Eso es todo. ¿Por qué no le dices a fray Hernando que te ayude a buscarla?

Le dejó desconcertado. No se trataba de hablar con fray Hernando, sino de convencer a Minervina de que, entre mamada y mamada del pequeño Cipriano, se entretuviera un rato con él en el lecho de la buhardilla. El problema no consistía, pues, en arreglar una boda sino en facilitarle el acceso a los dominios de la chica, de poder desahogar con ella sus apremios carnales. Esto no lo aprobaría nunca fray Hernando y, menos aún, su hermano Ignacio, tan recto, tan íntegro. ¿A quién acudir entonces?

Una tarde, Modesta le sobresaltó gritando que el niño andaba. Acababa de cumplir nueve meses y apenas pesaba quince libras, aunque había dado abundantes pruebas de agilidad. A veces se ponía cabeza abajo en la cama de Minervina para que la chica riera. Otras saltaba la barandilla de la cunita con notable ligereza y permanecía un rato de pie sin moverse, sin sujetarse a nada, observando, como solía hacer al abrir los ojos, los objetos que le rodeaban. Ahora, don Bernardo, sorprendido en plena cabezada, no desaprovechó la oportunidad de volver a ver a la muchacha y ascendió pesadamente las escaleras del piso alto. En el pasillo tropezó con su hijo caminando a solas hacia las escaleras, mientras Minervina, sonriente, le seguía agachada, los brazos abiertos tras él, protegiéndole. Detrás de ella marchaban, como unas mialmas, Modesta y la señora Blasa:

—Se da cuenta vuesa merced, el niño ya se anda —decía con voz explosiva la cocinera.

Mas don Bernardo, fingiendo una ira que no sentía, aprovechó la circunstancia para censurar a Minervina su descuido, para fustigarla. A un niño de nueve meses no se le podía poner en pie si no quería arquearle las piernas para el resto de su vida. Las piernas de un niñito a esta edad eran como de gelatina, incapaces de soportar su propio peso sin resentirse. Iba alzando la voz y, cuando advirtió que los ojos lilas de Minervina se inundaban de lágrimas, experimentó un raro placer, como si fustigara con un látigo la espalda desnuda de la muchacha. Mas, pese a su aparente indignación, a partir de esa tarde fue imposible recluir a Cipriano en su cunita. Se bajaba de ella con facilidad pasmosa y correteaba por el pasillo como un niño de dos o tres años. Es decir, Cipriano no sólo andaba sino que corría como si llevase una vida ensayando y, si alguien trataba de impedirlo, se zafaba de sus brazos y reemprendía la carrera. Diríase que al pequeño le habían dejado huella las gélidas miradas de su padre, cuando, de niño, la sensación de frío le despertaba y sentía la necesidad de escapar.

Algunas tardes, los tíos Gabriela e Ignacio subían a visitarlo. Los primeros días las habilidades del niño fueron como un espectáculo de feria. Pero Gabriela no ocultó su temor: ¿No era demasiado tierna la criatura? No se refería a la edad sino al tamaño, pero Minervina, que miraba extasiada los alamares y puñetes de lechuguilla del vestido de doña Gabriela, salió acalorada en su defensa: no lo crea vuesa merced, aunque menudo, no es un niño débil Cipriano; le sobra nervio. Pero, una vez pasada la novedad, doña Gabriela y don Ignacio empezaron a espaciar sus visitas y don Bernardo reanudó las suyas a la calle de Santiago. Enfrascado en la rutina atendía sus obligaciones, pero no olvidaba a Minervina. La aparición de la cocinera cuando él acechaba la habitación de la chica había rebajado, sin embargo, sus ímpetus iniciales.

Por las noches reflexionaba en la cama, excitado, sobre las posibilidades que un hombre rico tenía de llevar a la cama a una mujer pobre, pueblerina y quinceañera además. Creía que eran muchas pero él carecía de la agresividad del hombre rico y Minervina de la sumisión de la mujer pobre. La muchacha, sin grandes palabras ni gestos melodramáticos, le había tenido a raya hasta el momento. Pero, persuadido de que todas las ventajas estaban de su parte, don Bernardo Salcedo tomó un día una viril decisión: atacaría directamente y le haría ver a la chica la necesidad que tenía de sus favores.

Conforme a este plan, una noche de finales de septiembre, subió las escaleras del servicio en camisón, con una lamparita y los pies descalzos, procurando evitar los crujidos de la madera y se detuvo ante la puerta de Minervina. Los latidos de su corazón le sofocaban. La imagen de la muchacha tendida descuidadamente en el lecho, le encalabrinaba. Abrió lentamente la puerta con la luz en la mano y, entre las sombras, distinguió al niño dormido en su cunita y a Minervina a su lado, dormida también, respirando pausadamente. Cuando él se sentó en el lecho, la chica se despertó. Sus ojos, muy redondos, estaban sorprendidos más que indignados:

—¿Qué busca vuesa merced en mi habitación a estas horas?

Don Bernardo carraspeó hipócritamente:

—Me pareció oír llorar al niño.

Minervina se cubría el escote con el embozo de la cama:

—¿Desde cuándo se preocupa vuesa merced por los llantos de Cipriano?

Con su mano libre, don Bernardo atrapó audazmente la de Minervina como si fuera una mariposa.

—Me gustas, pequeña, no lo puedo remediar. ¿Qué hay de malo en que tú y yo pasemos un rato juntos de vez en cuando? ¿Es que no puedes repartir tu cariño entre padre e hijo? Vivirás como una reina, Minervina; nada te va a faltar, te lo aseguro. Únicamente te pido que reserves para este pobre viudo un poco de tu calor.

La chica rescató su mano prisionera. La indignación brillaba en sus ojos lilas a la luz del candil:

—Vá-ya-se-de-a-quí —le dijo mordiendo las palabras—. Márchese ahora mismo, vuesa merced. Quiero a este niño más que a mi vida pero me iré de esta casa si vuesa merced se obstina en volver a poner los pies en este cuarto.

Cuando don Bernardo, con las orejas gachas, se incorporó para marcharse, el niño se despertó asustado. Pensó que los ojos de Cipriano le desenmascaraban y entonces interpuso el candil entre él y la cunita, abrió la puerta y salió al pasillo. No habían mediado palabras fuertes, ni siquiera actitudes ridí-

114

culas, lo que no impidió que se sintiera adolescente y vacuo. No era aquélla una situación propia de un hombre de su edad y condición. Se metió en cama despreciándose a sí mismo, un desprecio que no respondía a razones aparatosas pero que aumentaba si pensaba en su hermano Ignacio y en don Néstor Maluenda. ¿Qué hubieran pensado ellos si le hubieran visto humillándose de aquel modo ante una criada de quince años?

El apremio lúbrico seguía persiguiéndole sin embargo al salir a la calle al día siguiente, camino de la Judería. Había decidido visitar la Mancebía de la Villa, junto a la Puerta del Campo, donde no acudía desde hacía casi veinte años. Es una buena acción, se dijo para justificarse. La Mancebía de la Villa dependía de la Cofradía de la Concepción y la Consolación y, con sus beneficios, se mantenían pequeños hospitales y se socorría a los pobres y enfermos de la villa. Si una mancebía sirve para esos fines lo que se haga dentro de ella tiene que ser santo, se dijo.

A los lados de la calle, como cada día, pobres niñas de cuatro y cinco años, con los rostros cubiertos de bubas, pedían limosna. Repartió entre ellas un puñado de maravedíes pero cuando, horas después, charlaba con la Candelas en la mancebía, en su pequeña y coqueta habitación, los tristes ojos de las niñas pedigüeñas, las bubas purulentas en sus rostros, volvieron a representársele. Al verse entre aquellas cuatro paredes, su rijosidad, tan sensible, se había aplacado. Vio a la muchacha presta a desarrollar sus dotes de seducción: no se moleste, Candelas —le dijo—, no vamos a hacer nada. He venido simplemente a charlar un ratito. Se sentó anhelosamente en un confidente, ella a los pies de la cama, sorprendida. Don Bernardo se consideró en el deber de aclarar: es la sífilis, ¿no se ha fijado?, la villa está podrida por la sífilis, se muere de sífilis. Más de la mitad de la ciudad la padece. ¿No ha visto a los niños por la calle de Santiago? Todos están llenos de incordios y bubas. Valladolid se lleva la palma en enfermedades asquerosas. Se acodó en los muslos desalentado. Candelas continuaba sorprendida. ¿Qué había ido a buscar a la Mancebía de la Villa aquel caballero? Se sintió desafiante: ¿por qué Valladolid? —preguntó—. El mundo entero está lleno de enfermedades asquerosas. Y ¿qué podemos hacer? Él se estiró y cruzó las piernas. La miró fijamente: y ¿no tiene miedo? Ustedes se exponen diariamente, no tienen ninguna protección... De alguna manera tengo que vivir y dar de comer a los pobres, se justificó ella. Don Bernardo, obsesionado, veía ahora también bajo el maquillaje de Candelas las bubas de las niñas: quiero decir si ustedes disponen de médicos del Consistorio, si la villa se preocupa de su salud y la de sus clientes. Ella rió desganada, denegando, y él se puso de pie. Tenía la sensación de que los landres y las bubas no estaban en las mujeres sino en el ambiente. Le tendió la mano: me alegra haberla conocido —puso un ducado en su blanca mano. Volveré a verte —añadió. Inclinó la cabeza. Luego salió furtivamente de la mancebía sin despedirse del ama.

Camino de su casa pensó en Dionisio, Dionisio Manrique, el factótum del almacén. Manrique era soltero, festivo y rijoso. Aunque religioso arrastraba fama de putañero, de dedicar sus ocios a la lubricidad. Sin embargo entre él y don Bernardo jamás se

116

había cruzado una palabra sobre el particular. Manrique era para Salcedo un joven medroso, todavía casadero y bien mandado. Y Salcedo era para Manrique un hombre recto, encarnación de las buenas costumbres, comedido en el ejercicio de su autoridad. De ahí su sorpresa cuando el jefe abandonó su mesa esa mañana y se dirigió a la suya con mirada encendida:

—Anoche visité la Mancebía de la Villa, Manrique —dijo sin rodeos—. Todo hombre tiene sus exigencias y yo, ingenuamente, pensé satisfacerlas allí. Pero ¿ha visto usted cómo están las calles de la villa de mendigos llenos de bubas y escrófulas? ¿De dónde cree usted que salen esos millares de sifilíticos? ¿Cómo podremos evitar que la nefanda enfermedad acabe con nosotros?

Dionisio Manrique, que mientras don Bernardo hablaba tuvo tiempo de reprimir su desconcierto, miró a su jefe y lo vio apurado, sin asideros. Trató de confortarlo:

—Algo se está haciendo, don Bernardo, en este sentido. Y su hermano lo sabe. La cura de calor está dando resultado. En el Hospital San Lázaro se practica, yo tengo una sobrina allí. El método no puede ser más sencillo: calor, calor y calor. Para ello se cierran puertas y ventanas y se inunda la habitación en penumbra de vapores de guayaco. A los enfermos se los cubre de frazadas y se encienden junto a sus camas estufas y braseros a fin de que suden todo lo posible. Dicen que con calor y dieta sobria basta con treinta días de tratamiento. Las bubas desaparecen.

Dionisio suspiró con alivio pero observó que no era ésta la respuesta que don Bernardo esperaba:

—Sí —dijo éste—. No dudo que la medicina progresa, pero ¿cómo tener hoy una relación carnal con una mujer sin arriesgar nuestra salud en el empeño? Yo no pienso volver a casarme, Manrique, no soy hombre que guste de andar dos veces el mismo camino, pero ¿cómo desahogar mis apetencias sin riesgo?

Dionisio parpadeaba, indicio en él de cavilación:

—La seguridad que vuesa merced pide sólo tiene una solución. Hacerlo con una virgen; sólo con ella.

—Y ¿dónde encuentra uno una virgen en este pueblo fornicador, Manrique?

Se acentuó el parpadeo del empleado:

—Eso no es difícil, don Bernardo. Para eso están las ponedoras. Las mujeres del Páramo son más baratas y más de fiar, seguramente porque pasan más necesidad que las de las tierras bajas. Con una particularidad, si ven en el cliente una persona respetable son capaces de confiarle su propia hija. Si usted no tiene inconveniente le pondré en contacto con una.

Tres días más tarde se presentó en el almacén María de las Casas, la ponedora más laboriosa del Páramo. Pasaba por mediadora de criadas pero, en realidad, era una alcahueta. Dionisio Manrique salió del despacho para que su jefe pudiera expresarse sin trabas. María de las Casas no callaba. Le habló de tres muchachas vírgenes del Páramo, dos de diecisiete años y una tercera de dieciséis. Las describió minuciosamente: todas eran fuertes (ya sabe usted que la criatura que sobrevive en el Páramo lo es, le había dicho) y serviciales. La Clara Ribera es más opulenta y atractiva que las otras dos pero, a cambio, la Ana de Cevico sabe cocinar mejor que una profesional. Lo

118

mismo que en la Mancebía de la Villa, don Bernardo Salcedo empezó a sentir repugnancia de sí mismo. Aquélla era una conversación semejante a la que dos ganaderos sostenían antes de cerrar el trato. Por otro lado, la María de las Casas le mareaba con su chá- chara. Pensaba en la discreción de Minervina, se le imponía su imagen y sacudía la cabeza para ahuyen- tarla. En cuanto a limpia, relimpia, ninguna le gana a la Máxima Antolín, de Castrodeza; su casa y su per- sona están como los chorros del oro. Apuesto a que con cualquiera de ellas pasaría vuesa merced buenos ratos, señor Salcedo —concluyó.

Más cohibido que estimulado, don Bernardo optó por la Clara Ribera. En la cama le placía una mucha- cha viva, atrevida, incluso descarada. Si es así, aña- dió María de las Casas, con la Clara quedaría vuesa merced complacido. El señor Salcedo convino con *la Ponedora* que las esperaba el martes siguiente pero que quedaba claro que en principio no existía com- promiso alguno. Pero cuando, cuatro días más tarde, la María de las Casas se presentó en el almacén con la muchacha, a don Bernardo se le cayó el alma a los pies. La Clara Ribera era decididamente bizca y pa- decía un tic en la boca, como un fruncimiento inter- mitente en la comisura izquierda, que dificultaba la concentración del presunto amante. ¿Dónde besarla?

—Más que viva esta chica es nerviosa, María. An- tes que nada necesita un tratamiento, que la vea un médico.

La María de las Casas le levantó la saya y mostró un muslo blanco, amorcillado, demasiado fofo y des- mayado para una chica tan joven.

—Mire qué carnes más ricas, señor Salcedo. Más

de uno y más de dos darían una fortuna por desflorarla.

La Clara Ribera miraba el calendario de pared, el brasero contiguo a sus zapatos, el ventano que se abría sobre el patio, pero por mucha ligereza que mostraba por recorrer con la vista el almacén, el ojo izquierdo no acababa de centrarse. Parecía que nada de lo que allí se estaba discutiendo fuera con ella. La María de las Casas empezó a impacientarse:

—Lo primero que tiene que hacer vuesa merced es franquearse en este asunto: ¿desea moza para retozar un par de veces a la semana o para mantenida?

La pregunta pareció ofender a don Bernardo Salcedo:

—Para mantenida, claro, creí que Dionisio se lo había advertido. Tengo una casa a su disposición. Soy una persona seria.

María de las Casas cambió de actitud. La respuesta de don Bernardo le abría nuevas perspectivas. Pensó en la Tita, de Torrelobatón, en la belleza gitana de la Agustina, de Cañizares, en la Eleuteria, de Villanubla. Miró animada a don Bernardo:

—Siendo así —dijo—, las cosas son más hacederas, aunque una no puede pasarse la vida subiendo y bajando. Sería preferible que vuesa merced subiera y escogiese.

—¿Subiera, dónde, María?

—Al Páramo, don Bernardo. Las muchachas más bellas del alfoz están en el Páramo. Si pudieran mostrarse en las posadas y tabernas, tenga vuesa merced por seguro que no quedaría un virgo. También tendrá que ver a *la Exquisita*, en Mazariegos, un pedazo de muchacha que se va del mundo.

120

—Prefiero que no tengan apodos, María de las Casas. Unas muchachas menos conocidas, más de su casa. Los apodos, hablemos claro, no son buena presentación para una mujer de la vida.

Al día siguiente, don Bernardo ensilló a *Lucero* y, por segunda vez en medio año, subió al Páramo por el camino de Villanubla. La María de las Casas le había citado en Castrodeza y, desde ahí, irradiarían hacia el resto de los pueblos. Sin embargo, en Castrodeza conoció don Bernardo a la Petra Gregorio, una chica tímida, de ojos azules y maliciosos, y cuerpo elástico, vestida con modestia y un cuidado trenzado en la cabeza que destacaba entre la austera pobreza del mobiliario. Le agradó la familia a don Bernardo y acordó con María de las Casas que dedicaría una semana a amueblar el piso y, a la siguiente, subiría a por la Petra.

Al finalizar noviembre, don Bernardo subió a Castrodeza y una hora después de su llegada, con la Petra Gregorio a la grupa y un fardo con sus pobres enseres en el regazo, tomó el camino de regreso antes de anochecer. Los rebaños andaban de retirada hacia el ejido y a una legua escasa de Ciguñuela, voló del retamar una bandada de grajillas. Tres veces intentó don Bernardo que la Petra Gregorio rompiera el silencio sin conseguirlo. La muchacha, buena amazona, se adaptaba diestramente a los movimientos de la cabalgadura y, de vez en cuando, emitía un acongojado suspiro. En Simancas se hizo noche cerrada, que es lo que don Bernardo deseaba, y al atravesar el puente sobre el Pisuerga preguntó a la chica si conocía Valladolid. No le sorprendió la respuesta: no había estado nunca, ni le sorprendió que, poco después, la muchacha reconociera tener dieciocho años. Don Bernardo había logrado romper su mutismo y cuando se apearon en la Plaza de San Juan y le enseñó la casa a la luz del candil, la chica no cesaba de suspirar. No tenía miedo. Lo reconoció ante don Bernardo con toda firmeza y esto le alivió. Luego la sentó en el escañil y la ayudó a desprenderse del zamarro que se había puesto para el viaje. Don Bernardo llevaba un rato esforzándose por excitarse, pues hasta el momento no había sentido por la chica otra cosa que compasión. Tan dócil, tan silenciosa, tan resignada, don Bernardo Salcedo se preguntaba qué es lo que sentía la Petra Gregorio en esos momentos, si tristeza, añoranza o decepción. Su rostro no demostraba emoción alguna y cuando don Bernardo le advirtió que la casa era de vecinos y tenía gente encima, abajo y a los lados, sonrió y levantó los hombros. Luego, don Bernardo hizo un torpe intento de abrazarla, pero la rigidez de Petra y cierto olor a chotuno le echaron para atrás. Por asociación de ideas la llevó a la habitación donde estaba la bañera de latón y le explicó cómo se usaba. Convenía bañarse —le dijo— cuando menos una vez por semana; y todos los días, sin falta, los pies y el nalgatorio. La chica asentía sin dejar de suspirar. Don Bernardo le enseñó la fresquera con comestibles y la dejó sola.

A la tarde siguiente volvió a verla. Imaginaba que la Petra Gregorio se habría desprendido de sus nostalgias, pero don Bernardo la encontró con la misma ropa de la víspera, sollozando inconsolable en un taburete de la cocina. No había comido. Los alimentos de la fresquera estaban intactos. Salcedo animó a la

chica a salir a la calle pero ella se resumía en la to-
quilla como una viejecita:

—Me recuerdo de mi pueblo, don Bernardo. No lo
puedo remediar.

Don Bernardo le habló seriamente, le dijo que así
no podían continuar, que tenía que animarse, que el
día que ella se animara pasarían buenos ratos juntos,
pero, cuando volvió a verla al día siguiente, la encontró llorando mansamente en el mismo sitio donde
la dejó. Fue entonces cuando Bernardo Salcedo empezó a admitir que se había equivocado y era urgente
enviar un correo a María de las Casas para que la re-
cogiese.

A la tarde siguiente, sin embargo, encontró a la Petra cambiada. Había dejado de llorar y respondía a
sus preguntas con prontitud. Había conocido a la vecina de enfrente, que era de Portillo, y estaba casada
con el ayudante de un ebanista. Ambas habían recor-
dado cosas de sus pueblos respectivos y la mañana se
había ido en un santiamén. La Petra Gregorio se mostró incluso menos enteriza y arisca cuando don Bernardo trató de acariciarla. La animó, de nuevo, a salir a la calle, ver tiendas, asistir a las novenas de San
Pablo, muy animadas. Y, en un enternecimiento sú-
bito, le entregó cinco relucientes ducados para com-
prarse ropa. Aquel gesto fue el argumento definitivo.
La Petra se arrodilló y empezó a besar una y otra vez
la mano bienhechora. Don Bernardo la ayudó a levantarse: debes comprarte una saya nueva, bellos ju-
bones y un hábito con gorguera transparente; también sortijas, pulseras, collares, que adornen tu
bonito cuerpo, dijo. A la Petra Gregorio le brillaban
sus ojos azules, unos ojos que, los días anteriores,

don Bernardo había temido que se derritiesen de pena. A fin de cuentas, la Petra Gregorio era como todas las mujeres, pensó don Bernardo. En un momento determinado la vio tan risueña y animosa que pensó llevarla a la gran cama adquirida para la nueva relación, pero luego decidió que era preferible esperar al día siguiente; con las nuevas ropas y los adornos personales, la disponibilidad de la chica sería más abierta y generosa.

La encontró con una saya sencilla, de amplio escote que, bajo la gorguera transparente, dejaba entrever el nacimiento de los pechos. Lucía un gran collar, pendientes baratos y pulseras con colgantes. Levantó los brazos sonriente al verlo entrar como acogiéndolo. El viejo rijo, ausente durante la última semana, parecía apoderarse de nuevo de don Bernardo: ¿estás bien, chiquilla? —le preguntó, dejando su capa corta en manos de la muchacha. La tomó por la cintura. Estás muy hermosa, Petra. Te has vestido muy bien. Ella le preguntó si le gustaba y le llamó vuesa merced. ¡Oh, vuesa merced! —dijo él—. Debes olvidar el tratamiento. Me llamarás Bernardo. Sonreía la chica con malicia y él tuvo entonces una idea luminosa: ¿qué dirías si taita te enseñara a usar la bañera? Ella reconoció que se había bañado la víspera. No importa, no importa, incluso no es malo bañarse todos los días, hija mía, digan los médicos lo que quieran. La llevaba por la cintura pasillo adelante y se detuvo en la cocina. Señaló un lebrillo lleno de agua junto a la alacena y le mandó calentar un cuarto. Con el agua preparada, don Bernardo hizo uso de la técnica que, en sus años jóvenes, nunca le había fallado para desnudar a una muchacha. La despojó, primero, lentamente, de los adornos, que fue colocando sobre el fogón y, después, de la saya, la faldilla y el jubón. Esperó un rato antes de quitarle la ropa interior. La trataba como a una niña y a sí mismo se llamaba *taita*. Taita te quitará ahora mismo la gorguera pero antes debes meterte en el baño. La Petra entró en la bañera de latón desfallecida. Desnuda, en sus brazos, la besó antes de sentarla en el baño. A medio camino volvió a besarla aún más fuerte. Crecía la excitación de la chica, le mordía, sus brazos atenazaban su cuello. Ahora serás buena y dejarás que taita te lave bien, decía melosamente, mientras la enjabonaba los pechos que se escurrían entre los dedos como peces. Se buscaban las bocas entre la espuma como dos locos y, en mitad de la operación, colocó a la muchacha en su regazo, sobre la gran toalla blanca, y la levantó en alto. Caminaba hacia la habitación con la preciosa carga y, cuando, ya en el lecho, le preguntó si era la primera vez que se metía en la cama con un hombre, la Petra Gregorio quedamente le respondió que sí.

IV

—Vivo tranquilo, sí. ¿Qué más se puede pedir?

Don Bernardo Salcedo correspondía sonriente a los amigotes rezagados de la taberna de Dámaso Garabito que todavía no le habían preguntado por su salud, a los ganaderos y corresponsales que bajaban del Páramo y le encontraban barzoneando por la villa, o a los conocidos, habituales de las tertulias de la Plaza del Mercado y calles adyacentes, que se acercaban a él para estrecharle la mano. Llevaba meses sin grandes preocupaciones, razonablemente satisfecho. La Petra Gregorio, cuyo contrato estuvo a punto de rescindir con la ponedora María de las Casas, había resultado una amante singular. No sólo era bella y grácil sino seductora y expeditiva. La semana de adaptación que siguió a su llegada a la ciudad, tan esquinada y difícil, había sido superada. Ahora Petra Gregorio se mostraba frívola, impúdica y servicial. Pero no era un ser aquiescente, dispuesto siempre a acatar los deseos de su protector, sino una mujer impulsiva, creadora, que a menudo gozaba tomando la iniciativa. De ahí que, aunque don Bernardo reconociera ante los amigotes que vivía tranquilo, el nido de amor que había montado para Petra en la Plaza de

San Juan resultara bastante agitado. La visitaba cada tarde y raro era el día que Petra no le recibía con alguna sorpresa. Don Bernardo se vanagloriaba de su magisterio. En cinco días había transformado una gatita doméstica en una pantera lujuriosa. Petra era mucho más de lo que había imaginado: un verdadero prodigio en artes amatorias. Una tarde le recibía desnuda, levemente cubierta de tules y, a la siguiente, se escondía en el cuarto oscuro, vestida con unas mínimas prendas íntimas adquiridas en la lencería de la calle de Tovar, y le recibía maullando quedamente tan pronto oía sus pasos por el pasillo. Acto seguido se despojaba de esas prendas y corría por la casa desnuda, ágilmente, interponiendo los muebles entre ella y su perseguidor que le rogaba jadeante que se detuviera. A que no me coges, taita, a que no me coges, insistía ella. Le llamaba *taita* como él se había bautizado a sí mismo el día que la conquistó. Bienvenido, taita: hasta mañana, taita; taita ¿por qué no le compras a la niña un collar de cuentas de leche? Siempre taita. Salcedo se excitaba sólo con oír este tratamiento. Había en Petra una malicia natural que ella convertía en seducción turbadora con un mínimo gesto. Y, llevado a este terreno, don Bernardo se mostraba un hombre liberal, soltaba los ducados con generosidad, actitud sorprendente en él que siempre había sido guardoso en vida de doña Catalina. Pero Petra Gregorio hacía uso inteligente del dinero, incluso lo administraba con celo y miramiento. Se vestía, se alhajaba, adquiría bellos muebles, decoraba la casa con visillos y hermosos cortinones. Don Bernardo reconocía que Petra era la mantenida que siempre había deseado tener. Hasta que un día le pidió mudarse de casa, porque este barrio no es digno de ti, taita, sólo viven en él artesanos y gente rústica, le dijo. Y él comprendió que Petra era en el barrio como una rosa en un estercolero. La llevó a la calle Mantería, a un piso nuevo de una casa familiar. Petra ganaba con esto no sólo en categoría sino en espacio y prestigio. Era una calle estrecha, sí, como casi todas en la villa, pero céntrica, adoquinada y con un distinguido vecindario. Los recursos seductores de Petra se multiplicaron en el nuevo hogar. Salcedo pasaba tardes enteras persiguiendo ciervas en celo o acudiendo a los gritos de «¡Taita, taita, me he perdido!». Las siestas reparadoras, de que hablaba en la taberna, se convertían en realidad cada tarde en auténticos ejercicios gimnásticos.

A veces, solo en su casa de la Corredera de San Pablo, se complacía rememorando los ardides de Petra, los recursos de su pervertida imaginación. Y comparándolos con los de la tímida y púdica muchacha que había encontrado en Castrodeza, llegaba a la conclusión de que él era un consumado maestro de lubricidad y ella una discípula aventajada. Únicamente así se explicaba que la palurda que bajó del Páramo a la grupa de su caballo, suspirando, ocho meses atrás, hubiera alcanzado no sólo el actual grado de depravación, sino la elegancia natural que sabía mostrar en determinadas ocasiones. Tan orgulloso de sí mismo se encontraba don Bernardo que, incapaz de dejar en la sombra sus aventuras y la conducta salaz de la muchacha, una mañana se franqueó con su empleado Dionisio Manrique en el almacén. Dionisio acogió las confidencias de su patrón con la avidez un poco resbaladiza del mujeriego empedernido, pero se guardó sus objeciones sobre el particular. De este modo, don Bernardo consiguió ampliar sus horas de placer mediante el fácil recurso de explicitarlas. La mera referencia a las trastadas de Petra, que, inevitablemente, terminaban en la cama, encendían de nuevo su ardor, lo preparaban para la visita vespertina, mientras Dionisio le escuchaba con la boca abierta, babeando. Únicamente Federico, el mudo de los recados, que observaba la salacidad de Manrique, se preguntaba qué se traerían entre manos aquellos dos hombres que explicara la turbiedad de sus ojos y sus torpes ademanes.

En cambio, con su hermano Ignacio, con quien solía encontrarse diariamente al anochecer, Bernardo no mostraba esas confianzas. Al contrario, se esforzaba en comparecer ante él con el decoro y la respetabilidad que siempre habían adornado a la familia Salcedo. Ignacio era el espejo en que la villa castellana se miraba. Letrado, oidor de la Chancillería, terrateniente, sus títulos y propiedades no bastaban para apartarle de los necesitados. Miembro de la Cofradía de la Misericordia, becaba anualmente a cinco huérfanos, porque entendía que ayudar a estudiar a los pobres era sencillamente instruir a Nuestro Señor. Pero no solamente entregaba al prójimo su dinero sino también su esfuerzo personal. Ignacio Salcedo, ocho años más joven que don Bernardo, de cutis rojizo y lampiño, visitaba mensualmente los hospitales, daba un día de comer a los enfermos, hacía sus camas, vaciaba las escupideras y durante toda una noche cuidaba de ellos. Por añadidura, don Ignacio Salcedo era el patrono mayor del Colegio Hospital de Niños Expósitos, que gozaba de prestigio en la villa y se sostenía con las donaciones del vecindario. Pero, no contento con esto, con su quehacer profesional en la Chancillería y sus buenas obras, don Ignacio era el vecino mejor informado de Valladolid, no ya sobre los nimios sucesos municipales sino de los acontecimientos nacionales y extranjeros. Las noticias últimamente eran tan abundantes que don Bernardo Salcedo cada vez que recorría las calles Mantería y del Verdugo, camino de la casa de su hermano, iba preguntándose: ¿Qué habrá sucedido hoy? ¿No estaremos sentados en el cráter de un volcán? Porque don Ignacio era crudo en sus manifestaciones, nunca las atemperaba con paños calientes. De ahí que don Bernardo, aun mostrándose poco aficionado a la política, a los problemas comunes, estuviera puntualmente informado de la lamentable realidad española. La inquietud creciente de la villa, la hostilidad popular hacia los flamencos, la falta de entendimiento con el Rey, eran realidades manifiestas, hechos que, como bolas de nieve, iban rodando, aumentando de volumen y amenazando avasallar cuanto encontraran a su paso. Hasta que una tarde de primavera una de ellas reventó, por más que la voz de don Ignacio no se alterase al referir los acontecimientos:

—Han matado al procurador Rodrigo de Tordesillas en Segovia. Estaba conchabado con los flamencos. Juan Bravo se ha puesto al frente de los revoltosos y está organizando Comunidades en las villas castellanas. Hay motines y alborotos por todas partes. El cardenal Adriano quiere reunir aquí, en Valladolid, el Consejo de Regencia pero el pueblo se resiste.

Don Bernardo respiraba con cierta dificultad. Hacía semanas que venía notando cómo se le formaba sobre el estómago un cinturón de grasa. Miraba a Ignacio como esperando de él una solución, pero su hermano no estaba por la labor. A la tarde siguiente le mostró un pasquín recogido a la puerta de San Pablo: SUBSIDIOS, NO. EL REY EN SU CASA Y LOS FLAMENCOS A LA SUYA. Varios sermones en distintas iglesias de Valladolid habían girado en torno a la misma cuestión: el Rey debía permanecer en España y los flamencos marcharse a su país; las villas deberían seguir entendiéndose directamente con el Rey, sin la mediación de curas y nobles. Son exigencias muy duras. ¿Te das cuenta, hermano? —decía don Ignacio.

En veinticuatro horas las novedades dejaban de serlo y don Bernardo y don Ignacio volvían a encontrarse en la casa del segundo:

—Los realistas han incendiado Medina. En la Plaza del Mercado la gente andaba esta mañana amotinada al grito de *¡Viva la libertad!* Hay algún noble entre ellos pero la mayor parte son letrados, burgueses e intelectuales. Al pueblo, como de costumbre, no se le ha preguntado nada pero sigue los consejos de éstos y revienta de indignación.

La misma noche, la turba, ignorante y enardecida, quemó las casas de los regidores que habían aprobado los subsidios al Rey. Fue noche de mucho ruido y confusión. Don Bernardo había bajado a la calle a tiempo de ver arder la mansión de don Rodrigo Postigo y a éste escapar por la trasera, a caballo reventado, arrancando chispas de los adoquines. De madrugada se presentaron en su casa su hermano Ignacio, Miguel Zamora y otros letrados a pedirle sus caballos para el encuentro inminente. El conde de Benavente estaba enconado con los pueblos de Cigales y Fuensaldaña y se temía un enfrentamiento. Don Bernardo vacilaba, se hacía el roncero. ¿Por qué meter a *Lucero*, su noble bruto, en estos berenjenales? Hay que hacer algo, Bernardo, cualquier cosa antes que permitir que nos atropellen. Don Bernardo, un tanto avergonzado de su amilanamiento, cedió al fin, que se los llevasen. *Lucero* regresó sano al atardecer, pero *Valiente* quedó muerto entre las cepas de Cigales. Ignacio traía a la grupa de *Lucero* a Miguel Zamora y ambos subieron a la casa de Bernardo y bebieron unas tazas de Rueda para entonarse. Había sido imposible contener al pueblo que lo único que había entendido fueron las amenazas del conde de Benavente. Nada habían importado su rango, su fortuna ni su autoridad. Su castillo de Cigales había sido asaltado por las turbas y saqueado. Los cuadros, las ropas, los valiosos muebles, quemados en el ejido por la multitud encolerizada. En las afueras hubo un intercambio de disparos con una tropilla del Cardenal y *Valiente*, haciendo honor a su nombre, había caído en la contienda.

Don Bernardo oía estas historias, que tan de cerca le tocaban, sobrecogido. No era hombre bizarro y las soflamas, lejos de enardecerle, le deprimían. Al día siguiente daba cuenta a Petra Gregorio de las últimas novedades. En los momentos decisivos, como el del asalto al castillo, la chica aplaudía como si asistiera a una pelea entre buenos y malos. Ella se pronunciaba siempre contra los flamencos. Bernardo, sorprendido, le preguntaba qué tenía contra ellos. Quieren mandar aquí, eso lo saben hasta las piedras, decía. Resultaba poco edificante que la Petra Gregorio hablase de estos temas fundamentales con los pechos desnudos, apenas cubiertos por el collar de cuentas de leche, fabricado con ámbar y piedra galactita, que él le había regalado. Pero la historia se repetía indefectiblemente todos los días en los dos pisos: Ignacio le cargaba de noticias y gacetillas en el suyo y Bernardo las descargaba a su vez, más informalmente, en el de su amante.

Así se enteró Bernardo de la expulsión de los nobles de Salamanca por Maldonado, de la constitución de la Junta Santa en Ávila para unir los movimientos populares, de la visita privada a la reina madre en Tordesillas por parte de Padilla, Bravo y Maldonado y de su acogida afectuosa. Pero, insensiblemente, las noticias fueron tomando un cariz menos optimista: el Rey se había negado a recibir en Alemania a una comisión de rebeldes y éstos habían regresado corridos y desairados. Las Comunidades ya no se entendían entre sí, incluso las andaluzas les habían abandonado y puesto a las órdenes del Rey... Don Bernardo escuchaba a su hermano sin inmutarse y reflexionaba: hoy, como siempre, ha faltado organización; los ideales están mezclados y mal definidos. Las villas se han puesto en manos de nobles de segunda y los de primera se han aprovechado de ello. ¿Para esto sacrifiqué yo a mi noble caballo *Valiente*? Pero Ignacio, implacable, proseguía dando pormenores de la tragedia: la Junta, tras presentar una carta de agravios al Rey, trataba de sacar a doña Juana de Tordesillas y ahorcar en Medina a los miembros del Consejo. Los comuneros y el Rey se habían enfrentado en Villalar y aquéllos habían sido derrotados. Una gran carnicería: más de mil muertos. Padilla, Bravo y Maldonado habían sido decapitados.

La vida de la ciudad se sumió en la tristeza. Regresaban los soldados hambrientos con sus caballos heridos y los infantes, desarmados y andrajosos, deambulaban por la Corredera camino de San Pablo. Iban como perdidos, a la deriva. La tertulia de artesanos en la Plaza del Mercado parecía tener sordina esa tarde y por las calles vagaban las gentes cabizbajas, sin saber a quién culpar de la derrota. Entre ellas caminaba Bernardo Salcedo, entristecido pero satisfecho de que aquello, al fin, hubiera hecho crisis, hubiera terminado. Encontró a Petra Gregorio en una actitud singular: de pie frente a la puerta, vestida con un gonete negro y una basquiña abierta por delante, el amplio escote desnudo, sin el collar de cuentas de leche. Tenía lágrimas en los ojos cuando le dijo:

—Taita, hemos perdido.

Bernardo Salcedo la abrazó tiernamente. Envuelto en su lubricidad inagotable, don Bernardo recataba una ternura pocas veces manifiesta. De pronto se desprendió de la capa corta que vestía y la depositó sobre el respaldo de una silla. Fue hacia ella:

—¡Oh! —dijo—, las mujeres bonitas no deberían mezclarse en estos asuntos tan sucios.

Volvió a abrazarla y ella aprovechó su proximidad para sacar su pierna desnuda por la abertura de la basquiña e introducirla entre las firmes piernas de Salcedo. Don Bernardo, sorprendido, dijo:

—¿Qué haces? ¿Qué pretendes?

Ella se soltó de su abrazo y se desprendió del gonete, sacándolo por la cabeza. No tenía jubón ni camisa debajo. Estaba desnuda. Se aflojó la cintura de la basquiña que resbaló hasta sus pies. Rompió a reír mientras corría ligera por el pasillo:

—Taita, así debemos desnudarnos de nuestras penas. ¿A que no me coges? —dijo.

Él corría torpemente, tropezando con los muebles y, aunque ganado por un deseo ardiente, no dejaba de pensar en la volubilidad de la chica. ¿Había llorado de veras o se había limitado a provocar su encandilamiento? Volvía a asaltarle la duda sobre la manera de ser de Petra Gregorio. ¿La conocía a fondo o únicamente sabía de ella que era indescifrable? Tornaban a jugar al escondite y cuando él, finalmente, la atrapó en el cuarto oscuro y la derribó sobre el suelo entarimado, entre los cachivaches, ella se entregó sin resistencia.

La salacidad que Petra despertaba en él distrajo a Salcedo de su anterior devoción por Minervina. La veía poco. Menos aún a su hijo Cipriano que había cumplido ya los tres años. Pero el 15 de mayo de 1521 ocurrió en el número 5 de la Corredera de San Pablo un hecho inesperado que, de forma fortuita, le puso de nuevo en relación con la muchacha. A la joven Minervina, la eficaz nodriza de los pechos pequeños, se le retiró repentinamente la leche. ¿Motivos? En apariencia no los había. Minervina había dormido bien, había cenado como de costumbre, no había hecho esfuerzo físico alguno. Por otra parte, los graves acontecimientos de la calle no le afectaban, ni había sufrido emociones profundas que explicasen el fenómeno. Simplemente el niño se negaba a coger el pezón y, al apretar el pecho, ella notó que se había secado. Entonces comenzó a llorar, preparó al niño unas sopas de pan, se las dio, se lavó los ojos en el aguamanil y afrontó el encuentro con don Bernardo:

—Tengo algo importante que decirle a vuesa merced —dijo humildemente—. De la noche a la mañana me he quedado sin leche.

Ella sabía que la leche había sido, en vida de la difunta, la razón de ser de su contrato. Él estaba leyendo un libro nuevo que cerró y depositó sobre la mesa al oír la voz de la muchacha:

—La leche, la leche, claro —respondió y añadió aturdidamente—: pero supongo que habrá otros medios además de la leche para sacar a un niño adelante.

Minervina pensó en las sopas de pan que acababa de darle y dijo con sencillez:

—Claro que sí y sepa vuesa merced que en mi pueblo ningún niño se ha muerto de hambre y eso que no hay médicos ni barberos que se cuiden de ellos.

Don Bernardo volvió a tomar el libro de la mesa. Por su parte daba por terminado el incidente. Mas al ver a la chica pendiente de sus labios, levantó la cabeza sonriendo y agregó:

—Hemos cambiado una nodriza por una rolla. Ése es todo el problema.

Minervina regresó a la cocina radiante. Nada había cambiado: no me marcho, señora Blasa, me quedo con el niño. El señor lo ha comprendido. Tomó al niño de las manos y le movió a su compás mientras tarareaba una canción. Luego se agachó y cubrió su rostro de ruidosos besos. De este modo, la vida de Cipriano siguió su curso. Por las mañanas, en el buen tiempo, salía de paseo con la rolla, con frecuencia por el centro, para curiosear el mercado de hortalizas y las vitrinas de los comercios de los soportales, y otras veces por el Espolón o el Prado de la Magdalena para tomar el aire. Los jueves, a media mañana, la galera de Jesús Revilla les llevaba, con otros viajeros, hasta Santovenia y allí pasaban el día con los padres de Minervina. Al niño le fascinaban estos viajes en el ordinario, los vaivenes del carro, el pesado trote de las mulas, los hondos baches del trayecto cuando él rodaba hasta la red de lía de la trasera dando gritos de júbilo. Alguna viajera del pueblo le miraba con temor, pero Minervina le justificaba diciendo: este niño es medio titiritero. Y reía para quitar importancia al incidente. Más tarde, en el pueblo, en casa de Minervina, Cipriano jugaba con los niños del vecindario. Le gustaban aquellas casas de un solo piso con el suelo de tierra apelmazada, pero limpias, de pocos muebles, a todo tirar dos escañiles, una alacena, una mesa de pino para comer y, en las habitaciones del fondo, sendas camas de hierro negro entre las que se repartían los familiares para dormir.

A la madre de Minervina le sorprendió el tamaño del niño el primer día: este niño tan flaco no parece de casa rica, observó. Pero la chica se revolvió, lo defendió como cosa propia: no es flaco, madre; lo que tiene son espinas en lugar de huesos, como dice mi compañera. Luego, cuando el pequeño empezó a hacer títeres por los rincones, la chica, muy ufana, recalcó: es fuerte, madre. A los cinco meses, ya se empinaba en el regazo para agarrar la teta y a los nueve ya se andaba. Nunca he visto una cosa así.

Cipriano se sentía libre y feliz en el pueblo. Con los amigos de su edad, correteaban por todas partes y, algunas veces, se arrimaban a la casa de Pedro Lanuza, pintada de amarillo, y golpeaban las cacerolas y les decían a voces *herejes* y *alumbrados*. Y las hijas de

Pedro Lanuza, especialmente la Olvido, se asomaban a la puerta con la mano del almirez y les amenazaban con molerlos a golpes. De vuelta a casa en el ordinario, el niño y Minervina contaban estas cosas en la cocina y la señora Blasa preguntaba: ¿aún sigue bajando el Pedro Lanuza los sábados donde la Francisca Hernández? A ver, señora Blasa, aclaraba la Minervina, pero, entiéndame, no es que sean malos, es que es así su religión. Y la Blasa añadía: cualquier día me arrimo donde la señora esa y hago por verlos.

El destete de Cipriano, como no podía menos, repercutió en el cuerpo de Minervina. Sus pechos, de por sí pequeños, se achicaron un poco más, se apretaron, mientras su cuerpo espigaba y los miembros recuperaban la felina elasticidad enervada con la crianza. Engolosinado con el sexo, a don Bernardo no le pasó inadvertida esta leve metamorfosis. Su mirada se iba tras la muchacha cuando aparecía en sus dominios y la seguía placenteramente con la vista sin dejarlo. En ocasiones, cuando portaba en sus manos levantadas algún objeto delicado de loza o porcelana y temía que su contenido se derramara, sus pisadas se hacían mínimas, y deliciosa su cadencia, el leve ondular de sus caderas. El niño la perseguía por todas partes. Desde que se arrancó a andar pasaban tantas horas en el piso de las buhardillas, donde dormían, como en el principal. Esto aumentaba las posibilidades de encontrarse con su padre y, cada vez que esto ocurría, el niño se ocultaba tras la saya de la muchacha como si viese al diablo. Ella le preguntaba luego en la cocina: ¿es que no quieres al papá? No, Mina; me da frío. Qué cosas dices. ¿Mucho frío? Y el pequeño confesaba que tanto como cuando se helaba la fuente del Espolón y él se subía a ella para patinar.

La atracción de la muchacha y el desapego hacia su hijo acabaron barrenando la sensibilidad de don Bernardo. Andando el tiempo no encontró inteligente su comportamiento cuando Minervina perdió la leche. La noticia le dejó indiferente y actuó con blandura, no supo sacar partido de la situación. Se mostró excesivamente paternal y condescendiente. Por eso ahora, cada vez que veía al niño ocultarse tras la saya de la muchacha, pensaba que debía sentar su autoridad de padre y amo ante uno y otra. La chica se tomaba demasiadas atribuciones sobre el pequeño. Había que someterla a disciplina. Alimentado por su propio reconcomio, don Bernardo meditaba sobre la mejor decisión a tomar. Cruel, como buen mujeriego tímido, soñaba con una solución quimérica que produjese dolor a la muchacha. Así, una mañana que la chica cambiaba el agua de las flores del salón con el niño pegado a las sayas, adoptó una actitud grave para preguntarle si consideraba uno de sus deberes separar al niño de su padre. Minervina dejó el jarrón con las flores sobre la consola y se volvió sorprendida:

—¿Qué quiere decir vuesa merced? El niño siente afecto por quien le atiende. Es cosa natural.

Don Bernardo carraspeó. Miró a la muchacha, que ocultaba al niño tras ella, con mirada adusta, autoritaria:

—¿Por qué se aplica usted tanto en esta tarea atroz de distanciar a un hijo de su padre? Ciertamente las circunstancias en que este niño nació no fueron favorables para despertar mi cariño hacia él. A su manera, él se deshizo de su madre. Pero un padre podría llegar a olvidarlo todo, si el hijo tratara de alguna manera de demostrarle su cariño. ¿Por qué ha de formar usted con el niño una pequeña conjura en contra mía?

A Minervina, aunque no acababa de comprender del todo el parlamento del señor Salcedo, se le nublaron los ojos de lágrimas. El niño, cansado de la inmovilidad de la muchacha, se asomó por el borde de la saya. Dijo la chica:

—Creo que se equivoca. Yo deseo lo mejor para el pequeño pero tengo entendido que vuesa merced no pone nada de su parte para atraerle.

—¿Atraerle? ¿Atraerle yo? Esa buena acción no es de mi incumbencia. Es usted quien debe instruir al pequeño sobre la mejor manera de orientar sus afectos, sobre lo que está bien y lo que está mal. Pero usted se ha conformado con sustituir el pecho por unas sopas de pan y eso no es suficiente.

Minervina lloraba ya sin disimulo. Sacó de la manga abullonada de su saya un minúsculo pañuelo y se secó los ojos con él. Una íntima sensación de triunfo iba invadiendo a don Bernardo. Se inclinó sobre la muchacha sin abandonar el sillón:

—¿Ha intentado usted enseñar a este pequeño mequetrefe a honrar a su padre? ¿Cree usted de veras que este pequeño diablo me honra a menudo con su actitud?

Se levantó finalmente del sillón fingiendo una furia que no sentía y tomó de la oreja a su hijo:

—Venga usted acá, caballerete —le atrajo hacia sí.

El niño, fuera ya de su escondrijo, veía llorar a Minervina, pero, tan pronto volvió los ojos a la figura barbada de su padre, quedó paralizado, rígido, temblando. También Minervina le miraba ahora a él, compadecida, pero no osó dar un paso en su defensa. Don Bernardo seguía zarandeando al pequeño:

—¿Vas a decirme, caballerete, por qué aborreces a tu padre?

La chica hizo un esfuerzo:

—¡No lo atormente más! —chilló—. El niño tiene miedo de vuesa merced. ¿Por qué no prueba de comprarle un chiche?

La simple pregunta de la chica dejó momentáneamente desarmado a don Bernardo. En su breve vacilación, el niño corrió hacia ella, Minervina se arrodilló y ambos se abrazaron llorando. Don Bernardo se sentía incompetente ante las lágrimas, le daban grima las escenas melodramáticas y le repugnaban las palabras de perdón, especialmente cuando venían a disminuir la tensión de una escena que él deseaba tensa. Optó por el remate espectacular. Sin dejar de mirar a los amantes, arrodillados en la alfombra, atravesó la sala en dos grandes zancadas, se metió en el despacho y cerró de un portazo. Minervina seguía abrazada al niño, mezclando las lágrimas con escuchos al oído del pequeño: papá se ha enfadado, Cipriano; tienes que quererle un poquito. Si no va a echarnos de casa. El pequeño le apretó el cuello con fuerza: y ¿vamos a la tuya? —preguntó—. Yo quiero ir a tu casa, Mina. Ella se puso en pie con el niño en brazos; le susurró al oído: los taitas de Mina son pobres, tesoro, no pueden darnos de comer todos los días.

Por su parte, don Bernardo quedó satisfecho de la escena. Hacer llorar a unos ojos que le habían despreciado tanto, comportaba un desquite. A Ignacio, sin embargo, cuando se lo contó, no se lo dijo así, se limitó a disfrazar su venganza de virtud: con esta gente no vale de nada apelar al cuarto mandamiento —dijo. Ignacio, recto y temerario, aludió a su frialdad con el pequeño desde que nació y don Bernardo volvió a insistir en que, le gustara o no, Cipriano no era más que un pequeño parricida. Ignacio volvió a repetir que no tentara a Nuestro Señor y añadió algo inquietante y de lo que nunca había hablado: que el hecho de que el pequeño Cipriano hubiera nacido el mismo día que la Reforma luterana no era precisamente un buen presagio.

Las controversias religiosas a que tan aficionados eran sus paisanos, apenas tenían lugar en el mundo de don Bernardo. Ni Dionisio Manrique, en el almacén de la Judería, ni los amigotes de la taberna de Dámaso Garabito, ni los corresponsales del Páramo, ni Petra Gregorio en el muelle nido de amor de la calle Mantería, se prestaban a tan elevadas disquisiciones. Por eso, ahora que su hermano acababa de hacer una alusión a Lutero experimentó una viva necesidad de hablar de él:

—¿Sabes —preguntó— que el padre Gamboa dijo el domingo en San Gregorio que entre Lutero y el Rey habían terminado las componendas?

Ante su hermano mayor, Ignacio se movía mejor tratando de estas cuestiones que de las inherentes a su sobrino y al servicio doméstico. Seguía al día la revuelta de Lutero, se relacionaba con los intelectuales y soldados que regresaban de Alemania, leía toda clase de libros y papeles relativos a la Reforma. Hombre de fe, papista íntegro, su rostro rojo y barbilampiño se acaloraba al abordar estos temas:

—Nos quitan la tierra bajo los pies, Bernardo. Hacen escarnio de lo que consideramos más respetable. Lutero se irritó contra el Papa que encomendó a los dominicos la predicación de las indulgencias pero lo que, en realidad, quería decirnos es que las indulgencias y los sufragios no sirven para nada, ni si me apuras la penitencia. Según él lo único que nos salva es la fe en el sacrificio de Cristo.

Bernardo escuchaba con curiosidad. Le intrigaba aquel mundo inasible en el que daba por sentada la prioridad de su hermano. Dijo:

—El problema de la salvación ha sido siempre el gran problema del hombre.

Ignacio apoyaba los codos en los muslos para aproximarse a su hermano.

—Lutero rehuye la controversia. Destruir es su objetivo, acabar con el Papa a quien ha llamado asno y suplantador de Cristo. Una vez abolido el papado tendría el campo libre para los suyos. El luteranismo es ya un movimiento considerable. El intento de conciliación de Eck ha resultado un fracaso. Lutero no se retracta de nada. Dice que para discutir necesita un Papa mejor informado. León X ha condenado su doctrina y le ha excomulgado y el Emperador ha ratificado en Worms esta condena. Lutero ha escapado a Wartburg y, encerrado en el castillo del Príncipe, no cesa de escribir libros incendiarios que difundirán *la lepra* por Europa.

Don Bernardo Salcedo bebió un trago de vino de Rueda. Las vespertinas visitas a su hermano tenían esta ventaja: obsequiaba a los invitados con los mejores vinos del país. Su bodega y su biblioteca, con quinientos cuarenta y tres volúmenes, eran de las más

144

acreditadas de la villa. Y, además de beber buen vino, lo ofrecía en copas del más fino cristal que Gabriela, su cuñada, conservaba tan impolutas como las ropas de sus atuendos que tanto atraían a Modesta y Minervina. Era, el de don Ignacio, el matrimonio sin hijos mejor asentado y relacionado en la villa vallisoletana. Y aunque don Bernardo se permitía a veces alguna broma a cuenta de la religiosidad de su hermano, y a pesar de ser ocho años más viejo que él, sentía por su persona y opiniones un respeto físico, especulativo y profundo. De ahí que, cada vez que las circunstancias les conducían a enfrentarse, don Bernardo nunca encontraba a mano otra argumentación oportuna que la de la experiencia o la edad. Así ocurrió, por ejemplo, dos meses después de la conversación sobre la Reforma protestante, cuando un don Ignacio Salcedo, fuera de sí, salió a su encuentro y le recibió con una frase retorcida, críptica, cuyo sentido se le escapaba, pero que, a juzgar por sus ademanes y el tono de voz, envolvía una acre censura:

—Valladolid se divierte y Bernardo Salcedo paga. ¿Qué te parece esta frasecita que oigo a diario por todas partes?

Don Bernardo le miró con desconfianza, levemente arrebolado:

—¿Qué te pasa? ¿Estás excitado? ¿Qué demonios quieres decir con eso?

A don Ignacio le había bajado el color y le temblaban las manos y el anillo de casado. Que él recordase nunca sus diferencias habían llegado a tanto:

—Que tu querida te engaña a ti y a la ciudad entera. Todo el mundo está en lenguas a cuenta de esa moza de fortuna.

Don Bernardo pareció despertar de pronto:

—¿Cómo te atreves a hablarme así? ¡Podría ser tu segundo padre!

—Al primero no le hubiera dicho otra cosa, créeme Bernardo. No somos tú ni yo los que estamos en juego sino nuestro apellido.

—Y ¿de dónde han salido esos rumores mendaces?

—En Chancillería no hay rumores, Bernardo. Lo que Chancillería dice va a misa. ¿Por qué no pruebas de visitar a deshora a esa pelandusca? Únicamente después de haber comprobado lo que te digo me avendría a seguir discutiendo contigo de tan turbio asunto.

Cuando don Bernardo abrió la puerta de la calle tenía ya el convencimiento de que su hermano le estaba diciendo la verdad. Petra Gregorio había jugado con él desde el primer día. Los argumentos se amontonaban. Él estaba lejos de ser un maestro del lance amoroso y ella una discípula aventajada. Eran, simplemente, una puta y un cornudo. Ella no alteró su conducta mientras no llegaron los primeros ducados. Después, el cambio de piso, su ropero, el lujo palaciego del nuevo hogar. ¿Cómo no pensó nunca que su asignación no podía dar para tantos excesos? María de las Casas le había engañado y hasta era posible que su cuerpo estuviera incubando a estas alturas una enfermedad asquerosa. En el portal, a la luz del quinqué, se miró el dorso de las manos, se tocó las mejillas con dedos temblorosos; no había bubas ni durezas. De momento podía estar tranquilo. Apenas hacía dos horas que se había despedido de Petra, pero tomó la calle del Verdugo y se encaminó a su casa. Las depravaciones sexuales de la chica, pensó, no se inventaban ni obedecían a lecciones recientes. La mantenida había tenido un larga experiencia amorosa anterior a su encuentro. La chiquilla que suspiraba una y otra vez a la grupa de *Lucero* la noche que la bajó del Páramo no era una muchacha ingenua sino una consumada actriz. ¿Qué hacer? ¿Cómo la encontraría? ¿Cómo debía reaccionar un caballero ante una burla semejante? He aquí lo que en el instante de introducir la llave en la cerradura desazonaba a don Bernardo. ¿Habrá algún medio de enmendar las torpezas sin riesgo y con dignidad? —se preguntó. Había subido los dos tramos de escalera apresuradamente y ahora jadeaba en el descansillo. Pero —trató de tranquilizarse— ¿por qué creer a Ignacio a ojos cerrados? No era cierto que la Chancillería únicamente emitiera verdades comprobadas. La Chancillería se equivocaba como todo hijo de vecino y él iba a demostrarlo. Con mano temblorosa abrió la puerta del piso. La luz vacilante de los candiles que llegaba al vestíbulo provenía del dormitorio de atrás. Las servillas de don Bernardo no hacían ruido al avanzar por el pasillo. Le iba alarmando cada vez más el creciente silencio de la casa, pero al asomarse al dormitorio de Petra Gregorio divisó a Miguel Zamora, el letrado, vistiéndose sobre la alfombra, las piernas inseguras al aire. La ropa de la cama estaba revuelta pero Petra no se encontraba allí. Miguel Zamora, con las calzas en la mano, se sobresaltó al verle, se sintió abochornado, en apariencia, más por haber sido sorprendido en paños menores que por su traición:

—¿Qué hace aquí a estas horas vuesa merced?

—¿Para eso te confié mi caballo, grandísimo hijo de puta?

Miguel Zamora intentó meter la pierna por la calza derecha sin resultado. Dijo trastabillando:

—Son dos asuntos que no tienen nada que ver entre sí, Salcedo.

Don Bernardo le agarró firmemente por el jubón recamado y le alzó levemente del suelo. Miguel Zamora de puntillas, con las peludas piernas al aire, ofrecía una imagen grotesca:

—Debería matarle aquí mismo —le dijo don Bernardo aproximando sus labios al extremo de su nariz.

—Petra no es su esposa. No conseguiría la comprensión del tribunal.

—El placer de deshacerle entre mis manos, ése sí lo tendría.

—Sería un acto culpable, Salcedo. La ley no le ampara.

Se hablaban a media voz, a dos dedos de distancia y, cuando don Bernardo le soltó despectivamente, apenas se le oyó musitar: «cochino leguleyo». Luego, ya más claro, al abandonar el dormitorio exclamó:

—Tanto tú como yo somos dos pobres cabrones que no sabemos dónde ocultar los mogotes de nuestros cuernos.

Salió al pasillo en el instante en que Petra Gregorio también lo hacía por la puerta de la cocina. Portaba una gran bandeja de plata con una improvisada comida y taconeaba garbosa por la tarima pero, a la solemne bofetada de don Bernardo, todo salió ruidosamente por los aires menos la Petra Gregorio, que perdió el equilibrio y se vino al suelo.

—Prepara tus trebejos —dijo sucintamente don

Bernardo—. Mañana te vuelves al yermo de donde saliste.

Al día siguiente, Dionisio Manrique le organizó una entrevista con María de las Casas, *la Ponedora*, en el almacén:

—Me prometiste una virgen y me endosaste una puta. ¿Qué te parece el trueque?

María de las Casas se arrodilló. Pretendió en vano besarle el borde de la cuera:

—Tan engañada ha sido vuesa merced como yo misma. Se lo juro por mis muertos.

Le miraba implorante desde el suelo pero don Bernardo no se ablandó; estaba demasiado resentido:

—Escúchame, María de las Casas —advirtió—. Si el día de mañana, y Dios no lo quiera, me agarro una sífilis por tu culpa, mandaría apalearte hasta reventar y luego te metería en la cárcel hasta que te pudras. Tengo un hermano en Chancillería, no lo olvides. Puedes marcharte.

V

La joven Minervina, sin saberlo, se mostraba conforme con el Sínodo de Alcalá de Henares de 1480 y consideraba que la catequesis y la escuela eran una misma cosa. Su madre, en Santovenia, veinte años antes, entendía, asimismo, que valía tanto aprender a leer y escribir como adoctrinarse. A ello colaboró el bondadoso párroco don Nicasio Celemín que cada día, a las once de la mañana, hacía sonar la campana en el pueblo con una intención ambigua que cada vecino interpretaba a su manera: ya tocan para la escuela, decían unos, mientras otros, más píos, al escuchar los tañidos, daban otra explicación: don Nicasio está llamando a la doctrina, aviva; son las segundas. En cualquier caso, los vecinos de Santovenia, a principios de siglo, identificaban instrucción y adoctrinamiento y de ahí salió una generación, de la que formaba parte Minervina, para la que hablar con Dios y aprender eran la misma cosa. Tan arraigada tenía esta identidad la muchacha que, antes de que Cipriano cumpliera siete años, ya dedicaba una hora de la mañana a la formación religiosa del pequeño. En principio, el niño aceptó la novedad como un pasatiempo. Encerrados en la buhardilla donde Cipriano dormía, ante la mesita que se extendía bajo la claraboya, Minervina le aleccionaba. Lo primero fue enseñarle a signarse y santiguarse, signos religiosos que a Minervina se le atragantaron veinte años atrás pero que para Cipriano no representaron ninguna dificultad:

—Haces así y así y con los dedos marcas los palos de la cruz ¿te das cuenta?

—Sí, los palos de la cruz —decía el niño sonriendo.

Cipriano interpretaba perfectamente el significado del signo y cuando la chica le decía que la cruz de la frente servía para ahuyentar los malos pensamientos, la de la boca para evitar las malas palabras y la del pecho para aventar los malos deseos, lo comprendía aunque no diferenciaba aún los malos pensamientos, las malas palabras y las malas acciones de los buenos. Tras los signos del cristiano, Minervina, siguiendo las normas de don Nicasio Celemín, que colocó el primer día una gran lápida en un paño de la iglesia que decía «Cartilla para mostrar a leer a los moços», le fue enseñando las oraciones: Padre Nuestro, Ave María, Credo y Salve. La chica las cantaba con él una y otra vez y así el niño las memorizaba con facilidad sorprendente. A veces el pequeño la interrumpía:

—Ya estoy cansado, Mina. Vamos a jugar un poco a los soldados.

Pero ella forzaba su voluntad:

—Hay que hacerlo aunque no nos guste, mi tesoro. Sin la oración nadie se salva y Minervina se irá a los infiernos si no te ayuda a salvarte a ti.

Repetía las muletillas de don Nicasio Celemín pero estaba completamente segura en ese momento de que si Cipriano no aprendía a orar por su culpa, el niño y ella irían a pudrirse entre las llamas del infierno. Era una mezcla deseo-temor lo que la movía: ir al cielo, el compendio de todos los bienes, era el objetivo, mientras el infierno representaba para ella, y de paso para el niño, la pena eterna, la suma de todos los males, un peligro que había que evitar.

—Y si no rezo ¿me voy a los infiernos, Mina?

—Entiéndeme. Tienes que aprender a distinguir lo bueno de lo malo y, una vez que lo sepas, tú eres libre para hacer lo que te plazca.

El niño repetía canturreando las frases que pronunciaba Minervina, la obedecía porque sabía que era por su bien, que le estaba salvando, que estaba haciendo por él lo máximo que una persona podía hacer por otra. Sin embargo una mañana, Cipriano, tan abstraído estaba con sus juegos, que no hubo manera de contrariarle:

—Luego, Mina. Ahora no quiero rezar.

Esa noche tardó en dormirse. Cuando al fin lo consiguió, a altas horas de la madrugada, se le apareció, flotando sobre el cielo, entre nubes, la figura de Dios Padre. Era una imagen que había visto antes en alguna parte, tal vez en algún libro, pero la de ahora tenía exactamente la fisonomía de don Bernardo: rostro lleno, barba y pelo fuertes y lisos y una mirada helada y heridora que se cruzó un instante con la suya. Cipriano cerró los ojos, se achicó, quiso desaparecer del mundo, pero Nuestro Señor le prendió por una oreja y le dijo:

—¿Vas a decirme, caballerete, por qué no quieres rezar?

Cipriano se despertó sobresaltado. Divisó sobre

sí el rectángulo estrellado de la lucerna pero no tuvo fuerzas ni para gritar. Su corazón hacía ruido en el pecho y en su estómago se había asentado la angustia. Entonces se arrojó del lecho, se arrodilló en el suelo y comenzó a susurrar las oraciones que había omitido por la mañana. Rezó y rezó hasta que se quedó dormido en el posapié, derrumbado sobre el lecho. Minervina le sorprendió así de amanecida, le metió con ella en la cama y le restituyó su calor. Deshilvanadamente el niño le iba contando su experiencia:

—Y vino Nuestro Señor, pero era el taita, Mina, y me agarró de la oreja y me dijo que tenía que rezar siempre.

—¿Estás seguro de que el taita era Nuestro Señor?

—Seguro, Mina. Tenía los mismos ojos y la misma barba.

—Y ¿estaba muy enfadado?

—Muy enfadado, Mina. Me tiró de la oreja y me llamó caballerete.

Don Bernardo no veía con malos ojos el adoctrinamiento del niño por su niñera. Le sorprendió la formación de Minervina y aceptó el método de don Nicasio Celemín como base. Sin embargo, los conocimientos de la chica eran muy limitados y el tiempo pasaba sin que el niño progresase. Después de los mandamientos, Minervina le enseñó los artículos de la fe, los enemigos del alma, las virtudes teologales y las ocho bienaventuranzas pero de ahí no pasaba. La cartilla «para mostrar a leer a los moços» no iba más allá, ni el sistema de adoctrinamiento de don Nicasio Celemín tampoco. Entonces fue cuando don Bernardo empezó a madurar la idea de un preceptor.

Había buenos preceptores en la villa entonces y las grandes familias les confiaban a sus hijos. Un preceptor suponía un casi seguro rendimiento didáctico, pero, además, comportaba un signo de distinción social que le aproximaba a la nobleza, el sueño oculto de don Bernardo desde que tuvo uso de razón. El señor Salcedo sabía que tras las bienaventuranzas, había otro mundo intelectual más vasto y distinto que desgraciadamente él no había conocido: vocales y consonantes, posibilidad de unión silábica, grafía y sintaxis latinas. Leer en latín y escribir en romance, se decía secretamente, he ahí el camino. El niño ya era mayorcito y no parecía recomendable dejar su instrucción en manos de criadas y menos teniendo en cuenta su posición social. Más lejos todavía estaba el capítulo tan difamado e intocable de las tablas de cálculo que, pese a las reticencias de la época, él deseaba que Cipriano aprendiera. Se hacía, pues, imprescindible un preceptor, pero ¿interno? Don Bernardo no era partidario de dar entrada en la casa a un instructor experimentado. La sola idea le cohibía y presentía que su ignorancia, apenas evidente ahora para su hermano Ignacio, trascendería ante un ayo que compartiera con él comidas y sobremesas. Así llegó a la conclusión de contratar un preceptor de mañana que abandonaría la casa a las doce del mediodía.

La presencia de don Álvaro Cabeza de Vaca, con su sayo hasta las rodillas, bastante raído, de corte francés y sus calzas negras, ajustadas, amilanó a Cipriano y no deslumbró a don Bernardo. Fue fácil, no obstante, llegar a un acuerdo, aunque para el pequeño la idea de cambiar el piso alto por el principal y su cuartito abuhardillado por otro contiguo al de su padre, y separarse por vez primera de Minervina, representó un duro golpe.

Don Álvaro, enjuto, severo, con pómulos prominentes y barba rala, marcó desde el primer día una distancia con su discípulo. Sin embargo, el niño respondía rápido, sin apenas dejarle terminar la pregunta, inteligentemente. Y mientras duró el recorrido por las trochas habituales las cosas rodaron sin novedad. Sin embargo, Cipriano, atemorizado desde el primer día, constató con espanto la inmediatez de su padre en la habitación vecina. Y cada vez que le oía carraspear o arrastrar el sillón empalidecía y quedaba inmóvil, la cabeza hueca, a la expectativa. Los diecisiete estornudos consecutivos de don Bernardo en las primeras horas de la mañana eran proverbiales. Él los daba vía libre de modo que cada uno venía a ser como una pequeña explosión, los objetos retemblaban y se conmovían los cimientos de la casa. La idea de la proximidad de su padre terminó por imponerse a toda otra consideración en el cerebro de Cipriano. Vivía pendiente de rumores furtivos, de sus gruñidos espesos, de sus paseos, de sus estornudos. Detrás de cada desahogo, Cipriano se representaba su rostro, su mirada gélida, su barba aceitosa, su entrecejo cruel. Don Álvaro, empero, no advirtió la desatención del pequeño hasta que concluyó con «la cartilla de los moços». Sin mala voluntad, Cipriano se resistió a transitar los nuevos caminos. Más que negarse, existía una imposibilidad material de escuchar las explicaciones del dómine, de colgar la atención de sus labios. El niño miraba sin cesar la pantorrilla negra del ayo, pero su cabeza se trasladaba incesantemente tras el tabique. ¿Qué significaba el autoritario carraspeo de don Bernardo que acababa de escuchar? ¿Por qué había corrido el sillón hacia atrás y se había levantado? ¿Adónde iba? Todos los miedos de la primera infancia se abalanzaban de pronto sobre él. Sin Minervina a su lado, se sentía un ser indefenso. Don Álvaro le hablaba sin parar, con un tono de voz levemente cascado, los ojos al fondo de sus pómulos:

—¿Has entendido, Cipriano?

Cipriano volvía a la realidad de pronto. Le miraba como diciendo ignoro de dónde viene vuesa merced y dónde va, no sé de qué me habla, pero mentía.

—Sí, señor.

Don Álvaro iba entonces un poco más lejos hasta que se daba cuenta de que Cipriano no le seguía, que la mente del chico había quedado anclada en «la cartilla de los moços». Entonces, pacientemente, una y otra vez volvía a empezar. Una de dos: o don Álvaro tenía una fe ciega en su capacidad intelectual o el salario acordado con don Bernardo era considerable. El caso es que la ficción se prolongó durante meses y meses, don Álvaro esperando que su discípulo despertara, Cipriano al acecho de lo que sucedía en la habitación de al lado. De este modo, el niño llegó a leer el latín con cierta soltura pero resbalaba al afrontar las declinaciones. Y hasta tal extremo se le negaron éstas que, un buen día, don Álvaro, decepcionado, abordó a don Bernardo al terminar la clase. La entrevista fue breve y patética:

—De ahí no sacaremos nada, don Bernardo. El niño está en otra cosa.

—¿En otra cosa? El pequeño no ha conocido otra cosa, señor. Difícilmente puede estar en ella si no la conoce.

—Está ausente. No logro concentrarlo. Eso es todo.

Don Bernardo, vestido de calle para acudir al almacén, se mostraba malhumorado:

—Sugiere vuesa merced que el chiquillo es tonto.

—¡Oh, por favor! —dijo don Álvaro—. El muchacho es avispado como una ardilla, pero es inútil. No está conmigo, no me sigue, no le interesa lo que yo pueda contarle.

Don Bernardo se resignó a admitir que el preceptor no era el medio más indicado para educar a su hijo, el pequeño parricida. Había otras soluciones, pero, como hombre rencoroso, improvisó rápidamente la suya: un colegio. Un internado duro y sin pausas. Era hora de separarle de la rolla. Don Bernardo sabía que en la villa no había centros educativos que merecieran tal nombre, pero su hermano Ignacio era patrono mayor del más afamado: el Hospital de Niños Expósitos, regido por la Cofradía de San José y de Nuestra Señora de la O, dedicado a la formación de niños abandonados.

A su hermano le dolió la decisión:

—Ese colegio no es para personas de nuestra clase, Bernardo.

Don Bernardo coqueteaba ahora con la idea de dar una lección a la aristocracia, abrirle los ojos:

—Me han hablado bien de él. Dispone de veintiocho camas para becarios y mi hijo podrá pagar su alojamiento y el de cinco compañeros más si es eso lo que hace falta para que le abran las puertas.

Don Ignacio se echó las manos a la cabeza:

—El Hospital de Niños Expósitos vive de la caridad, Bernardo. Y tú sabes que los chicos abandonados por sus padres no suelen ser gente recomendable. Es un colegio serio porque los Diputados de la Cofradía nos hemos empeñado en que lo sea y hemos puesto en la dirección a un maestro competente. A la doctrina, por la mañana, a toque de campana, acuden chicos de toda condición e, incluso, en el resto de las clases, admiten alumnos de pago. ¿No podría ser ésta la mejor solución para Cipriano?

Don Bernardo denegó obstinadamente:

—A mi hijo hay que enveredarlo. Su niñera lo ha mimado demasiado. Y esto se acabó. Lo meteré interno y no disfrutará siquiera de vacaciones; pero para ingresar en el Hospital necesito tu concurso. ¿Estás dispuesto a prestármelo?

Intelectualmente don Ignacio estaba a cien codos de su hermano pero carecía de personalidad para imponerse. Al día siguiente visitó la Cofradía que administraba el centro, y, cuando habló de la generosa disposición de su hermano, no encontró más que buenas palabras, lo mismo que en la reunión de diputados del jueves siguiente, que votó la admisión del pequeño. Por esta vía y mediante el compromiso de pagar el mantenimiento de su hijo, las becas de tres compañeros y cooperar generosamente al Arca de las Limosnas, Cipriano fue admitido en el centro.

Minervina lloró hasta quedarse seca cuando le fue comunicada la noticia pero, por primera vez, su llanto no se contagió al pequeño. El temor que su padre le inspiraba podía más que cualquier otro argumento y el proyecto de alejarse de su casa y convivir con otros muchachos, le resultaba audaz y apetecible. La decisión de su padre de no verle *ni en verano* acrecía su deseo de alejarse de aquellos ojos cortantes que habían entenebrecido su infancia. Por otro lado, el hecho de que don Bernardo hubiera hablado de conservar a Minervina en su puesto, le infundía cierta seguridad, no había cortado la retirada. La chica volvió a derramar lágrimas en la Tenería, junto al río, frente al colegio. Besó y estrujó a Cipriano varias veces antes de dejarle escapar, con un fardillo en cada mano, y desaparecer por la doble puerta. Entonces tuvo la sensación de haberle perdido para siempre.

El edificio del colegio no era grande pero contaba con tres amplios desahogos: la capilla, el dormitorio y el patio de juegos. Tan pronto puso pie en él, Cipriano perdió dos cosas fundamentales: el atuendo y el nombre. Dejó de vestir la ropa distinguida que Minervina disponía semanalmente con tanto esmero y adoptó el uniforme obligatorio del centro, de marcado carácter rural: calzones de paño fuerte hasta debajo de la rodilla, un basto sayo, capotillo en invierno y unas botas de piel de carnero, abiertas y altas, que se ajustaban a las pantorrillas mediante cintas que remataban en una lazada. La segunda cosa importante que perdió Cipriano con su ingreso en el colegio fue el nombre. Nadie le preguntó cómo se llamaba pero, en el momento de tocar la campana convocando a la doctrina, *el Corcel* se le acercó y le dijo:

—Toca tú, *Mediarroba*, para eso eres el nuevo.

El Corcel era un muchacho alto, empeinoso, con las extremidades desproporcionadas, levemente escorado del lado izquierdo y que, evidentemente, gozaba de una preeminencia en el centro. Cipriano agitó la castigadera con afán, la campana sonaba, mientras *Tito Alba*, con su mirada redonda, atónita, de párpados cortos, le interrogaba:

—¿Eres expósito, tú, *Mediarroba*?

—N... no.

—Y ¿pobre?

—T... tampoco.

—Entonces ¿qué pintas aquí?

—Educarme. Mi padre quiere que me eduque como vosotros.

—¡Vaya una idea! ¿Has conocido a *el Corcel*?

—Él me mandó tocar la campana.

Cipriano se sorprendió de la vacilación de su voz en las primeras respuestas. El contacto con un ser desconocido le alteraba. Sentía como una rara emoción, un especial temor a comunicarse. Pero, una vez vencida la resistencia inicial, la conversación discurría fluidamente, sin tropiezos. Pensó cómo no lo había advertido antes y concluyó que su pequeño mundo acababa en la cocina de la casa de su padre y que, en sus breves visitas a Santovenia, el trato con otros niños era un juego de preguntas y respuestas mecánicas, sin reflexión previa y, en consecuencia, el titubeo no tenía razón de producirse.

En clase de doctrina cantaban los rezos y las preguntas y respuestas del catecismo hispanolatino con el mismo soniquete que empleaba Minervina, el mismo que utilizara don Nicasio Celemín, el párroco, en Santovenia veinte años atrás. De este modo, hasta los niños más romos memorizaban el catecismo que era lo que interesaba. Pero cuando don Lucio, *el Escriba*, terminó de recitar las potencias del alma y preguntó al grupo de cincuenta y siete muchachos quién sabía lo que eran las virtudes teologales, únicamente Cipriano levantó la mano:

—F... fe, esperanza y caridad —dijo.

Con la doctrina, los estudios se extendían preferentemente al latín, la redacción en romance y las tablas aritméticas. Era curioso el cambio operado en Cipriano, su repentino afán por ensanchar el mundo de sus conocimientos, su deseo de aprender, de acuerdo con su naciente afición a participar en los juegos que sus compañeros disputaban en los recreos del patio.

A las dos y media, después de comer en el ruidoso refectorio en dos grandes mesas, presididas desde la tarima por *el Escriba*, los expósitos salían de paseo acompañados por el inevitable tutor. Era un paseo higiénico, pero evidentemente el Consejo de Diputados que regía el colegio buscaba en aquel ejercicio colectivo algo más. *El Escriba* les hacía reparar en las escenas callejeras, en las vitrinas, en las actividades de la gente del pueblo y les formulaba preguntas, cuyas respuestas torpes o ambiguas él mismo aclaraba:

—Clemencio, ¿qué quieres ser cuando salgas del colegio?

El Corcel no vacilaba:

—Arriero —decía.

—¿Sabes distinguir una mula de una acémila?

Los compañeros le soplaban: «es lo mismo», «es lo mismo», pero el grandullón, bien porque no les oía, bien por su afán de llevar la contraria, respondía sin vacilar:

—Una acémila es una yegua.

—Tendrás que perfeccionar tus conocimientos si de verdad aspiras a ser arriero.

Caminaban ligeros, en filas, de dos en dos, con sus

uniformes campesinos, algunos uncidos, el brazo por los hombros del condiscípulo, otros sueltos. La gente con la que se cruzaban les miraba con simpatía y murmuraba: ahí van los expósitos. En rigor, los vecinos de la villa, con sus limosnas, contribuían al sostenimiento del centro del que se sentían orgullosos. Recorrieron el Espolón Viejo y abocaron al Nuevo, contiguo al Puente Mayor y, una vez cruzado éste, subieron al cerro de la Cuesta de la Maruquesa en cuyas cuevas y barracas vivían gentes necesitadas. Por el camino de Villanubla se veían bajar reatas de mulas, pordioseros y algún que otro caballero apresurado. Al descender del otero, *Tito Alba*, su compañero de filas, le dio con el codo a Cipriano y le dijo confidencialmente:

—Mira, ya está *el Corcel* haciéndose una paja. Siempre tiene que hacerse una paja en el paseo el marrano de él.

Cipriano les miraba cándidamente:

—¿Q... qué es una paja? —observaba a *el Corcel* encorvado, la mano derecha agitándose bajo el sayo, sofocado.

Tito Alba le explicó. Cipriano atendía con sus cinco sentidos, con análoga curiosidad con que escuchaba la palabra de *el Escriba*. Se daba cuenta de que, salvo en sus breves contactos con los chicos de Santovenia, había crecido en un fanal y no conocía la vida. Mina, con la mejor intención, lo había aislado del mundo. Descendían por la Corredera de la Plaza Vieja, cuando *el Escriba*, que renqueaba ligeramente de la pierna derecha después de recorrer media legua, les anunció que iban a visitar a un antiguo compañero. La Cofradía no se desentendía de los niños que habían pasado por sus aulas. En la pequeña glorieta, en la planta baja del número 16, se alzaba el taller de un carpintero. La mayoría de los compañeros de Cipriano, que conocían el alcance de la inspección, se quedaron formando grupos alrededor de la fuente. El carpintero, con su larga barba descuidada, molduraba un palo en el torno de mano que accionaba un muchacho de alrededor de quince años. Olía a resina y serrín. El carpintero se acercó cortésmente a *el Escriba* y, después de cambiar unas palabras con él, los pasó a la oficina y los dejó solos. Por el ventano con telarañas se veía un patio lleno de listones y troncos apilados. El maestro se sentó en el taburete del carpintero y se dirigió al muchacho en voz baja, secreteando:

—¿Te portas bien, Eliseo?

—Bien, don Lucio.

—¿Trabajas todo lo que puedes, ayudas a don Moisés?

—A ver, sí señor, por la cuenta que me tiene.

—¿Te dan de comer lo convenido?

Eliseo sonrió ampliamente:

—Ya me conoce, don Lucio; yo nunca me sacio.

—Y ¿la propina?

—La justa; cada domingo.

—Y ¿aprendes?, ¿crees tú que vas aprendiendo?

—Así es, sí señor. Si hago caso de don Moisés para el año veintinueve me hará oficial.

—¿Tan pronto?

—Eso dice.

Más abajo, en la calle de las Tenerías, cerca ya del colegio, *el Escriba* visitó a otro ex alumno, aprendiz de curtidor. En la calle hedía violentamente a tintes y cuero. La entrevista fue semejante a la anterior,

164

salvo que el aprendiz, en este caso, exhibía un amplio repertorio de agravios: comía mal, no le mudaban las ropas de la cama, no le daban las propinas acordadas. Mentalmente *el Escriba* tomaba nota y le dijo que todo se arreglaría, que hablaría con los Diputados de la Cofradía que conservaban copia del contrato.

A los dos meses de ingresar en el colegio, Cipriano fue nombrado limosnero por una semana. Para un centro que vivía fundamentalmente de la caridad el cometido era arduo y complejo. Con el alba, Cipriano preparaba el pequeño carro de la comunidad, metía a *Blas*, el asnillo, entre las varas y salía con *el Niño* y Claudio, *el Obeso*, a recorrer la ciudad. *El Niño* había llamado la atención de Cipriano desde el primer momento. Se lo había dicho a Claudio, *el Obeso*:

—E... *el Niño* tiene cara de niña.

—Sí tiene cara de niña *el Niño* pero es buen rapaz.

Conocía la ciudad mejor que ninguno de los dos y cada mañana conducía el carrillo desde el colegio hasta la trasera del Hospital de la Misericordia sin una vacilación. Miguel, *el Menino*, que atendía la portería y el depósito de cadáveres los conocía ya:

—Hoy no hay muertos, muchachos. Estáis de vacaciones —decía, con su vocecita atiplada.

O bien:

—Hay un pobre y un ajusticiado, ¿os lleváis los dos?

Cipriano cargaba con ellos al hombro sin el menor reparo y los depositaba sobre las tablas del carro. Lo mismo hacía con el tablero y los caballetes del túmulo, los picos y las palas. Claudio, *el Obeso*, se sorprendió de su fortaleza:

—Tú, *Mediarroba*, ¿de dónde sacas esas fuerzas? En mi vida vi un tipo más espiritado que tú.

Cipriano le metía un dedo en su barriga untosa:

—S... si la fuerza estuviera en las grasas tú serías campeón. Atiende.

Se había levantado la manga del sayo y le mostraba su bíceps estirado, un músculo bien formado, de atleta.

—¡Ahí va, si tiene bola! ¿Te has fijado, *Niño*?, el *Mediarroba* tiene bola.

A menudo Miguel, *el Menino*, les reconvenía mansamente:

—Vamos, muchachos, no enredéis más. Hoy las huesas están en el atrio de San Juan. Ya estáis marchando.

El Niño tomaba las riendas y el carrillo, traqueteando, subía hasta la calle Imperial, próxima a la Judería. Tan pronto llegaban, Cipriano se arrojaba del carro, armaba el túmulo en el centro de la calle y colocaba encima los dos cadáveres. Disponían de una fórmula, acuñada por el uso, para llamar a la caridad a los viandantes, y Cipriano la ponía en práctica con gran propiedad:

—Hermanos: aquí tenéis los cuerpos de dos desdichados que pasaron a mejor vida sin conocer los beneficios de la amistad —decía—. No les neguéis ahora el derecho a la tierra sagrada. Nuestro Señor nos ordenó ser hermanos del pobre y del pecador y únicamente si vemos en ellos al propio Cristo conoceremos el día de mañana el premio de la gloria. Ayudad a dar tierra a estos desdichados.

Algunos transeúntes cruzaban la calle y depositaban unos maravedíes en la bandeja, al pie del carrillo.

Los tres colegiales se iban turnando en la llamada a la caridad de los ciudadanos. A veces, como ocurría con Cipriano, intercalaban en el texto frases nuevas, originales, de efectos patéticos: no conocieron el amor de sus semejantes. O bien: no escucharon nunca la voz del Señor. O bien: vivieron abandonados como perros.

Cipriano intuía que la última frase que comparaba a los difuntos con los perros movía antes el corazón de las mujeres que el de los hombres y, en cambio, afectaba más a éstos el hecho de que no hubieran tenido oportunidad de escuchar la voz del Señor. De cuando en cuando, *el Niño*, Claudio, *el Obeso*, y Cipriano, alineados tras el carro, intercalaban las letanías dedicadas a los difuntos. Claudio, *el Obeso*, las cantaba y los otros dos respondían:

—*Sancta Maria...*

—*Ora pro nobis.*

—*Sancta Dei Genitrix.*

—*Ora pro nobis.*

—*Sancta Virgo Virginum.*

—*Ora pro nobis.*

—*Sancte Michael.*

—*Ora pro nobis...*

Al terminar, dejaban transcurrir un rato en silencio, alineados tras el túmulo. Si acaso Cipriano veía aproximarse un grupo de mujeres, sacaba la voz de ventrílocuo y clamaba:

—Hermanos, una caridad para con estos desdichados que desconocieron las mieles de la fraternidad y vivieron abandonados como perros.

Las mujeres cesaban en sus comadreos y depositaban unas flacas monedas en la bandeja, a raíz de lo cual, Claudio, *el Obeso*, estimulado por el donativo, iniciaba de nuevo la cantinela:

—Hermanos, una caridad para estos desdichados...

Transcurrida una hora larga en la primera posa, Cipriano volvía a colocar los cadáveres en el carrito y, conducidos por *el Niño*, armaban sucesivamente el túmulo en las calles Huelgas, Zurradores y Espolón Viejo para repetir el mismo rito. Al concluir enterraban a los muertos en la iglesia indicada por el enano Miguel y, de vuelta al colegio, depositaban en el Arca de las Limosnas de la capilla los donativos recibidos en su recorrido por la villa.

Los limosneros cerraban la jornada, ya entrada la noche, con el toque de Ánimas. Las campanadas, lentas y melancólicas, ponían en movimiento a todos los campanarios de la ciudad, en lo que los fieles de la villa llamaban «la hora de los muertos».

Cipriano solía caer rendido en su cama. El dormitorio, alargado, con dos hileras de camas estrechas, se alumbraba con un candil que *el Escriba* apagaba antes de retirarse. Las ventanas sin cortinas dejaban entrar un resplandor lechoso desde el río. Y en invierno, el frío era tan riguroso que Claudio, *el Obeso*, juraba que al despertarse tenía escarcha entre los pelos de las cejas. Salvo algún aullido de *el Corcel* los alumnos llegaban tan fatigados que, una vez puestos los camisones blancos, caían literalmente dormidos en sus camastros. De ahí la sorpresa de Cipriano en su última noche de limosnero cuando oyó un bisbiseo en la punta del dormitorio que fue transmitiéndose de cama en cama, como una contraseña. A *Tito Alba*, en la cama de enfrente, le oyó claramente susurrar:

—*Niño, el Corcel* te necesita.

Oyó revolverse a Claudio, *el Obeso*, a su lado, y repetir el recado:

—*Niño, el Corcel* te necesita.

Una sombra cruzó la leve claridad de las ventanas en dirección del primer susurro. Luego crujieron en la esquina los muelles de la cama de *el Corcel*, mientras se oían en la gran sala cuchicheos y risas apagadas. Al cabo de un rato, la sombra volvió a cruzar el dormitorio en sentido contrario y todo quedó en silencio.

A la mañana siguiente Cipriano preguntó a *Tito Alba* qué hacía *el Corcel* con *el Niño* en el dormitorio. *Tito* le miró con sus ojos desorbitados, de párpados cortos:

—*Mediarroba*, ¿es cierto que te has caído de un nido o sólo lo aparentas?

No le dijo más, por lo que Cipriano recurrió a Claudio, *el Obeso*:

—Te lo puedes figurar —fue su respuesta—, cuando tiene necesidad, *el Corcel* recurre a *el Niño*. Es lo más parecido a una mujer que tenemos en el colegio.

José, *el Rústico*, terminó de informarle. *El Rústico* procedía de Tierra de Pinares y no sabía disimular su aire rural, ni su necedad. Era un ser primitivo y cándido. Le costaba recordar las oraciones y en los dictados en romance apenas escribía cuatro palabras seguidas. Pero como compañero resultaba franco y comunicativo. Cipriano le preguntó por qué toleraba *el Niño* los abusos de *el Corcel*. El rostro de *el Rústico* lo decía todo:

—Es el que manda —explicó—. ¿No te has fijado

que después de *el Escriba*, es *el Corcel* quien manda aquí?

En la clase de latín corrió la voz de que al día siguiente no habría doctrina porque tenían entierro. Las plegarias de los expósitos eran muy apreciadas en la villa. Sus voces, perdido el tono infantil y sin fraguar todavía el adulto, bien armonizadas por *el Escriba*, constituían el pasaporte deseado por muchos ciudadanos para el tránsito. Las disposiciones testamentarias requerían a menudo la presencia de los colegiales en el entierro a cambio de una limosna. Y los expósitos uniformados, limpias las botas de carnero, alineados en dos filas y con la antorcha en la mano, acompañaban al difunto hasta su última morada.

Así ocurrió en el entierro del caballero don Tomás de la Colina, en cuyo testamento rogaba a los expósitos sus oraciones a cambio de un pingüe juro para el colegio. *El Escriba* hizo saber a los alumnos la generosa disposición del difunto y los estimuló a comportarse con entusiasmo y esmero en el sufragio. Con aire contrito y las antorchas encendidas, los expósitos acompañaron al cadáver, escuchando fervorosamente la salmodia de los clérigos: *el Miserere* y el *De Profundis*. Una vez en la iglesia, formados en torno al difunto, asistieron al funeral y, al concluir la epístola, *el Escriba* levantó la batuta y les dio el tono para iniciar el *Dies irae*:

> *Dies irae, dies illa,*
> *Solvet saeclum in favilla:*
> *Teste David cum Sibylla.*
> *Quantus tremor est futurus,*
> *Quando Judex est venturus,*

Cuncta stricte discussurus!
Tuba mirum spargens sonum
Per sepulcra regionum,
Coget omnes ante thronum.

Terminada la misa, conforme se procedía al enterramiento del cadáver, los expósitos, desde el presbiterio, entonaron las letanías de intercesión de Todos los Santos, guiados por la bien timbrada voz de *Tito Alba*:

—*Sancte Petre.*
—*Ora pro nobis.*
—*Sancte Paule.*
—*Ora pro nobis.*
—*Sancte Andrea.*
—*Ora pro nobis.*
—*Sancte Joannes.*
—*Ora pro nobis.*
—*Omnes Sancti Apostoli et Evangelistae.*
—*Orate pro nobis.*

La gente se aprestaba a manifestar su condolencia a los deudos en tanto los expósitos terminaban su letanía. En el templo reinaba un pesado hedor mezcla del sudor de los fieles, el humo de las antorchas y el tufo de corrupción de los enterrados en él. Pero por encima de todo vibraba la voz de contralto de *Tito Alba*:

—*Ut omnibus benefactoribus nostris*
sempiterna bona retribuas.
—*Te rogamus audi nos.*
—*Ut frutus terrae dare, et conservare*
digneris.
—*Te rogamus audi nos.*

—*Ut omnibus fidelibus defunctis requiem*
aeternam donare digneris.
—*Te rogamus audi nos.*
—*Ut nos exaudire digneris.*
—*Te rogamus audi nos.*

Cesó la cantinela de los colegiales y, como colofón, el coro y los sacristanes entonaron el último responso:

—*Libera me Domine de morte aeterna, in die illa*
tremenda, quando movendi sunt coeli et terra,
dum veneris judicare saeculum per ignen.

Los expósitos, desde el altar, hicieron una profunda reverencia a los deudos de don Tomás de la Colina antes de salir del templo, de uno en uno, levantando las antorchas por encima de sus cabezas. Cipriano no descubrió a su tío Ignacio hasta que se puso a su lado y notó su mano en el hombro. A su contacto se estremeció. Don Ignacio era para él un pariente mudo que tampoco osaba afrontar nunca los ojos de su hermano. Era afable pero no se podía esperar de él nada decisivo. Sin embargo, no le pasó inadvertida la mirada de entendimiento que cambió con *el Escriba.* Y cuando sus compañeros apagaron las antorchas y formaron en filas para regresar al colegio, él los siguió a distancia en compañía de su tío. Don Ignacio se inclinó ligeramente hacia él:

—¿Estás contento en el colegio, te gusta estudiar?

Asintió sin palabras para evitar el titubeo. No veía razones para confiarse a él. Seguramente sería un enviado de su padre. La voz de don Ignacio Salcedo se hizo aún más untuosa:

—No sé si sabes que yo presido el patronato que

administra este colegio y soy miembro de la Cofradía a la que pertenece.

—E... eso dicen, sí señor.

—Pero ignoras que en la última reunión de la Comisión de Diputados me han dado informes favorables de ti. Número uno en doctrina, latín y escritura, notable en tablas de cálculo. Intachable en urbanidad y disciplina. ¿Crees que eso se puede mejorar?

El muchacho encogió los hombros. Su tío prosiguió:

—Todo eso es importante, Cipriano. Ante un cuadro así no tengo más remedio que hablar con tu padre y exponerle la situación. ¿Te gustaría dejar el colegio y volver a casa?

A don Ignacio Salcedo le sorprendió la resolución del chico:

—No —dijo—. Me gusta el colegio. Tengo amigos aquí.

—Eso me preocupa, hijo. Tus compañeros son niños sin padres, sin modales, ni educación. Por lo demás ya sabes lo que te espera. Otros dos años en sus aulas y el día de mañana trabajar en el oficio que elijas hasta la muerte. Ése es tu porvenir.

—También puedo ingresar en la Escuela de Gramática del Cabildo —objetó el muchacho—. Todo depende de mi expediente.

—Cierto, Cipriano. Ya veo que te has informado bien. Y no olvides el Centro de Latinidad si decides ser sacerdote. ¿Te gustaría ser sacerdote?

El muchacho vareaba el aire con el palo de la antorcha y luego la utilizaba como bastón. Primero denegó con la cabeza y luego dijo rotundamente:

—No.

—Y ¿doctorarte en Leyes? Tienes buena cabeza,

dominas la sintaxis latina, escribes de corrido el romance... Podrías ser un buen letrado el día de mañana. Tu padre te dejará una fortuna importante y tuyo será también lo que hoy es mío. Pero al dinero hay que ennoblecerlo. El dinero en sí no tiene importancia y menos aún si no se debe a tu esfuerzo.

Habían salido de la Puerta del Campo y descendían hacia el nuevo barrio de las Tenerías, al fondo del cual estaba el colegio. Olía fuerte a cuero y tinturas y, entre la muralla y el barrio, se veía correr al Pisuerga en ejarbe. Cipriano levantó los ojos y contempló la piel rojiza, lampiña, de su tío Ignacio, su mirada insegura, pero fija en él.

—No sé —dijo al fin—. Falta mucho tiempo. Tendré que pensarlo.

—Eso está bien. No es bueno precipitarse pero debes ir reflexionando. Dos años pasan enseguida, antes de que lo que tú piensas, y para entonces sería conveniente que hubieras tomado una determinación.

Doblaron la última esquina y don Ignacio se precipitó:

—Una cosa voy a rogarte, Cipriano: que tu padre no se entere de nuestro encuentro ni de nuestra conversación. Él no debe saber nada de esto. ¿Te escribe?

—No —dijo Cipriano.

Don Ignacio vaciló al despedirse. No era ya un niño para besarle y además él era para el muchacho çasi, casi un desconocido. Le tomó por los hombros, se inclinó ligeramente, luego se enderezó, le soltó y le tendió su mano anillada. Lo había pensado mejor:

—Adiós, Cipriano —dijo—. Sigue estudiando. Aprovecha las enseñanzas de don Lucio, es un gran maestro. Nunca te arrepentirás de haberlo hecho.

VI

Por segundo año consecutivo desde su ingreso en el colegio, llegado agosto, Cipriano participó en la Ceremonia de las Eras acompañado de dos condiscípulos y dos cofrades de la Santísima Trinidad. La clase, dividida en grupos, visitaba las eras que rodeaban la villa y pedían a Dios «prieta espiga y grano abundante». A los muchachos les divertía tomar contacto con los labriegos, trillar, azuzar a las mulas, montar en pollino y beber del botijo. Rezado el Pater Noster y las letanías rituales, los campesinos les entregaban unos fardillos de trigo que ellos, al llegar al colegio, depositaban en el Arca de las Limosnas y, al día siguiente, en el mercado, lo convertían en dinero contante y sonante. Cipriano, en compañía de *Tito Alba* y de un nuevo compañero, a quien apodaban *Gallofa*, quedó a un celemín de distancia del grupo más aprovechado y fue elogiado por *el Escriba* al iniciarse la clase.

Para entonces, Cipriano había empezado ya con sus escrúpulos de conciencia. Atendía con sus cinco sentidos a las clases de doctrina y religión, pero de su atención no derivaba una tranquilidad espiritual. Es más, se le antojaba que su formación religiosa dejaba mucho que desear. El padre Arnaldo les hablaba de la oración vocal y de la oración mental y se inclinaba por aquélla siempre que la concentración del orante fuese completa. A Nuestro Señor no debemos dejarlo solo, les decía el padre Arnaldo. Podéis aprovechar el recreo para hacerle una visita. Cipriano comenzó a visitar la capilla durante el recreo. Se trataba de una vieja costumbre que algunos alumnos acataban. A él le gustaban el vacío y el silencio del templo, donde apenas llegaba el alboroto de sus compañeros en el patio. Reclinado de rodillas, en el banco de madera, Cipriano tenía a flor de labios dos peticiones obsesivas: Minervina y su futuro una vez pasada la etapa colegial. Mientras oraba, se mantenía sereno. Era al marchar y tomar agua bendita en la pequeña pila, a la puerta de la capilla, cuando surgían las dudas: al rezar y santiguarse ¿había pensado en el sacrificio de Nuestro Señor o en el juego de zancos que le aguardaba en el patio? La duda se hacía cada vez más honda y corrosiva. Y si la daba de lado para entregarse al juego, los escrúpulos ya no le abandonaban el resto de la mañana. Entonces resolvía retornar a la capilla y signarse otra vez con agua bendita, muy despacio y pensando en lo que hacía. Pero este gesto tampoco le apaciguaba. Al salir al patio regresaban las dudas sobre su concentración y volvía de nuevo a la capilla a tomar agua y santiguarse con lentitud, deteniéndose fervorosamente en los cuatro movimientos esenciales. Mas, acorde siempre con las predicaciones del padre Arnaldo, llegó a la conclusión de que sus peticiones eran inevitablemente egoístas: pedía por él, para solucionar su vida el día de mañana y pedía por Minervina, único ser al que amaba en este mundo. Entonces decidió pedir también por *el Corcel*, para que no se hiciera pajas en el paseo, ni obligara a *el Niño* a ir a su cama cada vez que lo necesitaba. Y por *Tito Alba* por quien empezaba a sentir afecto. Paso a paso fue añadiendo peticiones (por *el Rústico* para que se le abrieran las vías del entendimiento, por *el Escriba* para que supiera guiarlos con tino, o por Eliseo, el ex alumno de la Tenería, para que su patrono cumpliese los términos del contrato) de forma que sus visitas a la capilla empezaron a durar tanto como los recreos. De esta manera Cipriano no encontraba tiempo para desfogarse y el sábado, en las reconciliaciones con el padre Toval, que confesaba en dos reclinatorios encarados y cubría, con un inmaculado pañuelo blanco, los rostros de confesor y penitente, reconocía que sus peticiones a Nuestro Señor seguían siendo egoístas por la sencilla razón de que con ellas no buscaba la paz o la felicidad de sus compañeros sino su tranquilidad de conciencia. El padre Toval le animaba a perseverar, a pensar menos en sí mismo y en las causas que movían sus actos, y un buen día, para ayudarle, le hizo un rápido examen a través de los mandamientos. Mas cuando llegó al cuarto, honrar padre y madre, Cipriano le dijo al padre Toval que su madre había muerto al nacer él y que a su padre le odiaba con todas sus potencias y sentidos. Aquí sí encontró el confesor materia grave y, pese a que Cipriano le habló de sus terribles miradas y de sus vejaciones, no justificó su aversión hacia él. El padre nos ha engendrado y sólo por eso ya merece nuestro aprecio. ¿Cómo amar a Nuestro Señor en el cielo si no amábamos a nuestro padre en la tierra? Los vagos escrúpulos de Cipriano iban concretándose ahora: no era tanto por *el Corcel* por quien tenía que rezar como por su padre y por sus sentimientos hacia él. Dejó el confesionario con las orejas rojas y aturdido. En lo sucesivo mentaba a su padre en las visitas a la capilla durante los recreos, pero lo hacía maquinalmente, no porque le amase sino porque el padre Toval se lo había indicado así. Sus escrúpulos se endurecían: yo no puedo amar y odiar a una persona al mismo tiempo, se decía. Y al pensar en su padre veía su mirada bellaca, heridora, y comprendía que su oración por él carecía de sentido. Dejó de ir a comulgar. Su amigo *Tito Alba* notó su cambio y, en un paseo por la ciudad, le preguntó por la razón. O... odiar es un pecado, ¿no es cierto, *Tito*? Cierto, dijo éste. Y odiar al padre todavía es un pecado más grave, ¿verdad? *Tito Alba* se encogió de hombros: yo no sé lo que es un padre, dijo. ¿Y qué puedo hacer yo si el odio nace en mi corazón con sólo pensar en él? Bueno, dijo *Tito*, reza para que eso no suceda. Pero si a pesar de todo sucede y yo no lo puedo remediar, ¿voy a consumirme en el infierno solamente por odiar a mi padre sin quererlo? *Tito Alba* titubeaba. Sus ojos desorbitados, de párpados cortos, eran sin embargo cálidos y mansos. No se parecían a los de don Bernardo. Dijo con poca voz: habla con el padre Toval. Cipriano se apresuró: lo hago todos los sábados. A *Tito Alba* le abrumaba el pesar de su amigo. Encontró un alivio al mirar a la pareja de compañeros que los precedía: mira, dijo, ya está el guarro de *el Corcel* haciéndose una paja. Por él sí debes rezar. Cipriano manoteaba excitado: pero tampoco puedes echar sobre ti todos los pecados del mundo, toda su porquería, ¿no es cierto?

178

También el padre Toval advirtió su desconcierto. Hablaron de los pecados que no producían placer sino dolor, como odiar o envidiar. El padre Toval llegó a decirle que ofreciera a Dios el asco de su odio como una expiación, pero a Cipriano no le convencía. S... sería engañarme, padre, me engañaría a mí mismo y engañaría también a Dios. Ofrecerle mi odio sería envilecerme.

El tercer año en el colegio resultó inquietante para Cipriano. Pese a la buena relación que mantenía con la mayor parte de los alumnos, de su aprovechamiento en las clases no se sentía satisfecho. Y no sólo eran sus escrúpulos de conciencia lo que le agobiaba. Empezó a atormentarle la injusticia humana, el hecho de que don Bernardo pudiera pagar la beca de tres compañeros que, por añadidura, desconocían a su padre, para que él pudiera estudiar; el que *el Niño* tuviera que acudir a las llamadas de *el Corcel* aunque no le apeteciera y que aceptara ser humillado periódicamente porque carecía de poder; el que su carne empezase a despertar y notase una extraña fuerza que transformaba su cuerpo y cuyas exigencias se imponían a su voluntad. Entonces empezó a comprender a *el Corcel*, aunque aborreciera la violencia que ejercía sobre *el Niño*, para complacerse a sí mismo. Estas novedades modificaban su carácter, sentía arrebatos de agresividad, vivía en permanente descontento consigo mismo. A veces, él mismo se sorprendía al arrogarse un papel justiciero que nadie le atribuía, como la noche que detuvo a *el Niño* en la penumbra del dormitorio cuando sumisamente acudía a la llamada de *el Corcel*:

—*Corcel*, no le esperes. *El Niño* no va contigo esta noche —dijo.

Pero, de pronto, en el extremo del dormitorio, se produjo un gran revuelo. Al leve resplandor que subía del río divisó a *el Corcel* en camisón, corriendo entre las dos filas de camas para meterse finalmente en la suya. Sintió su salvaje aliento, sus palabrotas, su dureza viril, sus brazos desmañados abrazándole, y entonces Cipriano, con gran serenidad, flexionó la pierna, le propinó un rodillazo en los testículos y le empujó con todas sus fuerzas hasta arrojarle fuera de la cama. Durante unos minutos se escucharon los quejidos de *el Corcel* en el suelo, como los de un perro apaleado. En el dormitorio había una tensión que se cortaba. Paulatinamente *el Corcel* se incorporó y le dijo a Cipriano en la penumbra con las manos en el vientre:

—Mañana, en el recreo, te espero en el patio.

En el patio, en la esquina que formaba con el gimnasio, a cubierto de miradas indiscretas, se dirimían las peleas entre los escolares. El pleno del alumnado se reunía allí, ante un desafío, rodeando a los contendientes. Por si los alicientes fueran pocos, era la primera vez que *el Corcel* peleaba en el colegio. Nadie había osado nunca enfrentarse a él. La actitud de los luchadores esta mañana era distinta. Mientras *el Corcel*, con sus brazos largos y desgarbados, aspiraba a hacer presa en el cuello de *Mediarroba* y voltearle, éste le esperaba a distancia, sin dejarle aproximar. A Cipriano le daba ventaja su viveza. En lo que *el Corcel* levantaba un brazo, los puñitos pequeños y duros como piedras de Salcedo se disparaban tres veces sobre la nariz de su adversario. Los compañeros observaban la pelea en silencio. A veces, un comentario: ¿te fijas cómo pega *Mediarroba*? Y Claudio, *el Obeso*, trataba de explicar a todos, uno por uno, que *Media-rroba* cargaba con los muertos del Hospital de la Misericordia sin ayuda de nadie y tenía unos músculos de acero. Cipriano lanzó su puño derecho una vez más sobre el rostro bobalicón de *el Corcel* y éste empezó a sangrar por la nariz. Claudio, *el Obeso*, volvió a repetir que *Mediarroba* tenía mucha fuerza, y éste daba vueltas en torno al grandullón y se agachaba, esquivándole, cada vez que trataba de asirle por el cuello. *El Corcel* resistió un par de puñetazos más. Era como ver representada, al cabo del tiempo, la desigual lucha de David contra Goliat. Y David era aquel muchachito reducido, bajo para su edad, pero con una agilidad pasmosa y una dureza de mármol. El sayo de *el Corcel* se llenaba de sangre y, entre dientes, provocaba a su rival llamándole enano y cacho cabrón, pero *Mediarroba* no caía en la trampa, evitaba lanzarse sobre él a ciegas, y guardaba las distancias. Sus puñetazos eran como las picadas molestas de un insecto que iban minando la moral del otro. Y cuando, al cabo de cinco minutos, *el Corcel* se olvidó de su guardia y atacó abiertamente a su contrincante persuadido de que era un alfeñique, Cipriano le recibió con un puñetazo en el pómulo derecho que le hizo tambalear. Al golpe siguiente, *el Corcel* hincó una rodilla en tierra pero, como avergonzado de su debilidad, se recuperó inmediatamente y echó su brazo derecho hacia delante tratando de hacer presa en su enemigo. Cipriano, sin embargo, se agachó, reculó a tiempo y, cuando *el Corcel* trastabillaba, después de su esfuerzo fallido, volvió a sacudirle dos golpes en la nariz y *el Corcel* se apartó jadeando y tratando de restañar la sangre con sus manos. Nadie hablaba, pero como *el Corcel* no pareciera tener intenciones de reanudar la pelea, *Tito Alba* se acercó a él y le dijo:

—*Corcel*, ve a cambiarte el sayo antes de que te vea *el Escriba*.

Le acompañó al dormitorio, mientras Cipriano componía su figura. Vio alejarse a *el Corcel*, auxiliado por *Tito Alba*, y, entonces, sí, entonces los compañeros le rodearon preguntándole por su fuerza, le tocaban la bola, y él se levantaba la pernera del pantaloncillo de lona, estiraba la pierna y les mostraba los músculos de los muslos tensos y alargados como cables.

Al sábado siguiente, *Mediarroba* se acusó de su pecado:

—He golpeado a un compañero hasta hacerle sangrar, padre —dijo.

—¿Es posible, hijo? ¿No sabes que incluso el más despreciable de los hombres es templo vivo del Espíritu Santo?

—Ofendía a los demás, padre; es un matón.

—Y ¿quién es ese compañero tuyo? ¿Es del colegio?

—No puedo decirle más.

En la siguiente clase de doctrina, el padre Arnaldo se refirió a su labor de enseñante y a la obligación de los alumnos de aprender sus enseñanzas para poder auxiliar el día de mañana a algún semejante descarriado. Eran, poco más o menos, las mismas palabras que había empleado Minervina cuando le enseñaba a rezar. Si tú te condenas por no saber, tesoro, yo me condenaré por no haberte enseñado. Eran, veinte años más tarde, las mismas palabras de don Nicasio Celemín en Santovenia. Y Cipriano, al oír la admonición del padre Arnaldo, pensó en *el Corcel,* se olvidó del odio hacia su padre y su mente la ocupó la soledad tremenda de su compañero. Nadie le quería. Se propuso buscar el momento apropiado, aproximarse cordialmente a él, ayudarle. Y un día, en el paseo de la tarde, rogó a *el Rústico* que se pusiera junto a *Tito Alba* y le dejara a *el Corcel* por compañero.

—¿Qué quieres ahora? —le dijo éste al verle a su lado.

—Hablar contigo, *Corcel.* Pedirte disculpas por lo del otro día. No quise lastimarte.

—Y ¿a ti qué te importo yo? ¡Ya te puedes largar!

—Me importan todos los mortales, *Corcel.* Debemos ayudarnos los unos a los otros.

Dos mujeres jóvenes, con sendos capachos, se cruzaron con las filas de estudiantes. *El Corcel* se fijó en ellas y giró el rostro descaradamente para contemplarlas por detrás, sus traseros ondulantes. Después se volvió hacia Cipriano:

—¿Sabes qué te digo, *Mediarroba?*

—¿Qué? —dijo Cipriano, esperanzado.

—Que te vayas a tomar por el culo; quiero hacerme una paja.

Cipriano aminoró el paso, fue rezagándose pero aún dijo tímidamente:

—Volveré a buscarte, *Corcel.* Si algún día me necesitas, llámame.

A la semana siguiente la villa se llenó de curas, seculares, regulares, canónigos y obispos. El primer día llegaron cuarenta o cincuenta, ciento sesenta el segundo y, en esta proporción, llegaron a alcanzar el millar y medio. El primer encuentro de los expósitos con los clérigos durante un paseo fue sonado. Los colegiales conservaban la piadosa costumbre de besar las manos que consagraban en señal de respeto, pero en esta ocasión fueron tantas las por besar y tantos los labios que aspiraban a hacerlo, que se produjo un atasco en la calle de Santiago que tardó largo rato en despejarse. Una vez en el colegio, *el Escriba* elogió su actitud, pero les rogó encarecidamente que omitieran estas demostraciones de respeto en tanto durase la Conferencia. Era la centésima vez que oían mentar la Conferencia. La Conferencia era la consigna. Ante los nutridos grupos de clérigos, que mariposeaban por todas partes, los transeúntes decían: van a la Conferencia o vienen de la Conferencia. No salían de ahí. Y en verdad las reuniones eran tantas, tan numerosas las comisiones, que las bandadas de clérigos que discurrían por las calles a todas horas indefectiblemente procedían de la Conferencia o iban a ella. Durante meses la Conferencia lo llenó todo. En los conventos de frailes y los monasterios de la villa y su alfoz no cabía un cura más.

Las controversias teológicas que se producían en San Pablo, San Benito o San Gregorio se prolongaban hasta altas horas de la noche, o, como decía el pueblo, no tenían fin. Las discusiones de la Plaza del Mercado entre rústicos y artesanos subían fácilmente de tono. Y en el centro de tanta polémica y discusión, de tanta palabrería y alboroto, estaba la controvertida figura de Erasmo de Rotterdam, un ángel para algunos, un demonio para los demás. La pluma de Erasmo había dividido al mundo cristiano y, por tanto, con ocasión de la Conferencia, en la villa se formaron dos bandos: los erasmistas y los antierasmistas. Pero esta división no se dejaba sentir únicamente en los colegios y conventos, sino en todas las instituciones, industrias, negocios y familias de la ciudad donde se reunieran más de dos personas. Tampoco el Hospital de Niños Expósitos se libró de la escisión y no sólo entre los profesores sino también entre los alumnos. Aunque ponían exquisito cuidado en no mostrar sus predilecciones, era del dominio público que el padre Arnaldo era antierasmista y el padre Toval erasmista. El primero decía: Lutero se ha criado a los pechos de Erasmo. Sin él nunca se hubiera llegado a esta situación, mientras el padre Toval sostenía que Erasmo de Rotterdam era exactamente el reformador que la Iglesia precisaba. Pero nunca se produjo entre ellos la menor fricción. Atendían con el mismo celo de siempre sus respectivos deberes pero jamás se enfrentaban entre sí. Esta distinta apreciación de las ideas erasmistas, que era la que dividía a los adultos, acabó imponiéndose igualmente entre los alumnos que una semana antes ignoraban incluso la existencia de Erasmo. Pero durante el tiempo que duró la Conferencia, los padres Arnaldo y Toval parecían los encargados de llevar al colegio las últimas noticias sobre la misma, arrimando discretamente el ascua a su sardina.

—Los antierasmistas han puesto espías en las librerías para acusar de herejes a los lectores.

—Virués ha dicho en la Conferencia que el inquisidor Manrique y el Emperador son partidarios de Erasmo.

La villa, cuna de la Conferencia, se dividía, discutía, se acaloraba y, en la Plaza del Mercado, junto a los puestos de hortalizas, al lado de la gran tertulia popular, se improvisaban otras de intelectuales gesticulantes y excitados. La Corte, provisionalmente instalada en la ciudad, hacía sentirse protegidos a los erasmistas. Las tardes de paseo, los expósitos se cruzaban con grupos de curas, grandes grupos que comentaban las incidencias de la Conferencia a voz en cuello, prolongaban la controversia de los templos a la calle. Una mañana el padre Arnaldo cometió la imprudencia de solicitar un padrenuestro a los colegiales por la conversión de Erasmo. Los erasmistas protestaron y el padre Arnaldo cambió el objetivo de la oración: «para que Nuestro Señor ilumine a cuantos participan en la Conferencia», dijo.

Cipriano, con una instintiva simpatía hacia Erasmo, intervino activamente en su defensa. A la salida de la capilla, Claudio, *el Obeso*, le preguntó:

—¿Quién es ese tal Erasmo?

—Un teólogo, un escritor, que piensa que la Iglesia debe ser reformada.

En el otro extremo del patio, *el Rústico* vociferaba: «¡Erasmo a la hoguera!». En general, las tesis antierasmistas se orientaban en el sentido de que Lutero no hubiera existido si no hubiera existido Erasmo.

Mediada la Conferencia, los expósitos creyeron entender que en las controversias dominaban las tesis erasmistas y que sus adversarios, el maestro Margalho, fray Francisco del Castillo, fray Antonio de Guevara, se batían en retirada. Pero pocos días más tarde el padre Arnaldo anunciaba que se estaba discutiendo el divorcio, que Erasmo defendía, y que la Conferencia y el pueblo se habían colocado frente a él. Pero entonces saltó a la palestra el maestro Ciruelo, que por su posición y su apellido se había hecho popular, y manifestó que admitía que Erasmo de

Rotterdam tuviera algunos errores pero que sus libros, en conjunto, habían aportado mucha luz sobre los cuatro evangelios y las epístolas de los Apóstoles. Era un pulso tenso el que se libraba en la Conferencia y la villa parecía una enorme caja de resonancia. Pero los principales adversarios de Erasmo eran las órdenes religiosas que él había puesto en solfa en su libro *Enchiridion*. Su lectura levantaba ampollas entre los frailes y las protestas desde los púlpitos menudeaban, con lo que la agitación era mayor cada día y la masa iletrada pedía que la obra de Erasmo fuera condenada a la hoguera. La disputa creció hasta límites de violencia cuando el maestro Margalho denunció una mañana que Virués estaba en contacto con Erasmo y le informaba por carta, cada día, de los avatares de la Conferencia. Virués defendió su derecho a comunicarse con el holandés objeto de la controversia y con esta paladina declaración los ánimos se encresparon.

Los dos bandos, entre los alumnos del colegio, llegaron a las manos una mañana en el recreo, en que unos y otros daban vivas y mueras y exigían la hoguera para el titular de la posición contraria. La pelea fue muy violenta y de ella salieron tres alumnos descalabrados camino de la enfermería. El padre Arnaldo y *el Escriba* les hablaron al día siguiente del respeto y la comprensión hacia el prójimo y les regañaron. Daba la impresión, sin embargo, que la controversia se iba inclinando del lado de Erasmo y en contra de Lutero y el resultado parecía satisfacer al Papa y al Emperador. Y cuando los erasmistas, y en especial Carranza de Miranda, refutaron brillantemente la proposición de los frailes sobre el libre albedrío y las indulgencias, apoyándose en la propia obra erasmiana, la Biblia y los textos de los Santos Padres, la discusión quedó decidida.

Por aquellos días Valladolid se sintió sobresaltada por una preocupación de otro signo: un criado del mariscal de Frómista que venía de camino, herido de una seca de pestilencia, infeccionó por contagio a tres criadas del mariscal, todas ellas mozas, y los cuatro fallecieron en pocos días. Paralelamente, la sanidad declaró un enfermo de pestilencia en Herrera de Duero y una mujer en Dueñas. En pocas horas, en las esquinas de las calles, florecieron hogueras donde se quemaban tomillo, romero y flor de cantueso con objeto de depurar el ambiente aunque las gentes caminaban desde días tapándose la boca con el pañuelo. El Concejo nombró una Junta de Comisionados para que informaran de la salud de la villa y de los pueblos próximos y echó mano de los dineros de las sisas del vino y del pan para organizar la defensa contra la enfermedad. Publicó después un bando que los pregoneros divulgaron exigiendo limpieza en las calles, prohibiendo comer melones, calabazas y pepinos, «fácilmente impregnados por exhalaciones malignas», y organizando la atención médica, botica y alimentos para los pobres, puesto que el hambre facilitaba el contagio de la enfermedad. En cambio los ricos se apresuraban a recoger sus enseres y objetos preciados y, por las noches, abandonaban furtivamente la villa en sus carruajes para instalarse en el campo, en sus casas de placer, junto a los ríos, en espera de que la epidemia cediera. La peste había llegado de nuevo. La ciudad se organizaba para un largo asedio y un breve del papa Clemente VII ponía fin *sine die* a la famosa Conferencia tras varios meses de debates. Al propio tiempo la Corte se trasladó a Palencia y la Chancillería a Olmedo. Sin embargo, los casos de pestilencia, en principio, eran pocos en la villa: seis muertos, y la Junta de Comisionados, para no sembrar la alarma, hizo saber que seis muertos de peste «era cosa de burla» y que la epidemia debía ser algo distinto puesto que «la peste mataba a muchos». Otros recordaban la abundancia de casos de sarampión en la última quincena y de este hecho sacaban los ciudadanos sus conclusiones: no era peste sino sarampión lo que padecían, aunque el sarampión actuaba siempre como heraldo de la peste.

Lo cierto era que el mal avanzaba y la enfermedad se extendía muy deprisa. Los médicos eran insuficientes para atender tantos apestados y los curas para facilitarles atención espiritual. Los muertos, amontonados en carretas, eran conducidos a los atrios de los templos para ser enterrados. El Concejo abrió en la ribera derecha del Pisuerga cuatro nuevos hospitales, dos de ellos, el de San Lázaro y el de los Desamparados, para enfermos graves, y movilizó las fuerzas activas, entre ellas a los colegiales de los Expósitos. Eran casi niños, apenas adolescentes, pero su orfandad les ponía a cubierto de toda reclamación familiar. Fue en los días más duros de la epidemia cuando los colegiales cumplieron sus tareas más abnegadas, enterrando muertos, trasladando enfermos, vigilando el aislamiento de la villa, estableciendo controles en los puentes y clausurando edificios donde los apestados eran muchos. Los propios colegiales clavaban tablas para condenar puertas de las casas infectadas y Cipriano se especializó en la delicada tarea de separar las tejas de los tejados, para dar de comer a los emparedados. Con el carro del colegio, tirado por *Blas*, el borrico rezno, Cipriano se desplazaba de un lugar a otro, repartía bolsas de comida entre los menesterosos o establecía controles en las barcazas de Herrera de Duero por donde llegaban en buen número los inmigrantes del sur. El muchacho les exigía informes sobre su procedencia o sobre el estado sanitario de los pueblos del trayecto y los conducía, acto seguido, a un lazareto allende el río.

Unos meses después aparecieron los primeros fríos y la gente respiró aliviada. Existía el convencimiento de que la peste era consecuencia del calor y, por contra, el frío y la lluvia atenuaban sus efectos. A los pocos días templó y la peste volvió a picar en los pueblos y ciudades castellanos. En esta segunda oleada se empezó a hablar de la peste del año seis, más grave que la del dieciocho. El banquero Domenico Nelli tranquilizaba a sus colegas de Medina diciéndoles que los muertos de peste eran generalmente pobres y, por tanto, carecían de interés. Pero la gente insistía en que la peste producía landres, como la de principios de siglo. Es peor que la del dieciocho, aseguraban. Entonces empezaron a organizarse rogativas a la iglesia de San Roque y a la de la Virgen de San Llorente pidiendo las lluvias de otoño. Pero el número de pobres aumentaba y el Ayuntamiento se vio obligado a tomar dos medidas radicales: primera, separar a los vagos de los pobres de solemnidad y expulsar a aquéllos. Y, segunda, exigir la salida de la villa de las prostitutas que no hubieran nacido en ella. Pero la expulsión de grupos sociales no arregló nada. Al contrario, los inmigrantes empezaban a superar a

190

los emigrados y el Concejo se vio ante la necesidad de facilitarles alojamiento al otro lado del río. Pero la avalancha de menesterosos crecía y con ellos la expansión de la peste, por lo que el corregidor convocó sin demora a los pobres sanos al otro lado del puente. Era su propósito que unos caballeros comisarios los expulsaran después de proveerles de los víveres suficientes para el camino. Pero los pobres se negaron a acudir al puente. En la ciudad recibían botica gratis, media libra de carnero y media de pan por persona y día, y nadie les garantizaba que esa ayuda fuese a producirse en las poblaciones vecinas, ni conocían siquiera la situación sanitaria de éstas. Entonces, lo que hacían era esconderse en los rincones del Paseo del Prado y por la noche, con algunos inquilinos de los lazaretos, atravesaban el Pisuerga en barcas, a nado o por los viejos vados conocidos, orillando la muralla.

Por su parte Cipriano y los expósitos se multiplicaban por ayudar a sus conciudadanos. A veces, a falta de tareas más urgentes, prendían hogueras de cantueso, romero y tomillo para contrarrestar las emanaciones nocivas y continuaban abasteciendo a los emparedados por los agujeros de los tejados. En ocasiones moría algún enfermo en las casas clausuradas y era preciso desclavar los maderos de las puertas para sacarlos a enterrar.

Fue por aquellos días, en la última fase de la epidemia, cuando su tío Ignacio Salcedo se presentó en el colegio. Venía a despedirse, antes de desplazarse a Olmedo con la Chancillería. A media conversación le comunicó que don Bernardo, su padre, estaba gravemente enfermo. Hacía días que se había contagiado de la peste aunque él siempre pensó que este mal era enfermedad de pobres. Y él, que desde niño había aborrecido las enfermedades asquerosas, la padecía ahora en su forma más activa, el cuerpo cubierto de landres abiertas, purulentas, como en la peste del año seis. No tenía más remedio que dejarle al cuidado de las criadas y del doctor Benito Huidobro. No iba a pedirle que lo visitara, por su seguridad y para no humillar a su hermano, pero sí que figurase en el acompañamiento de los expósitos, si el óbito llegara a producirse. Vaciló, como en el encuentro anterior, a la hora de despedirse y terminó estrechándole la mano, dándole golpecitos en el hombro, y diciéndole que más adelante hablarían de su formación si el deceso de su hermano tenía lugar.

A Cipriano no le entristeció la noticia. No sentía una brizna de amor por su padre. Y, al propio tiempo, su ritmo de vida era tan exigente que apenas tuvo tiempo de pensarlo. La sequía continuaba —prácticamente llevaba un año sin llover— y últimamente estaban quemando las casas más afectadas después de trasladar a los hospitales extramuros a los inquilinos enfermos. Nueve meses después de entrar en acción, los expósitos tuvieron dos bajas: *Tito Alba* y *Gallofa*. El propio Cipriano los condujo, en el carrito del colegio, al Hospital de la Misericordia. A Cipriano le caían las lágrimas mientras apaleaba al borrico que tiraba del carro. *Tito Alba* falleció una semana después y, al comenzar el mes siguiente, *Gallofa*.

Entre uno y otro entregó su alma don Bernardo Salcedo. Cipriano se vistió el sayo y el capotillo menos ajados y se concentró con sus compañeros en el portal de la Corredera de San Pablo 5. Él mismo ayudó a Juan Dueñas a meter el cadáver en el coche y a atarle y, luego, le acompañó en silencio, con la antorcha encendida, escuchando las salmodias del coro. Acto seguido, ya en la iglesia, asistió al funeral, y los sacristanes iniciaron el último responso:

—*Libera me, Domine, de morte aeterna...*

Entonces divisó a Minervina arrodillada en un banco y trató de acercarse a ella pero *el Escriba* les instaba a buscar la salida para situarse alrededor de la fosa, donde debían entonar la letanía de los Santos. Al concluir, Minervina ya se había marchado y *el Escriba* se acercó ceremoniosamente a él, estrechó su mano y le dijo:

—En mi nombre y en el de sus compañeros le expreso nuestro más profundo sentimiento.

La agitación y los quehaceres no permitieron a Cipriano reflexionar sobre su orfandad. De regreso al colegio, recibió la orden de acudir a Herrera de Duero a buscar a un grupo de refugiados. Hablaban de muertos en las huertas y las cunetas del camino, de la falta de médicos en los pueblos, donde los enfermos eran atendidos por sanadores y barberos cuando no por los mismos convecinos. Era el pan de cada día.

Habían sido tantos y tan largos los meses pasados desde que se inició la epidemia que los vallisoletanos llegaron a pensar en la posibilidad de una peste permanente. No veían salida. Los meses transcurrían sin que los partes de los comisionados dieran una sola noticia alentadora mientras se repetían las cifras de las bajas con reiteración. Inesperadamente, iniciado el nuevo otoño, tras una pésima cosecha y un tiempo áspero, la Junta de Comisionados anunció que en el último mes únicamente habían muerto veinte personas de las dos mil hospitalizadas. En noviembre las bajas por la peste habían sido doce y cuatrocientas noventa y tres las altas dadas en los hospitales. Era como escapar de una nube tenebrosa, después de un año y medio sin ver el sol. La gente volvía a salir a la calle a respirar los aromas del tomillo y el cantueso para ventilar sus pulmones, se acercaba al Espolón Nuevo, tornaba a conversar y a reír. ¡El milagro se había producido! Y cuando en enero las altas en los hospitales se elevaron a ochocientas cuarenta y tres y las muertes por peste se redujeron a dos, la villa estalló de júbilo, se organizaron procesiones de acción de gracias a la ermita de San Roque y el Concejo anunció para la primavera juegos de cañas y corridas de toros. La peste había terminado.

Un día de fiesta, llegada la primavera, apareció el tío Ignacio en el colegio. Su tez, debido a la vida en el pueblo, era aún más rojiza que de ordinario. Las primeras palabras de su tío fueron para felicitarle por su comportamiento durante la peste. Entre las medallas que programaba el Ayuntamiento había una para los colegiales del Hospital de Niños Expósitos. Fue la única alusión al pasado. Acto seguido, el tío le habló de su porvenir. Cipriano aceptó la idea de doctorarse en Leyes y también la de vivir en casa de sus tíos hasta alcanzar la mayoría de edad y entrar en posesión de sus bienes. No aceptó, en cambio, la idea de su tío Ignacio de prohijarle. El desapego de Cipriano hacia el género humano, su triste experiencia filial, le llevó a inclinarse por la idea de la tutela y a aceptar a su tío como tutor. Seguidamente, el tío Ignacio le dijo que tan pronto la Chancillería retornase a la villa, le recogería en el colegio puesto que, dado su alto cargo en él, había resuelto de antemano el enojoso asunto del papeleo.

La casa de su tío, la tía Gabriela, las criadas, la vida en familia, supuso para Cipriano una innovación poco confortadora. Echaba de menos a los condiscípulos, los paseos, las clases colectivas, los juegos, las charlas, las costumbres adquiridas. El anuncio de un preceptor, don Gabriel de Salas, no mejoró la situación. El recuerdo del anterior en casa de su padre, «el temor al tabique», se reprodujo en él de manera automática. Doña Gabriela se desvivía por atenderle, por hacerle la vida más agradable. Con un instinto femenino muy aguzado, un día le preguntó si no echaba en falta a Minervina. Cipriano asintió. La ausencia de Minervina, la única persona a la que había querido, en la que siempre se había refugiado, le hacía especialmente vacía la vuelta al hogar. Por otro lado el descubrimiento de la casa de su tío alentaba a Cipriano. No era, como cabía pensar, la casa pretenciosa de un gran burgués sino el refugio atractivo y sereno de un intelectual. Cipriano pasaba horas en la biblioteca donde se alineaban más de quinientos volúmenes, algunos de ellos editados en Valladolid, traducciones en romance de Juvenal, Salustio y la *Iliada*. Los poetas latinos estaban casi todos y, paso a paso, Cipriano fue descubriendo el placer de la lectura, el acto íntimo y silencioso de desflorar un libro. Por otro lado, en la casa había buena pintura, copias de cierta solvencia de obras acreditadas, y algunos esbozos de escultura. La reciente instalación en la ciudad de Alonso de Berruguete dio ocasión a don Ignacio de encargarle un panel de madera en relieve, lo que el artista llamaba *una tabla de bulto*, representando a su mujer, doña Gabriela. Era una pieza de noble calidad más por la factura que por el parecido. La tabla se hallaba en la pequeña habitación que daba acceso a la biblioteca y don Ignacio, hombre muy religioso y respetuoso con el arte, se descubría al pasar ante ella como si fuera el Sagrario. Esta nueva asignatura del arte y el buen gusto estimulaba a Cipriano. Había encajado con don Gabriel de Salas y sus progresos en latín, gramática y leyes, eran notables.

Una mañana al salir de clase, se encontró en el salón con Minervina. Conservaba la elasticidad de cuatro años antes, la misma viva cintura, el mismo cuello largo y delgado y la misma boca, de labios gruesos. Doña Gabriela la escoltaba sonriente y Cipriano no supo qué hacer, ni qué decir. Fue Minervina la que tomó la palabra para decirle que había crecido, que se estaba haciendo un hombre y que este hecho le apenaba.

Pasaban los días y entre Minervina y Cipriano no se reanudaba la vieja y confiada relación. Se alzaba entre ellos como una paralizadora barrera de pudor. Hasta que una tarde de jueves, en que sus tíos salían y vacaban las compañeras de Minervina, Cipriano al verla sentada, erguida, en el sofá del gran salón, los pequeños pechitos apenas insinuados en la saya de cuello cuadrado, experimentó la misma atracción imperiosa e ingenua que sentía de niño, se fue hacia ella y la abrazó y la besó, diciéndola «h... hola, Mina» y «te quiero mucho, ¿sabes?». Minervina desfallecía al notar los pechos en los cuencos de sus manos, el recorrido apasionado de sus labios ardientes por su escote:

—¡Oh, tesoro, no seas loco!

—Te quiero, te quiero; eres la única persona a la que he querido en mi vida.

Minervina sonreía aturdida, se entregaba.

—Me picas con tus barbas; ya eres un hombre, Cipriano.

Retozaban como cuando Cipriano era niño, se abrazaban y se besaban, pero el muchacho advertía que un nuevo elemento había entrado en su relación y, cuando rodaron por la gruesa alfombra y le arrancó los botones de la saya, Minervina trató aún de resistirse. Pero todo fue en vano.

Al día siguiente, Cipriano buscó al padre Toval:

—H... he yacido con mi nodriza, padre, con la mujer que me amamantó.

El padre Toval le reprendió:

—Eso es casi como yacer con tu propia madre, Cipriano. No te dio la vida pero te dio parte de la suya cuando no podías valerte.

Cipriano vagaba ahora por la casa como sonámbulo. Apenas osaba mirar a la cara a Minervina en presencia de sus tíos. En su cabeza daba vueltas a su confesión. No había sido del todo sincero con el padre Toval. Por otra parte le desagradaba darle cuenta de unos sentimientos tan íntimos. ¿Cómo podría llegar a entender el padre Toval su relación con la muchacha? Y si no la entendía, ¿cómo podía juzgarla?

El jueves siguiente, al verse solos, Minervina y él se refugiaron el uno en el otro como la cosa más natural del mundo. Sin confesárselo habían estado esperando impacientes este momento. E instintivamente ella volvía a darse a él, le nutría, y él se aferraba a ella como a una tabla de salvación. Yacían desnudos en la estrecha cama de ella y las tímidas reservas de Minervina revalorizaban la consumación del acto. La tomó hasta tres veces y, al concluir, experimentó como un hastío de sí mismo, pensando que estaba prostituyendo a la muchacha. Le constaba su amor, la pureza de su inclinación hacia ella, pero, detrás de todo, no dejaba de ver la sórdida aventura del joven amo que se aprovecha de la criada. Buscó en San Gregorio otro confesor desconocido:

—M... me acuso, padre, de poseer a mi nodriza, pero no puedo arrepentirme de ello. Mi amor es más fuerte que mi voluntad.

—¿La quieres o la deseas?

—Si la deseo, padre, es porque la quiero. Nunca quise a nadie en la vida como a ella.

—Pero eres aún un chiquillo. No vas a casarte, claro.

—Tengo catorce años, padre. Mi tutor no lo comprendería.

El cura vaciló. Dijo finalmente:

—Pero si no hay arrepentimiento, hijo, yo no puedo absolverte.

—Lo comprendo, padre. Más adelante volveré a verle.

Los jueves se convirtieron en la cita obligada de los amantes. Era un encuentro inevitable y, con el sexo añadido, la viva reproducción de las expansiones de antaño entre el niño y su nodriza. Y, en las pausas, conversaban. Él le hablaba de sus años de colegio, de la desviación de *el Corcel*, de la pérdida de su inocencia. Y ella de su primer amor hacia un muchacho del pueblo, la caída, el embarazo, el alumbramiento. Y, al hablar de esto, lloraba y le decía, tú eres

198

como el hijo que perdí, tesoro mío. Pero, enseguida, volvían impacientes a ellos mismos, a descubrirse mutuamente, a amarse. Las relaciones de los jueves, ahora en la habitación de Cipriano, eran cada vez más demoradas y completas, y se prolongaron durante cerca de cuatro meses. Fue con motivo del regreso inesperado a casa de doña Gabriela y don Ignacio, una noche de invierno, cuando todo se vino abajo. Doña Gabriela los descubrió desnudos en la cama, apareados, y no fue capaz de entender nada:

—Ha abusado usted del niño y de mi confianza, Miner; ha deshonrado esta casa y nos ha deshonrado a todos. ¡Váyase y no vuelva más!

Minervina tomó la galera de Jesús Revilla a Santovenia a la mañana siguiente en la Plaza del Mercado, con los dos fardillos con que se había presentado cinco meses atrás.

Libro II

LA HEREJÍA

VII

Cumplida la mayoría de edad, Cipriano Salcedo se doctoró en Leyes, entró en posesión del almacén de la Judería y de las tierras de Pedrosa y se trasladó a vivir a la vieja casa paterna en la Corredera de San Pablo, cerrada desde la muerte de don Bernardo. Unos años después, conseguidos estos objetivos, se impuso otros tres muy definidos y ambiciosos: encontrar a Minervina, alcanzar un prestigio social y elevar su posición económica hasta ponerse a nivel de los grandes comerciantes del país. El primer objetivo, encontrar a Minervina, que él consideraba el más sencillo, fracasó. En Santovenia apenas encontró a alguien que recordara a la muchacha. Los padres habían muerto y ella —decían— había marchado del lugar. «Casada», dijo uno, pero un segundo rectificó: la Miner no se casó nunca; marchó con su hermana a Mojados donde vivía una vieja tía suya. Cipriano se desplazó a Mojados en su nuevo caballo *Relámpago*. Nadie sabía nada allí de la chica; ni siquiera habían oído nunca un nombre tan raro. Él insistía: Minervina, Minervina Capa. Pero nadie le daba razón. En todo el término no se conocía una muchacha con ese nombre. Cipriano Salcedo, que no comprendía la vida sin la muchacha, la buscó por los pueblos de los alrededores. Inútil. Desconocedor del paradero de Blasa y Modesta, después del fallecimiento de su padre, reinició la búsqueda empezando de nuevo por el principio: Santovenia. Conectó con Olvido Lanuza, *la Alumbrada,* que había perdido un poco la cabeza y le dijo que Minervina había entrado al servicio de don Bernardo Salcedo en la villa. Nadie facilitaba otras pistas sobre la chica, salvo una achacosa centenaria, Leonor Vaquero, quien le informó que se había casado con un manufacturero de Segovia. *Relámpago* llevó a Cipriano hasta Segovia en dos etapas. Pero ¿por dónde empezar la búsqueda? Preguntó, una por una, en todas las industrias de tejidos de la ciudad, pero allí le pedían el nombre del marido ya que el de la mujer no constaba en las nóminas. Salcedo regresó a Valladolid desolado. Se iban desvaneciendo las últimas esperanzas. Encontrar a Minervina, que siempre se le antojó una empresa fácil, le parecía ahora una utopía irrealizable. Decidió frenar, entregarse a la rutina diaria, y ponerse en movimiento únicamente cuando encontrase una información fiable con alguna garantía de éxito.

Dionisio Manrique, que durante diez años había llevado el almacén de la Judería bajo la supervisión de don Ignacio, recibió con alivio la reincorporación de Cipriano al trabajo. Aquel edificio, desnudo y vacío la mayor parte del año, sin otra presencia que la del mudo Federico, se le hacía odioso e insoportable. De ahí que Manrique recibiera como un don del cielo la llegada de don Cipriano, cuya primera acción en la Judería fue revisar la correspondencia con los Maluenda, en principio la de don Néstor, el famoso comerciante, y la de Gonzalo, su hijo, después. Cipriano pensó que tal vez su primer paso en el comercio debería ser ponerse en contacto con Burgos, conocer al nuevo mandatario y tratar de mejorar las condiciones de su contrato con él, habida cuenta que le proporcionaba setecientos mil vellones de la vieja Castilla cada año. Le agradaba cabalgar y cualquier excusa le parecía razonable para montar a *Relámpago,* por lo que a comienzos de octubre franqueó el Puente Mayor, atravesó Cohorcos y Dueñas en la mañana, y dos días más tarde encontraba a Gonzalo Maluenda en sus instalaciones de Las Huelgas.

Gonzalo Maluenda le recibió alegremente. Hablaba sin parar, con pretensiones de hombre ingenioso, le propinaba golpecitos en el hombro y, con frecuencia, hacía referencia a su padre don Néstor:

—Él le regaló a su padre la primera silla de parir que entró en España. La madre de vuesa merced fue la primera en utilizarla.

—A... así fue —admitió Cipriano—. Las cosas no iban bien y el doctor Almenara, la eminencia de la época, hubo de echar mano de ella.

Gonzalo Maluenda rompió a reír y le golpeó el hombro repetidamente.

—De modo que es usted el primer español hijo de la silla.

A Cipriano no le agradaba el joven Maluenda. Le mortificaban sus reticencias, las salidas de tono que él juzgaba divertidas, sus golpecitos en el hombro:

—En rigor yo soy hijo de mi madre —puntualizó—. La silla flamenca no hizo otra cosa que ayudarla a traerme al mundo.

Al ver el poco éxito de su ocurrencia, Gonzalo Maluenda olvidó sus frivolidades. Hombre inseguro, sin personalidad definida, Cipriano no lo consideró la persona adecuada para dirigir el comercio de la lana con Flandes. Se le antojaba el típico miembro de esas terceras generaciones de negociantes que, en poco tiempo, terminan deshaciendo la fortuna que sus abuelos amasaron con tanto esfuerzo. No le sorprendió que Gonzalo Maluenda volviera a reír a destiempo cuando le informó del apresamiento de dos barcos de la flotilla por los corsarios, como si fuese una anécdota divertida.

—Se salieron de la formación —dijo—. No navegaban en conserva.

—P... pero estarían asegurados.

—Lo estaban, pero al salirse de la conserva el reasegurador se ha llamado andana. Es natural. Cada uno defiende lo suyo.

Cipriano Salcedo inició el regreso a Valladolid muy decaído. El nuevo patrón burgalés no estaba a la altura de las circunstancias. Le había parecido un chiquilicuatro y el apresamiento de dos veleros una advertencia a tener en cuenta en lo sucesivo. Salcedo era consciente de que los errores de Gonzalo Maluenda le arrastrarían a él inevitablemente. Enlazó esta reflexión con la determinación de visitar Segovia, la ciudad pañera de Castilla la Vieja. Cuando la conoció meses atrás, le había sorprendido por su actividad y, a pesar de que Minervina ocupaba entonces todos sus pensamientos, no le pasó inadvertido que Segovia era una pequeña ciudad textil que se desarrollaba a costa de sus propios recursos. Sabía transformar sus materias primas de manera que el dinero siempre quedara en casa. ¿Por qué Va-

206

lladolid no intentaba una empresa semejante? ¿Por qué la villa no transformaba los setecientos mil vellones que anualmente exportaba a Flandes como hacían los industriales segovianos? ¿No podría ser él, Cipriano Salcedo, el llamado a conseguirlo? El viento en el rostro, acentuado por el trote largo de *Relámpago,* estimulaba su imaginación. Corte de España, resignada a su condición de villa de servicios, pensó, Valladolid era una ciudad dormida, donde la suprema aspiración del pobre era comer la sopa boba y la del rico vivir de las rentas. Allí nadie se movía.

De sus reflexiones dio cuenta a Dionisio Manrique a su llegada. Gonzalo Maluenda no le había gustado. Era un chisgarabís que consideraba divertido el apresamiento de dos navíos por los piratas. Había que andarse con tiento. Un patinazo de Maluenda afectaría seriamente al comercio castellano de la lana. ¿Por qué no intentar en Valladolid lo que Segovia ya estaba haciendo? Los ojos de Dionisio Manrique se redondearon de codicia. Estaba de acuerdo. La era de los Maluenda era evidente que había pasado. Don Gonzalo era perezoso y jugador, malos vicios para un comerciante. Había que pensar en una nueva orientación del comercio de los vellones: reforzar las flotillas o, quizá, ensayar su transporte por tierras de Navarra. A Cipriano Salcedo le estimuló verse secundado por Manrique. Acordaron pensar en ello y, entretanto, Cipriano decidió visitar Pedrosa: aspiraba a lustrar su apellido. El título de doctor en Leyes poco significaba si no le acompañaba un privilegio de hidalguía. Acceder a la aristocracia por la base sería una astuta jugada para adornar su carrera y reforzar su prestigio personal.

Cipriano conocía ya a Martín Martín, hijo de Benjamín Martín, el nuevo rentero, a Teresa, su mujer, y a sus ocho hijos, pequeños y ligeros como ratas. Su tío Ignacio le había acompañado en un viaje anterior. La casa, desnuda y pobre, sin pavimento, le había llamado la atención. Y, por contraste, el dosel de guadamecíes que adornaba el amplio lecho matrimonial.

—Es la única herencia que recibí de mi pobre padre que gloria haya —dijo Martín Martín, a modo de explicación.

Don Ignacio y Cipriano habían ido a Pedrosa por el consabido camino de Arroyo, Simancas y Tordesillas, el del difunto don Bernardo, y fue en ese viaje cuando Cipriano Salcedo, amante de las aventuras, concibió la idea de desplazarse faldeando las colinas, atravesando las tierras de Geria, Ciguñuela, Simancas, Villavieja y Villalar. No existía camino definido allí pero *Relámpago* lo trazaba ahora, en su segundo viaje, con su largo galope, hollando las aulagas de los bajos. Cipriano manejaba el caballo con maestría, lo dominaba, en cada cabalgada le hacía aprender una nueva habilidad. Corría el mes de junio y las parejas de perdices volaban con sus polladas, de las viñas a las cuestas, con un aleteo metálico que estremecía al caballo.

Hacía meses que Cipriano venía gestionando un privilegio de hidalguía. Martín Martín, a quien había cedido una tercera parte de los frutos de la tierra, era un adicto incondicional. Y a los más viejos del lugar les había oído hablar bien de don Bernardo, el último defensor del buey para las faenas agrícolas, y de don Aquilino Salcedo, el abuelo, que pasó en Pedrosa los últimos años del siglo. Ninguno de ellos tenía buen ni mal concepto de los patronos pero sí una vaga idea de que en la vida era preferible arrimarse a un rico que a un pobre. Por otra parte, don Domingo, el viejo párroco, conservaba en el archivo de la iglesia papeles de los Salcedo donde constaban las limosnas y donativos hechos al pueblo en ocasiones difíciles como la peste del año seis o los nublados del año noventa que no permitieron trillar y el cereal se nació en las eras. Por si fuera insuficiente, Cipriano Salcedo estaba en condiciones de acreditar la pureza de sangre hasta la séptima generación.

A poco de llegar, Salcedo cambió impresiones con Martín Martín sobre el particular. Treinta y siete vecinos, de treinta y nueve, estaban dispuestos a votar que su familia venía siendo considerada hidalga en Pedrosa desde hacía dos siglos. Don Domingo, el viejo párroco, por su parte, adjuntaría al expediente copias de los documentos del archivo parroquial, en los que constaba el generoso patrocinio del pueblo por parte de los Salcedo. Cipriano no ignoraba que su título de doctor, unido al de hidalgo, doctor-hidalgo, no sólo le redimía de contribuciones e impuestos sino que le hacía apto para formar parte de la administración y le insertaba en el escalafón de la baja aristocracia. Sabía, asimismo, que un terrateniente accedía más fácilmente a la nobleza que un hombre de negocios y que carecía de sentido la máxima de «el noble nace, no se hace», como se proponía demostrar. Martín Martín le prometió que tan pronto contara con las acreditaciones de los vecinos y las copias documentales de don Domingo se las haría llegar por un correo. Para añadir méritos al mérito, y aprovechando las nuevas ordenanzas sobre roturos de baldíos, Cipriano tomó nota de los límites de los pagos del arroyo de Villavendimio con objeto de solicitar licencia de cultivo y autorización para agregarlos a sus tierras.

Dos semanas más tarde llegó a Valladolid un correo con los papeles de Pedrosa y Cipriano se los hizo llegar a su tío, el oidor, quien, a su vez, los presentó, con una instancia respetuosa, a la Sala de Hidalguía de la Chancillería. Pocos meses después don Cipriano había obtenido el título de doctor-hidalgo y había sido redimido de contribuciones. Un correo urgente a Pedrosa comunicó a don Domingo y a Martín Martín la buena nueva, al tiempo que encarecía al rentero que para el 3 de julio tuvieran sacrificados una docena de corderitos y dispuestos dos toneles de vino de Rueda para celebrar el nombramiento, fiesta de la que únicamente quedarían excluidos Victorino Cleofás y Eleuterio Llorente, los dos labriegos que, lejos de considerar a los Salcedo unos seres magnánimos y desinteresados, los juzgaban unos explotadores. La merienda se celebró en el corral de la casa al anochecer y, según cuentan las viejas crónicas, ni la villa de Toro, de la que Pedrosa dependía, conoció en sus mejores años un fasto semejante, tan alegre y desquiciado, en el que participaron hasta los perros y animales de labor. La burra de Tomás Galván, *la Torera*, bebió una herrada de vino de Rueda y pasó la noche rebuznando y coceando por las calles del pueblo, hasta que de madrugada se murió.

Asentada su vida adulta, alcanzado el título de hidalgo y ordenadas las cosas en Pedrosa, Cipriano Salcedo puso sus cinco sentidos en el comercio con Burgos. Y, aunque don Gonzalo Maluenda no le gustaba, o precisamente por eso, decidió acompañar personalmente a la expedición de otoño, como había hecho su padre, don Bernardo, unos meses después de nacer él.

Durante varios días, las cinco grandes plataformas de ruedas de hierro fueron cargadas en el almacén, en tanto las cuarenta mulas de tiro de Argimiro Rodicio eran preparadas para el evento. Docenas de temporeros se afanaban en el patio y, llegado el día de la partida, Cipriano Salcedo se puso al frente de la expedición, por el polvoriento camino de Santander. En esos momentos, después de haber tomado las precauciones pertinentes, Salcedo se sentía importante y feliz. Advertido de que el bandolero Diego Bernal merodeaba por la zona, iba armado, como lo iban los carreteros, mientras piquetes de la Santa Hermandad, advertidos por correo urgente, vigilaban el itinerario.

El camino, con relejes y profundos baches, no facilitaba el viaje, pero aquella caravana de cinco grandes carros, arrastrados por ocho mulas cada uno, era un espectáculo del que gozaban, apostados en las cunetas, los arrieros y peatones con los que se cruzaban en la carrera. Cipriano precedía a la larga caravana sin dejar de otear el horizonte, temeroso de que aparecieran por los cerros los facinerosos de Diego Bernal, único salteador conocido en ambas Castillas. Las carretas formaban una austera procesión, sujeta a distintos cambios de marcha y a un plan preconcebido: recorrer seis leguas diarias de camino, de manera que el viaje, con los altos consabidos en las Casas de Postas de Dueñas y Quintana del Puente y las ventas del Moral y Villamanco, demorase alrededor de cuatro días.

Una vez en Burgos, procedía la descarga, más enredosa aún que la carga, aunque Maluenda, oportunamente avisado, echaba mano de temporeros experimentados que abreviaban la operación. Exoneradas de su peso, las carretas realizaron el viaje de regreso en tres días y medio y, tan pronto llegaron a la Judería, don Cipriano Salcedo recogió las armas, las devolvió a la Santa Hermandad y, consciente del deber cumplido, retornó a la rutina diaria.

Aquel gran almacén de la vieja Judería, que la víspera se presentaba atestado de vellones y ahora se ofrecía pavorosamente vacío, se iría llenando poco a poco a lo largo de los meses venideros y, llegado el mes de julio, se organizaría una nueva caravana con idéntico destino. Cipriano Salcedo, de ordinario precavido y pusilánime, se crecía ante estas grandes operaciones. Almacenar setecientos mil vellones y transportarlos a Burgos en dos expediciones anuales se le antojaba una proeza propia de grandes hombres, de forma que cuando, sentado a la mesa, Crisanta la doncella le servía su primer almuerzo después del viaje, no hizo por ocultar sus manitas peludas que ahora veía fuertes y masculinas muy adecuadas para afrontar tamañas empresas. Y en esos momentos se veía más próximo de don Néstor Maluenda, el gran mercader, que con sólo su talento y su coraje había hecho de Burgos un gran emporio comercial en plena juventud.

Su tío y tutor, don Ignacio, con quien solía reunirse un día entre semana, y en especial doña Gabriela, su esposa, veían con buenos ojos la idolatría de su pupilo hacia don Néstor. Para doña Gabriela nada más admirable que un mercader poderoso, siquiera su esposo puntualizara que doña Gabriela admiraba a los grandes comerciantes antes por sus ingresos que por su relieve social. Pero su culto hacia el abuelo Maluenda, al que no llegó a conocer, no atenuaba sino que acrecía su desprecio hacia su hijo Gonzalo. Secundar a este chiquilicuatro, pretendidamente ingenioso, no satisfacía sus anhelos de ascenso profesional. Por otra parte, recibir una mercancía con la mano izquierda y entregarla a un tercero con la derecha mediante un estipendio, llegó a parecerle una actividad innoble. Cipriano, antes que al comerciante enriquecido por su tesón y su esfuerzo, admiraba al que merced a su ingenio introducía una innovación en el producto, de tal manera que, sin saber por qué ni por qué no, venía de pronto a modificar la voluntad de compra de los clientes. Esta voluntad innovadora le condujo, paso a paso, a un mejor conocimiento de sí mismo, a intuir su iniciativa creadora y las razones de su personal insatisfacción. Y su afán por descubrir nuevos caminos aumentó unos meses después, cuando otros dos barcos de la flotilla de Flandes fueron desmantelados por los corsarios y un tercero hubo de refugiarse en el puerto de Pasajes con avería gruesa. De acuerdo con estas noticias, los riesgos de la flotilla aumentaban cada año y los fletes y los seguros encarecían. La alarma de los laneros se iba extendiendo, en tanto tomaba cuerpo la idea de Salcedo de asumir un nuevo rumbo. El negocio de los fletes no servía ya, por sí solo, para dar salida a las lanas castellanas por un precio remunerador. Fue en esta fase cuando, de la manera misteriosa con que se gestan estas cosas, a Cipriano Salcedo le asaltó un día la idea de ennoblecer una prenda tan popular y modesta como el zamarro. Un chaquetón apto para pastorear o atravesar el Páramo en invierno podía ser transformado, mediante tres leves retoques, en una prenda de vestir para sectores sociales más altos. El éxito, como siempre sucede en el mundo de la moda, dependía de la inspiración, del toque de gracia, en este caso romper la lisura de la espalda y las bocamangas del zamarro con unos audaces canesúes. Mediante unos canesúes estéticamente dispuestos, una prenda de abrigo propia de campesinos adquiría una indefinible gracia urbana que la hacía adecuada para damas y caballeros.

El sastre Fermín Gutiérrez fue el primero en aprobar la iniciativa de Salcedo. Y tanta maña se dio Cipriano para exaltar las virtudes de la nueva prenda que Gutiérrez quedó entusiasmado con el proyecto. De inmediato fue contratado para trabajar a domicilio por un tanto alzado susceptible de ser modificado: setenta y dos reales al mes. Por su parte, Salcedo se comprometía a suministrarle a tiempo todos los vellones necesarios. *La revolución de los canesúes*, como Cipriano Salcedo la llamaba, despertó el primer año en la villa una cierta curiosidad. Pero fue el segundo cuando se desató un entusiasmo inesperado que obligó a Salcedo a enviar a las ferias de Segovia y Medina del Campo dos expediciones de zamarros en su nueva interpretación. El chaquetón había conquistado el mercado y la demanda fue de tal monta que indujo a Salcedo a instalar en los bajos de su casa, en la Corredera de San Pablo, un establecimiento cuyo nombre evocaba la novedad y a su autor en un rótulo ambiguo: *El zamarro de Cipriano*. El primer paso hacia la fama estaba dado. Sin embargo, su inventor ob-

214

servó que, aunque bien acogido el zamarro por la clase media, no penetraba en los más altos sectores sociales. Entonces ideó dos complementos para su invento: sustituir el forro de borrego por pieles finas de alimañas y volver los puños. Tales añadidos, triplicando el precio de la prenda, constituirían para la nobleza alicientes de seguro efecto. No se trataba de adquirir pieles exóticas, sino de aprovechar pieles de animales serranos, generalmente desconocidos para la alta sociedad, como marta, garduño, nutria, gato cerval y jineta. Y acertó. Lo que no había conseguido el canesú lo pudo el nuevo forro con los puños vueltos. Atrajo especialmente a la nobleza la variedad de pieles: había donde elegir. A partir de esta última innovación, *el zamarro de Cipriano* entró en todos los hogares, se impuso en la Corte vallisoletana y se fue extendiendo por todas las capitales del reino.

Una vez convencido de que estaba en el buen camino, Cipriano Salcedo se hizo con los servicios de un avisado hombre de campo, don Tiburcio Guillén, quien organizó una red de acopiadores pellejeros, que a su vez crearon otras de tramperos y un equipo de curtidores expertos que trataban las pieles con aceite de abedul. De este modo, el sastre don Fermín y su taller provisional tenían asegurado el abastecimiento todo el año. Al mismo tiempo, don Fermín Gutiérrez fue autorizado para contratar personal, cortadores y costureras, «principalmente —como exigió don Cipriano— entre las jóvenes viudas de la villa que en general pasaban más necesidad que otras mujeres».

En la reorganización del negocio, decidió pagar a Gutiérrez por prenda terminada en lugar de a tanto alzado, lo que, de paso, le iba familiarizando con el mundo de los números: la confección de un zamarro se elevaba a tres reales, a medio su transporte, tratar con aceite de abedul una docena de pieles, ciento veinte maravedíes, y así sucesivamente. Partiendo de esta base, pudo determinar con precisión los márgenes comerciales que iban engrosando su fortuna día a día. Meses más tarde, bajo la dirección de Dionisio Manrique, deslumbrado por el éxito del patrón, impuso un plazo último a los curtidores: las pieles deberían estar listas el primero de mayo, de manera que el negocio pudiera funcionar en todas las estaciones a un ritmo regular. Las pieles que don Tiburcio Guillén entregaba a don Dionisio Manrique y éste a don Fermín Gutiérrez, el sastre, lo eran en fechas determinadas, después de pelechar los animales, y, por tanto, previsibles con antelación. Se aumentó asimismo el número de pellejeros y, ante la avalancha de pieles, Salcedo decidió no limitar éstas a forrar zamarros, sino extenderlo a las ropas de invierno de hombres y mujeres. *Ropillas aforradas en piel clara y oscura*, fue el subtítulo que se añadió a la cartela de la tienda de la Corredera de San Pablo. Pero los tramperos que, por vez primera, veían valoradas sus presas, abrumaban con sus entregas a los arrieros, con lo que Salcedo hubo de tomar una de las decisiones más importantes de su vida: abrirse al extranjero, en principio con los acreditados mercaderes de Anvers, con el mundialmente famoso Bonterfoesen, que dieron a los zamarros y a las *ropillas aforradas* proyección universal. El conocido comerciante David de Nique hizo un comentario que colmó la vanidad de Salcedo: «nunca un simple canesú armó una revolución seme-

216

jante en la moda. Eso es el ingenio». A estas alturas, el zamarro de borrego iba perdiendo prestigio, a pesar del canesú, y las gentes urbanas, especialmente los ricos de España y del extranjero, preferían los forros de alimañas españolas, no sólo más bellos sino de menos bulto y más abrigados.

Pero, en conjunto, la demanda no cedía y el padre del invento, tras largas cavilaciones, decidió convertir en taller de confección la mitad del almacén de la Judería. La nave quedó dividida en dos partes y, mientras una seguía cumpliendo las funciones para las que había sido creada, la otra se transformó en un gran taller en el que reinaba Fermín Gutiérrez. Sin advertirlo, Salcedo empezaba a caminar por la senda de un incipiente capitalismo. El gran taller no paraba ni en invierno ni en verano y, para contrarrestar los grandes fríos de la meseta, cubrió la nave con cielo raso e instaló braseros de picón de encina de gran tamaño entre las mesas de los trabajadores disminuidos por los sabañones.

Lógicamente, la relación con don Gonzalo Maluenda y con Burgos se iba debilitando. Las dos expediciones anuales se convirtieron en una y los diez carromatos en cuatro. Maluenda admiraba en secreto la iniciativa de Salcedo pero se sentía mortificado por sus éxitos. Anteponer una prenda tan basta como el zamarro al comercio con Centroeuropa hablaba por sí solo del mal gusto y la baja extracción social de Cipriano Salcedo, por mucho que adornase con el doctor-hidalgo sus tarjetas de visita, decía. En el fondo, Maluenda envidiaba a Salcedo que había sabido prever la decadencia del comercio de la lana y encontrar una salida airosa para la mercancía.

Pero llegó un día, pasados los años, en que la naturaleza impuso su ley. Las alimañas no soportaban la presión cinegética y las presas empezaron a disminuir. Mas Salcedo, que era ya un mercader avezado y rico, constató este hecho al tiempo que las ventas del nuevo zamarro y las *ropillas aforradas* empezaban a decaer. Es decir, cuando la demanda disminuyó, él ya había rebajado la oferta de manera que no tuvo que pasar por el amargo trance de los excedentes. Cinco años después de nacer, la venta del zamarro del canesú se estabilizó de modo que bastaba un turno en el taller de la Judería para mantener abastecido el mercado. Pero para entonces la fortuna de Cipriano Salcedo se calculaba en quince mil ducados, una de las más fuertes y saneadas de Valladolid.

Fue en el tercer año de iniciado el negocio cuando Cipriano Salcedo, desbordado por el feliz resultado de la empresa, envió un correo a Estacio del Valle, a Villanubla, pidiéndole más vellones. Estacio le contestó con un correo urgente, diciéndole que, salvo un nuevo ganadero de Peñaflor, don Segundo Centeno, con más de diez mil ovejas, y algunos pequeños pastores en otras localidades, la lana del Páramo seguía bajo su control. Al llegar el buen tiempo, Salcedo subió a Villanubla por el viejo camino, tan familiar a *Relámpago*. Encontró a Estacio viejo y trasojado, pero lúcido y artero. Don Segundo Centeno, un perulero recién llegado de Indias, con dinero, se había establecido en el monte de La Manga hacía dos años. Oriundo de Sevilla, los ganaderos del Guadalquivir le recomendaron para instalarse la zona del Páramo, en Valladolid. Era un individuo primitivo y tosco que salía al monte con el ganado y vestía como un gañán.

Sin embargo era un hombre de posibles aunque nadie sabía hasta dónde alcanzaba su fortuna. Tenía contratada la lana de sus ovejas con los tejedores moriscos de Segovia mediante un procedimiento complicado en el que los propios tejedores facilitaban las reatas para el transporte de los vellones. Era hombre guardoso y poco sociable y apenas se relacionaba con la gente del Páramo, ganaderos o labrantines. Tenía una hija maciza y blanca de tez llamada Teodomira, que, por su maña en el esquileo, era conocida con el sobrenombre de *la Reina del Páramo*. La muchacha no salía de La Manga: alta, sólida y sumamente laboriosa, vestía inevitablemente una saya de paño burdo y un extraño tocadillo que le agrandaba la cabeza. Se movía, entre el barrizal y la basura del patio y las teleras, con galochas para proteger sus pies. Los vecinos de Peñaflor y Wamba aseguraban que la Teodomira, pese a ser considerada por su padre *la Reina del Páramo*, era, en rigor, para don Segundo, un burro de carga, ya que las dos criadas de servicio, a la hora de esquilar al ganado, escurrían el bulto. Llegado este momento era cuando Teodomira encerraba las ovejas en el aprisco y, sentada a la puerta en un tajuelo, iba esquilándolas una tras otra y encerrándolas desnudas en la telera aneja. *La Reina del Páramo* jamás desgarró un vellón. Los sacaba intactos, de una pieza y calientes. Nadie desafió nunca a Teodomira pero era fama en la comarca que pelar a un centenar de corderos no le llevaba un día. Don Segundo, que la ayudaba desde la tarde a la medianoche, gozaba también de una buena disposición para el oficio, de forma que en siete semanas tenían dispuesta la carga para que los moriscos de Segovia subieran a recogerla. Según Estacio del Valle, podía intentar hacerse con la lana de *el Perulero*, por más que la educación de don Segundo para el trato dejara mucho que desear. En estos asuntos, *el Perulero* era un patán de la cabeza a los pies al que únicamente se le podía localizar, salvo los jueves, en el campo con las ovejas, ya que en casa no paraba. Estacio le dio la dirección del monte. Don Cipriano debería coger la carrera de Peñaflor y, a cosa de media legua, junto a la atalaya más alta, nacía un camino rojo, de arcilla, medio borrado por los bogales, que llevaba derecho a la casa. En un calvero del monte, redondo como un coso, estaba ésta, una edificación de adobe con tejado de pizarra, amplia y destartalada, de una sola planta, rodeada de rediles, teleras y corralizas con algunas ovejas dentro, balando. Frente a la fachada había un pozo, con el brocal de piedra de toba, una polea y cuatro abrevaderos, de la misma piedra, para el ganado. La chica que le atendió le dio la dirección de don Segundo. Estaba en el campo, en la linde del monte, de la parte de Wamba, con las ovejas.

Salcedo encontró, en efecto, a don Segundo, con un rebaño grande, en la línea del monte. Era un hombre desaseado, de pelo corto y barbas de muchos días. En la cabeza llevaba una carmeñola, una mancha de saín en la frente y caída y derrocada en la parte posterior. Era un tocado anticuado que hacía juego con un coleto sin mangas, corto, las calzas abotonadas y las abarcas para los pies. Los ladridos de dos mastines, con collares de puntas, le pusieron en guardia y el caballo, muy remiso, no se aproximó a ellos hasta que el señor Centeno los aplacó. Pero cuando se apeó, y antes de poder dirigir la palabra a

220

don Segundo, éste levantó una mano, le volvió la espalda bruscamente y le dijo:

—Aguarde un momento.

Portaba un cayado en la mano derecha que enarbolaba al andar y se dirigía sin demora hacia un pequeño hueco que se había abierto en el rebaño. A su paso se espantaba el ganado pero, al llegar al punto preciso, saltó una liebre regateando y, antes de que se alejara, don Segundo le lanzó el cayado describiendo molinetes en el aire. La garrota golpeó las patas traseras del animal que quedó tendido en el prado, moviéndose espasmódicamente. Don Segundo se apresuró a cogerla para que Salcedo la viera:

—¿Se da cuenta? Es grande como un perro —reía.

El ganado había vuelto a pastar pacíficamente, en tanto Salcedo trataba de presentarse, explicando su relación con Burgos y el mercado de la lana, pero don Segundo Centeno le atajó con un deje de ironía:

—¿No será vuesa merced, por un casual, Cipriano el del zamarro?

Mientras hablaba, apretaba el vientre de la liebre para que orinase, tan atento y concentrado, tan ajeno a la presencia de Salcedo, que éste, después de asentir, decidió ganárselo mediante la adulación:

—He oído decir en el pueblo que vuesa merced, con diez mil cabezas, no precisa de manos ajenas para esquilarlas; se basta con la ayuda de una hija.

Un chorrito dorado se desprendió de la entrepierna de la liebre y él le pasó una y otra vez una mano grande y pesada por el vientre inmaculado para ayudarla:

—Está preñada —dijo—. Es un animal muy rijoso éste. Tanto le da abril como enero. No descansa.

Desde mi ventana, de madrugada, las veo guarreándose entre las teleras todos los días del año, tanto da con frío como con calor.

Salcedo trató de encauzar la conversación pero, fuera de la emoción del momento, a don Segundo no parecía importarle nada. Sin embargo, era sólo una apariencia, ya que, transcurrido un minuto, recogió el hilo que antes le había lanzado Salcedo y reanudó el coloquio como si nunca se hubiera interrumpido:

—En cuanto a eso de que yo trabaje solo en el monte no es cierto —dijo—. Dispongo de cinco pastores, dos en Wamba, otros dos en Castrodeza y uno en Ciguñuela. Ellos atienden mis rebaños y, llegado el tiempo, nos ayudan a esquilarlos. Eso sí, a mi hija, a la Teodomira, no le echa la pata nadie. En lo que ellos pelan una oveja, ella pela dos. Yo la llamo por eso *la Reina del Páramo*.

La llanura sin fin, apenas amueblada por cuatro carrascos y los majanos alineados como hitos, se extendía ante los ojos sorprendidos de Salcedo.

—El Páramo, por lo general, da poca yerba pero buena, aunque en ciertas zonas es un sequedal. Ve ahí. Para roturar dos hazas ha habido que hacer antes un monumento.

Señalaba con el cayado el majano más próximo con pedruscos de hasta diez libras. Tres ovejas se desmandaron y don Segundo ordenó con un ademán a los mastines, que sesteaban a sus pies, que las reintegraran al rebaño. Don Segundo había guardado la liebre en el zurrón y Salcedo intentó de nuevo cuadrarle, hablándole de los moriscos de Segovia, pero don Segundo se desentendió del tema. Al cabo de un rato, sin embargo, afirmó que los moriscos eran gente laboriosa y sacrificada y él estaba muy satisfecho con ellos, que cobraban menos que otros porteadores y, por si fuera poco, las reatas de acémilas corrían de su cuenta. Así es que su lana estaba comprometida. Los Maluenda de Burgos, que recogían prácticamente toda la de Castilla, tendrían que quedarse sin la de Segundo Centeno. En cambio, sí le ofrecía para sus zamarros pieles de conejo, miles de pieles. Porque vuesa merced, dijo, forrará zamarros con toda clase de bichos pero al conejo lo tiene olvidado.

—Es demasiado ordinario el conejo —replicó sinceramente Salcedo—. Aquí en Castilla, tal vez por su abundancia, es poco apreciado.

Don Segundo reunió el rebaño y, con ayuda de los perros, fue entrizándolo insensiblemente hacia el monte. A uno de los mastines le llamó a voces *Lucifer*. No simpatizaba con él; le lanzaba piedras e improperios.

—Porque vuesa merced —dijo de pronto— fabrica zamarros para gentes encopetadas de ciudad, pero debería pensar un poco en los gañanes del Páramo. Para ésos ya están los corderos, dirá usted, pero es que el conejo le saldría más económico y tal vez más abrigado.

El sol se ponía en la llanura como en el mar. Se desplomaba sobre la línea del horizonte y éste empezaba a roerle por la base, en un crepúsculo incendiado, hasta terminar devorándolo. Las nubes, blancas hasta entonces, se tornaban color albaricoque al ocultarse aquél.

—Buen tiempo hará mañana, sí señor —dijo sen-

223

tenciosamente don Segundo—. Vamos para casa. Es hora de recoger el ganado.

Salcedo llevaba a *Relámpago* de la brida. El espectáculo de la puesta de sol en el inmenso mar de tierra le había sobrecogido. Respecto a don Segundo Centeno no sabía a qué carta quedarse. Seguramente pertenecía a ese grupo de ganadores y labrantines guardosos que llegan a amasar una fortuna a fuerza de austeridad, de privarse incluso de lo necesario, por el inútil placer de morir ricos. Las sombras de las encinas reptaban por el suelo y, en pocos minutos, el monte entero se sumió en una silenciosa penumbra. Don Segundo se rascaba ahora la cabeza metiendo un dedo de uña negra por debajo de la carmeñola. Dijo de pronto:

—Hoy un conejo, su piel, le puede valer a vuesa merced veinte maravedíes. ¿Qué número de pieles necesita para forrar un zamarro? ¿Diez, quince? Y aunque así fuera, forrado de lana y echando por lo bajo, le costaría a usted el doble.

Cipriano Salcedo le dejaba a su aire. Para empezar no se creía que los moriscos de Segovia cargaran con los gastos de las reatas. Y, en cambio, pensaba, don Segundo Centeno podría fácilmente terminar, sin forzar las cosas, siendo su nuevo cliente en el Páramo. La casa se divisaba ya entre las matas, y en el hueco de una ventana brillaba la luz de un candil. Se fingió interesado en las pieles de conejo:

—¿Y cómo puede usted agarrar tantos conejos con lo que corren?

—Yo le hago una apuesta a vuesa merced —dijo jovialmente—. En una hora me comprometo a coger una docena de conejos sin moverme de un bardo. Y

224

si me echa una mano el señor Avelino, el bichero de Peñaflor, cuatro docenas. ¿Qué le parece?

—Con lazo, claro.

—Quiá, no señor. El lazo es muy tardinero. Diez hoy, quince mañana. No me vale el lazo para hacer cifra. Al conejo hay que moverlo, buscarle las vueltas. Aquí, en La Manga, hay millones de ellos. Y si dispone vuesa merced de una buena camada de hurones, en cuatro días puede armar un estropicio.

Habían llegado al calvero y don Segundo distribuyó el ganado en las teleras. En otros apriscos, de la parte de Wamba y Peñaflor, pernoctaban al aire libre los meses calurosos otros rebaños. Cumplido el encierro, los mastines se encaminaron cachazudamente al corral, en una de cuyas ventanas, sin duda la cocina, temblaba una luz. En la puerta de la fachada crecía un emparrado del que pendían racimos en agraz.

—Pase un rato vuesa merced.

El mobiliario de la casa era de una austeridad conventual. Apenas una gran mesa de pino en la sala, dos escañiles, unas butacas de mimbre, una alacena y, a los lados, los consabidos lebrillos. Pero Salcedo no tenía tiempo para sentarse. Los bogales borraban el camino y era fácil perderse: tenía que aprovechar la última luz. Volvería otro día para seguir conversando. ¿Un jueves? De acuerdo, lo haría un jueves. ¿Una merienda? Agradecería esa atención a *la Reina del Páramo*. Él, don Segundo, le enseñaría además cómo cazar cuarenta conejos en una hora. Si me envía un correo a tiempo tendrá ocasión de ver al señor Avelino, el bichero de Peñaflor, metido en faena. Y a lo mejor se encapricha usted con el conejo para los zamarros y armamos una comandita, ¿no le parece?

Cipriano Salcedo se disponía a salir cuando entró en la sala *la Reina del Páramo*, una muchacha alta, pelirroja, fuerte, vestida al uso de las campesinas de la región: saya corta con faldilla debajo y mangas con papos a la moda antigua. Hacía ruido al andar con las galochas que calzaba. A don Segundo Centeno se le avivó el semblante: aquí tiene vuesa merced a mi hija Teodomira, *la Reina del Páramo* por mejor nombre —dijo. Ella no se alteró. Saludó escuetamente. La llama de la lámpara iluminaba su rostro, un rostro excesivamente grande para el tamaño de sus facciones. Pero lo que más sorprendió a Salcedo fue la palidez de su carne, especialmente extraña en una mujer campesina; un rostro blanco, no cerúleo, sino de mármol como el de una estatua antigua. No había sombra de vello en aquella cara y las cejas eran muy finas, casi inexistentes. Con el cabello caoba, resaltaban sus pestañas sombreando unos ojos vivaces, de color miel. La muchacha se movía airosamente a pesar de su volumen y cuando don Segundo le presentó como don Cipriano Salcedo, el señor de los zamarros, ella le felicitó diciendo que había ennoblecido una prenda desprestigiada. Entonces la miró de frente y ella le miró a su vez y, bajo su mirada intensa, dulce y afable, se enterneció. Nunca le había sucedido a Salcedo una cosa así y se sorprendió aún más porque, objetivamente, fuera de la expresión de sus ojos y de su presencia amparadora, no descubría en la muchacha especial encanto. Entonces se alegró de haber prometido volver. Y cuando la muchacha le tendió la mano para despedirse y él la estrechó, notó que también su mano era blanca y dura como el mármol. Pero el señor Centeno repitió que a lo mejor se encaprichaba con los conejos y fundaban entre los dos una comandita. Cipriano Salcedo, para entonces, ya se había encaramado sobre *Relámpago* y, después de rodear el pozo y los abrevaderos al trote corto, se perdió entre las sombras del sardón agitando la mano izquierda en señal de despedida.

VIII

El jueves siguiente Cipriano Salcedo se presentó en el monte de La Manga a las cuatro de la tarde, aunque don Segundo le había advertido que esa hora no era la más adecuada para cazar conejos. Y allí encontró a padre e hija junto al pozo, gozando del sol vespertino, acompañados por un individuo chaparro, de rostro atezado, con jubón a listas, zaragüelles y botas de campo, que don Segundo le presentó como el señor Avelino, el bichero de Peñaflor. Don Segundo vestía su atuendo habitual, coleto corto, calzas abotonadas y carmeñola a la cabeza. La muchacha, en cambio, aunque se tratara de una excursión campestre, se había arreglado para el evento, lo que satisfizo a Cipriano porque «mujer vestida, mujer interesada», se dijo. Estaba tan habituado a pasar inadvertido que aquel detalle le conmovió. Con todo se reafirmó en la idea de que *la Reina del Páramo* resultaba excesiva mujer para ser bella, pero tan pronto se apeó del caballo y ella le tendió la mano, él quedó preso de su hechizo, de sus ojos melosos, calientes y protectores, sensación que no le abandonó en toda la tarde.

Luego, junto al bardo, viendo actuar al bichero, de

rodillas como estaba, apenas divisaba los finos botines de tafilete rojo de la muchacha cuya presencia le arropaba. Su padre iba y venía, trajinaba inútilmente, hacía observaciones obvias al bichero y éste, fingiendo atender sus indicaciones, iba colocando capillos sobre las huras y, de vez en cuando, golpeaba con los nudillos la vieja caja de madera donde se oía rebullir algo vivo, como reprendiendo a alguien:

—¡Quietos, a dormir! —decía.

—P... pero, ¿qué lleva ahí?

—Los bichos, claro.

—¿Qué bichos si no es mala pregunta?

—Los hurones. ¿Qué bichos quería vuesa merced que llevara?

Tenían un agudo hociquillo de rata y eran largos y delgados como culebras peludas. El señor Avelino se movía diligentemente y trataba a los hurones con deferencia, les dedicaba palabras dulces y afectuosas y, de cuando en cuando, escupía en la palma de la mano y dejaba que el bicho sorbiera la saliva con deleite. Y, cuando más de la mitad de las huras del bardo estuvieron cubiertas por los capillos, el señor Avelino introdujo dos hurones en dos bocas distantes entre sí y quedó un rato relajado, a la expectativa. Se produjo un tamborileo sordo, subterráneo, bajo el vivar:

—¿Los oye vuesa merced? Hay barullo dentro.

—¿Barullo?

—El bicho ya anda tras los conejos. Los achucha. ¿No los oye? A la postre no les quedará otro remedio que salir.

Apenas había acabado de hablar cuando saltó un

capillo con un conejo enredado en ella y don Segundo emitió un gruñido de satisfacción.

—Ya empezó la zarabanda —dijo.

Agarró la red, sacó el conejo, lo cogió por las patas traseras con la mano izquierda y con el canto de la derecha le propinó un golpe seco en la nuca y lo arrojó al suelo agonizante. El ruido de carreras se acentuaba en el subsuelo.

—Ojo. Hay conejos a carretadas —advirtió el señor Avelino.

Los conejos en fuga, enredados en los capillos, empezaron a saltar por todas partes. Don Segundo y su hija desenredaban los animales de las mallas y volvían a cubrir las huras. El ganadero se sentía un poco protagonista de la exhibición.

—¿Eh? ¿Qué le parece el espectáculo?

Pero Cipriano observaba ahora a Teodomira, su maña para sacrificar gazapos, el golpe letal en la nuca, la absoluta frialdad con que se producía.

—¿No siente usted pena por ellos?

Su mirada, tibia y compasiva, desvanecía cualquier sospecha de crueldad:

—Pena ¿por qué? Yo amo a los animales —sonreía.

Cazaron seis bardos y, de regreso, recogieron los sacos con el botín: noventa y ocho conejos. Don Segundo exultaba:

—Diez zamarros podría forrar vuesa merced de este envite. Treinta vellones no le harían mejor servicio.

Luego, después de la merienda, cuando Salcedo mecía a *la Reina del Páramo* en un columpio entre dos encinas, al costado de la casa, ella retozaba de risa y le rogaba que la impulsara más despacio, que no soportaba el vértigo. Pero él la lanzaba con todo el vigor de sus pequeños brazos musculosos. Y, en uno de aquellos envites, su mano resbaló de la tabla donde ella se sentaba y rozó sus nalgas. Se sorprendió. No era el cuerpo fofo que hacían presumir su tamaño y palidez, sino un cuerpo compacto que no cedió un ápice a su presión. Él se sintió turbado. También la muchacha parecía desconcertada: ¿lo habría hecho intencionadamente? Salcedo atendió, al fin, a sus súplicas y el vaivén del columpio se hizo más remiso. Entonces ella le habló con elogio de las ropillas aforradas y le confesó que había visitado varias veces la tienda de la Corredera de San Pablo. Salcedo sonreía abochornado. Le agradaba la rentabilidad del negocio pero jamás se vanaglorió de su idea que se le antojaba de una vulgaridad plebeya. Ante ciertas personas, incluso, se avergonzaba. Pero Teodomira, aprovechando el moderado balanceo del columpio, proseguía su retahíla: le agradaba, más que ninguno, el zamarro de piel de nutria pero no comprendía cómo se podía quitar la vida a un animal tan hermoso. Él le recordó el frío sacrificio de los conejos, mas la chica argumentó que había que distinguir entre los animales que servían al hombre para alimentarse y el resto. Él preguntó entonces si los animales útiles para abrigarse no merecían el mismo trato y ella arguyó que el hecho de matar por medio de asalariados, como él hacía, era aún más imperdonable que hacerlo por propia mano. Consideraba peor al inductor que al mero ejecutor. Cipriano Salcedo empezó a sentir un pueril regodeo con aquellas discusiones. Se dio cuenta que desde el colegio no había disputado con nadie. Que en la vida ni una sola persona le había dado beligerancia ni para eso. Entonces, cuando la muchacha dijo que amaba a los animales, en especial a las ovejas, que siempre sonreían, Salcedo, tan sólo por llevarle la contraria, mencionó al caballo y al perro, pero ella desechó sus preferencias: el perro era incapaz de amar, era egoísta y adulador; en cuanto al caballo era medroso y presumido, un animal tan suyo que estaba lejos de despertar afecto.

Salcedo volvió por el monte a la semana siguiente, con un zamarro de piel de nutria dos tallas superiores a la suya. Teodomira, que de nuevo había cambiado de indumentaria, agradeció el detalle. Luego dieron un paseo a caballo por el monte y hablaron de las cortas periódicas de los carboneros que a su padre le dejaban tanto dinero como las ovejas. *La Reina del Páramo* montaba a mujeriegas un feo caballo pío, *Obstinado*, que parecía una vaca. Salcedo le preguntó si había aprendido a montar en las Indias, pero ella le informó que el perulero era su padre, que ella había permanecido en Sevilla con una tía los diez años que don Segundo estuvo ausente. Entonces Cipriano le dijo que se le había contagiado la gracia de Andalucía y ella le miró tan reconocida con sus ojos color miel que él se turbó.

Cipriano Salcedo pasaba las noches inquieto. La escena del columpio, el recuerdo del contacto furtivo con el cuerpo de la muchacha le excitaban. Al día siguiente del hecho, apenas amaneció Dios, había corrido en busca del padre Esteban, al que había escogido, un tanto a ciegas, como confesor tras la triste separación de Minervina, hacía más de quince años:

233

—P... padre, he tocado el cuerpo de una mujer y he sentido placer.

—¿Cuántas veces, hijo, cuántas veces?

—Una sola vez, padre, pero no sé si hubo voluntad por mi parte.

—¿Es que no sabes siquiera si obraste deliberadamente o no?

—Fue una cuestión de segundos, padre. Yo le daba impulso en un columpio y mi mano resbaló o yo hice que resbalase. No salgo de mi duda. Ése es el problema.

—¿En un columpio? ¿Quieres decir, hijo, que la tocaste las posaderas?

—Sí, padre, exactamente las posaderas. Así fue.

En rigor su actitud no era nueva. El desahogo económico no había hecho sino exacervar la desconfianza en sí mismo. A pesar de los años transcurridos, seguía siendo el hombre roído por los escrúpulos y cuanto más acentuaba su vida de piedad más se recrudecían aquéllos. Había días de precepto que asistía a tres misas consecutivas agobiado por la sensación de haber estado distraído en las anteriores. Y, en una ocasión, abordó a un hombre maduro que había entrado en la iglesia después de la Elevación y le hizo ver la inutilidad de su acto. Procuró advertirle con tiento para no herirlo, pero el hombre se alborotó, que quién era él para dirigir su conciencia, que no admitía intromisiones de petimetres insolentes. Entonces Cipriano Salcedo le pidió perdón, reconoció que, de no haber intervenido, se hubiera sentido responsable de su pecado y que su advertencia, aparentemente impertinente, venía inspirada en el deseo de salvar su alma. Fuera de sí, el aludido le agarró por el jubón y le zamarreó y, en el momento cumbre de su irritación, blasfemó contra Dios. Cipriano había acudido al padre Esteban desolado:

—Padre, me acuso de que un hombre ha blasfemado por mi culpa.

El cura le escuchó con atención y le hizo ver los límites del apostolado, el respeto a la conciencia ajena, pero él observó que en el colegio había aprendido que no sólo debemos esforzarnos por salvarnos a nosotros mismos, un acto egoísta al fin y al cabo, sino por ayudar a salvarse a los demás. El padre Esteban únicamente le advirtió que era cristiano amar al prójimo pero no humillarle ni agredirle.

También el negocio de los zamarros fue ocasión de problemas de conciencia para Salcedo. En estas cuestiones de equidad solía buscar el asesoramiento de don Ignacio, su tío y tutor, hombre religioso, de buen criterio. La cláusula de dar preferencia a las viudas en la elección de costureras para el taller venía dictada por el hecho de que las viudas elevaban el índice de pobreza de la villa y mucha gente se aprovechaba de ello para explotarlas. Cipriano no hacía más que darle vueltas a la cabeza. Así un día se levantaba de la cama con la obsesión de que había que subir el precio de los pellejos a los tramperos o el salario de los curtidores. Su tío hacía números, sumaba, restaba y dividía, para llegar a la conclusión de que, dados los precios del mercado en la región, estaban bien pagados. Mas Cipriano no transigía, él ganaba cien veces más que sus operarios y con la mitad de esfuerzo. Su tío procuraba calmarle haciéndole ver que él exponía y ellos no, que lo suyo era en definitiva la remuneración del riesgo. Llegados a este extremo,

Cipriano acallaba los reproches de su conciencia dando pingües limosnas al Colegio de los Doctrinos, que acababa de instalarse en la villa, a instituciones piadosas o, sencillamente, a los pobres, lisiados o bubosos, que paseaban sus miserias por las calles de la ciudad.

Sin embargo, Cipriano Salcedo siempre aspiraba a un perfeccionamiento moral. Recordaba el colegio con nostalgia. Le dio por las homilías y sermones. Buscaba en ellos preferentemente el fondo de los temas pero también la forma. Hubiera pagado una buena suma por una bella exposición de un problema religioso importante. Pero, cosa curiosa, Salcedo procuraba rehuir las pláticas conventuales. Sus preferencias iban por los curas seculares, no por los frailes. En esta nueva búsqueda influyó de manera determinante el jefe de su sastrería, Fermín Gutiérrez que, en concepto de Dionisio Manrique, era un meapilas. Pero el sastre distinguía a los oradores cautos de los ardientes, a los modernos de los tradicionales. Así se enteró Salcedo de la existencia del doctor Cazalla, un hombre de palabra tan atinada que el Emperador, en sus viajes por Alemania, lo había llevado consigo. No obstante, Agustín Cazalla era vallisoletano y su regreso a la villa provocó un verdadero tumulto. Hablaba los viernes, en la iglesia de Santiago llena a rebosar, y era un hombre místico, sensitivo, físicamente frágil. De flaca constitución, atormentado, tenía momentos de auténtico éxtasis, seguidos de reacciones emocionales, un poco arbitrarias. Mas Cipriano le escuchaba embebido, lo que no impedía que a su vuelta a casa le invadiera una cierta desazón. Analizaba su alma pero no hallaba la causa de su inquietud. En general, seguía las homilías de Cazalla, medidas de entonación, breves y bien construidas, con facilidad y, al concluir, le quedaba una idea, sólo una pero muy clara, en la cabeza. No era, pues, la esencia de sus sermones la causa de su desasosiego. Ésta no estaba en lo que decía, sino tal vez en lo que callaba o en lo que sugería en sus frases accesorias más o menos ornamentales. Recordaba su primera homilía sobre la redención de Cristo, sus hábiles juegos de palabras, el subrayado de un Dios muriendo por el hombre, como clave de nuestra salvación. De poco valían nuestras oraciones, nuestros sufragios, nuestros rezos, si olvidábamos lo fundamental: los méritos de la Pasión de Cristo. Lo evocaba, en lo alto del púlpito, los brazos en cruz, tras un silencio teatral, recabando la atención del auditorio.

La gente abandonaba el templo comentando las palabras del Doctor, sus ademanes, sus silencios, sus insinuaciones, pero don Fermín Gutiérrez, más agudo e informado, siempre aludía al fondo erasmista de sus pláticas. Cipriano pensó si no sería este fondo lo que le inquietaba. En una de sus visitas periódicas a su tío Ignacio le preguntó por Cazalla. Don Ignacio le conocía bien pero no le admiraba. Había nacido a principios de siglo, en Valladolid, hijo de un contador real y de doña Leonor de Vivero, en cuya casa, viuda ya, vivía actualmente. En su tiempo se había tenido a los Cazalla por judaizantes y don Agustín había estudiado Artes, con mucho aprovechamiento, en el Colegio de San Pablo, con don Bartolomé de Carranza, su confesor. Más tarde se graduó de maestro el mismo día que el famoso jesuita Diego Laínez. Diez años después, el Emperador, seducido por su oratoria, le nombró predicador y capellán real. Viajó con él varios años por Alemania y Flandes y ahora acababa de instalarse en Valladolid, después de pasar unos meses en Salamanca. Don Ignacio Salcedo le tenía por empinado y fatuo.

—¿Fatuo Cazalla? —inquirió Cipriano perplejo.

—¿Por qué no? A mi juicio Cazalla es hombre de grandes palabras y pequeñas ideas. Una mezcla peligrosa.

La opinión de su tío no le satisfizo. Le había sorprendido que, tras la exposición objetiva de su vida, don Ignacio hubiera rematado la semblanza con aquellas palabras despectivas: *empinado* y *fatuo*. ¿Cómo podía serlo aquella personilla oscura, delicada, que parecía ofrecerse en holocausto cada vez que subía al púlpito? Se lo dijo a su tío tras una pausa.

—No me refería a las apariencias —replicó éste—. Una cabeza organizada en una naturaleza flaca, eso es lo que me parece el doctor Cazalla. Tengo para mí que el Doctor esperaba del Emperador una distinción honorífica que nunca ha llegado. He ahí la causa de su despecho.

Cipriano Salcedo se confió:

—Disfruto escuchándole —dijo— pero, al cabo de un tiempo, sus palabras me dejan un regusto áspero, como de ceniza.

Don Ignacio miraba a su sobrino con aire dominante:

—¿No será que plantea problemas que no resuelve?

Esta frase de su tío, formulada como al desgaire, le produjo mucho efecto. Éste era el doctor Cazalla. Su aproximación cautelosa a los grandes problemas despertaba la atención del auditorio, pero el orador, en palabras cada vez más próximas al meollo del asunto, no terminaba de afrontarlos. Dejaba las soluciones en el tintero. Quizá lo hacía adrede o le faltaba convicción.

En su siguiente viaje a La Manga habló con Teodomira y su padre sobre el nuevo predicador. Teodomira no había oído hablar de él y don Segundo desconfiaba de las nuevas voces. El mundo, para él, estaba lleno de salvadores que, en el fondo, eran unos consumados herejes. La gente, especialmente los frailes, se erigían en teólogos, pero eran teólogos de pacotilla, sin ninguna preparación. Cipriano le hizo ver que Cazalla no era fraile, incluso que evitaba los conventos para exponer su doctrina, pero don Segundo le advirtió que eso no constituía ninguna garantía, que seguramente no pasaba de ser una táctica. Salcedo le miraba, miraba su cachucha que no se sacaba de la cabeza ni en el interior de la casa, los bordes sudados, de un color marrón desvaído, y no veía en él a un serio antagonista de Cazalla. El señor Centeno era un ser primario y, como toda persona elemental, dispuesto a juzgar sin conocimiento. Pero, pese a todo, ahora que habían empezado los fríos y las lluvias, Cipriano se encontraba a gusto en el salón de la casa de adobe, con el fuego crepitando en la chimenea, sentado en la dura tabla del escañil. *La Reina del Páramo* se sentaba todos los días en la misma silla de mimbre. Y él veía en ella, siempre una labor entre manos, una mujer hogareña, equilibrada y de buen juicio. Los días de precepto montaba a *Obstinado* y marchaba a Peñaflor a misa de once. Entre semana no tenía ocasión de fomentar su vida de piedad pero rezaba a Nuestro Señor al acostarse y levantarse. Cipriano la escuchaba con agrado. Cuando hablaba Teodomira sentía una gran paz interior. Aquella muchacha, sobrada de peso, era la encarnación de la serenidad. Y su voz, de inflexiones acariciadoras, le producía una sensación de inmunidad como no había conocido hasta entonces. Pero lo que sorprendió más a Cipriano fue el descubrimiento de Teodomira como hembra, el hecho de que la muchacha, al tiempo que sosiego, le produjera una viva excitación sexual. La tarde del columpio y su confesión inmediata revelaban que el placer que había sentido al tocar sus nalgas lo consideraba un placer prohibido. El recuerdo de este hecho le indujo a estimar su volumen desde otro punto de vista. Recordaba su breve aventura con Minervina, la analizaba, y concluía que aquello había sido una reminiscencia de infancia. Minervina no le había dado el ser pero le había criado y él, instintivamente, había visto en ella la razón de su vida y a esa razón se había abrazado al volver a verla. No había habido otra cosa. Sin embargo ahora se daba cuenta de que aquella criatura demasiado leve no era precisamente lo que un hombre precisaba, que la pasión carnal requería obviamente carne como primer ingrediente. De ahí que la paz interior, la calma que *la Reina del Páramo* le imbuía se viese acompañada, a veces, de una lascivia reprimida, un ardiente deseo que cada vez le asaltaba con mayor exigencia. Esta mezcla de paz, seguridad y deseo empujaban a Cipriano Salcedo cada vez más frecuentemente al monte de La Manga. La familiaridad de *Relámpago* con el camino le llevaba a desplazarse en poco más de una hora. Y aquel invierno frío y lluvioso no amilanaba a Salcedo. Sus calzas de piel y su zamarro forrado de nutria, como el que regaló a Teodomira, le ponían a cubierto de cualquier veleidad climática. Luego pasaban la tarde en la casa o salían de paseo a ver volar los bandos de palomas torcaces o las becadas, recién llegadas del norte. Mientras, las dos chicas de Peñaflor les preparaban la merienda para las seis. Ordinariamente, don Segundo no aparecía por la casa hasta esa hora, después de encerrar a las ovejas en los establos. Entonces, el señor Centeno terciaba en la conversación, contaba las peripecias del día y volvía una y otra vez a su vieja obsesión: el zamarro de piel de conejo. Cipriano le llevaba la corriente y, a su vez, le insinuaba la posibilidad de hacerse cargo del transporte de sus vellones desplazando a los moriscos de Segovia. Una cosa por la otra, condicionaba. Don Segundo se rascaba dubitativo la cabeza, pero su ilusión por entrar en el negocio de los zamarros terminó por imponerse:

—Está bien —le dijo una tarde—, yo le cedo el transporte y la venta de mis vellones y vuesa merced firma conmigo una comandita para explotar el conejo para zamarros y ropillas aforradas. Va en interés de los dos.

—De acuerdo —respondió Salcedo.

Y en el acto firmaron el trato, según el cual don Segundo Centeno, nacido en Sevilla y residente en Peñaflor de Hornija, cedía el transporte y venta de los vellones de diez mil ovejas, de su propiedad, a don Cipriano Salcedo, doctor en Leyes y terrateniente en Valladolid, y, al propio tiempo, ambos acordaban explotar las pieles de tres mil conejos procedentes del monte de La Manga, que don Segundo se comprometía a suministrar anualmente a don Cipriano para su utilización en el negocio de zamarros y ropillas aforradas de acuerdo con los precios del mercado.

Después de firmar, don Segundo puso sobre la mesa una jarra de vino de Cigales y los tres brindaron por el buen éxito de la empresa. Esa noche, Cipriano Salcedo cenó en La Manga y pernoctó en Villanubla, en la fonda de Florencio. La noticia de la compra de conejos sorprendió a Estacio del Valle, quien le hizo ver que el zamarro forrado de piel de conejo no constituía ninguna novedad. En Segovia los fabricaban los moriscos y, en el Páramo, los utilizaban los pastores y labrantines desde tiempo inmemorial. Salcedo, que no había firmado los tratos pensando en incrementar su fortuna, replicó que eso no importaba, que el negocio consistía en hacerlo mejor y más barato que la competencia y ganarle por la mano. Cipriano se acostó con la sensación adventicia de que la firma de los contratos le otorgaba algún derecho sobre Teodomira. Y cuando *Relámpago* le trasladó al monte a la mañana siguiente y se vio a solas con la muchacha encarando el fuego del hogar, la atrajo hacia sí y la besó en la boca. Tenía unos labios gruesos, duros y absorbentes y Cipriano se sintió sumergido en un indecible mar de placer, pero, cuando pensaba que aquello no tenía más que una salida lógica, Teodomira se levantó enojada del escañil y manifestó que ella también estaba enamorada de él, le quería, pero que cada cosa a su tiempo y que lo primero de todo era que su tutor visitara a su padre, hablaran y acordaran las capitulaciones y, si se terciaba, llegar al matrimonio. Cipriano conservaba en la punta de los dedos la sensación de firmeza de sus pechos, no inferior a la de sus nalgas, y, entonces, aceptó sus condiciones. Carecía de experiencia amorosa y se rindió. Se dio cuenta de que el acceso a *la Reina del Páramo* era un proceso paulatino que exigía una serie de requisitos previos.

Esa misma tarde visitó a sus tíos y les anunció su propósito de contraer matrimonio. La tía Gabriela se mostró interesada en el tema:

—¿Puede saberse quién es la afortunada?

Cipriano vaciló. No sabía por dónde empezar. Advirtió que se había presentado ante sus tíos precipitadamente, sin preparar su discurso.

—U... una chica del Páramo —dijo al fin—. Vive en el monte de La Manga, en Peñaflor. Su padre es perulero.

—¿En el Páramo? ¿Un perulero? —La tía arrugaba la nariz.

Pensó él que quizá sus palabras serían más eficaces si fingía compartir su extrañeza, si desde el principio exponía la realidad tal como era, incluso caricaturizándola:

—Es perulero —añadió— y no se quita la cachucha de la cabeza ni para dormir. Es hombre rústico pero con posibles. En realidad él no sabe nada de lo nuestro, pero me estima. Ayer firmamos un trato para fabricar zamarros aforrados de piel de conejo, que es lo que perseguía.

La tía Gabriela le miraba como a un bicho raro, como si estuviera bromeando, mientras el tío Ignacio le escuchaba sin osar intervenir. Tal vez necesitaba más datos para emitir un juicio. Añadió Cipriano:

—Ella no tiene formación alguna. El único oficio que conoce es el de esquiladora. Lo hace más rápidamente que los pastores y ellos la distinguen por el apodo de *la Reina del Páramo*. A lo largo de su vida ha esquilado millares de ovejas sin rasgar un solo vellón.

Era el suyo un lenguaje abstruso para su tía que le miraba cada vez más perpleja. El tío Ignacio esbozó una sonrisa:

—Y ¿qué piensa hacer el bueno del perulero si tú le quitas la esquiladora? —apuntó con innegable lógica.

—Bueno, eso es cuenta suya. Él habrá hecho sus cálculos, supongo, pero por casar a su hija es posible que diera toda su fortuna. Yo, por mi parte, estoy enamorado. No sé bien qué significa esta palabra pero creo estar enamorado puesto que a su lado encuentro al mismo tiempo sosiego y excitación.

El tío Ignacio carraspeó:

—Casarse es quizá el paso más importante en la vida de un hombre, Cipriano. Y el amor algo más que sosiego y excitación.

Se hizo un silencio. Cipriano parecía reflexionar. Al cabo precisó un extremo importante:

—Él es perulero y, como buen perulero, ahorrador y tacaño. Viste de harapos y mata las liebres a garrotazos para poder comer carne al día siguiente. De ordinario almuerza olla y cena berza. Pero ella no es perulera. Y cuando su padre marchó a las Indias, hace diez años, se quedó a vivir con una tía en Sevilla. Es una muchacha educada, lo único que me detiene es su tamaño, tal vez desproporcionado para mí.

Ahora era doña Gabriela la que no quería hablar;

no podía hacerlo sin herirle. El oidor volvió a carraspear; sentía compasión de su sobrino:

—¿No oíste nunca hablar de la atracción de los contrarios?

—No —confesó Cipriano.

—A veces uno se enamora de lo que no tiene y a su pareja le ocurre otro tanto. El hombre pequeño casado con mujer grande es un ejemplo de libro. Hay factores que lo justifican.

Cipriano se interesó:

—Y en mi caso ¿cuál puede ser?

El tío Ignacio estaba lanzado:

—En tu caso, puedes haber visto en ella a la madre que no llegaste a conocer.

—Y ¿tiene que ser necesariamente grande?

—Es un nuevo dato, Cipriano. En la madre, el niño busca amparo, y es difícil que lo encuentre en otra persona físicamente más débil que él. Esa muchacha puede muy bien significar para ti el escudo protector que no tuviste en la infancia.

—Pero ella dice que me quiere. ¿Qué puede moverle a ella?

—La mutua atracción hombre pequeño-mujer grande es un hecho estudiado, no es ninguna novedad. Lo mismo que tú buscas en ella protección, ella busca en ti alguien a quien proteger. Opera en la mujer el instinto maternal. El instinto maternal no es más que eso, intentar ayudar a un ser más desvalido que ellas.

Doña Gabriela, que iba poco a poco digiriendo la desagradable novedad, no pudo contenerse:

—Pero, querido, ¿es tanta la diferencia?

—Demasiada, tía. Digamos ciento sesenta libras contra mis ciento siete.

Se hundía en un mar proceloso. Hablar era lo único que la sostenía:

—Y ¿cómo es, Cipriano?, ¿es hermosa?

—Yo no emplearía esa palabra aunque quizá lo sea. Su tez es blanca y su rostro demasiado grande para sus discretas facciones. Únicamente su mirada es especial, tierna, incitante. Unos ojos color miel que cambian de matices con la luz. Unos ojos bellísimos. Luego están su boca montaraz y la calidad de su carne; su tamaño y su blancura te inducirán a pensar en una mujer blanda cuando es todo lo contrario.

Cipriano se sofocó. De improviso se dio cuenta de que sus palabras habían ido demasiado lejos, venían a desvelar un conocimiento prematuro de su novia. Pensó que su tía iba a decirle algo al respecto pero su tía pensó lo que él pensaba y se desvió hábilmente por otro registro:

—¿Cómo se llama?

—Teodomira —dijo él.

—¡Dios mío! Es horrible —doña Gabriela no se pudo contener y se llevó sus cuidadas manos a los ojos. Terció el tío Ignacio:

—Esos detalles carecen de importancia.

La tía sonrió como si se excusase:

—Podemos llamarla Teo —dijo—. Eso no compromete a nada.

Prosiguió la conversación en una atmósfera tirante, donde ninguna de las partes se plegaba. Pero el sentido común de Ignacio Salcedo se fue imponiendo. Lo fundamental era estar seguro de su enamoramiento. En consecuencia, lo prudente sería esperar un par de meses antes de tomar una determinación.

El 17 de febrero, un día abierto y azul, de primavera anticipada, se cumplió el plazo. Vicente, el criado, limpió y preparó el coche la víspera para trasladar a La Manga a su amo con el tío Ignacio. Doña Gabriela prefirió no asistir. No teniendo Teo madre, le parecía improcedente su presencia. En realidad le asustaba. Cipriano, con traje de brocado y seda de ricos bordados y una presea pinjante en la pechera del jubón, pasó por la casa de su tío a recogerle. El oidor de la Chancillería, con mangas folladas y jubón de raso carmesí, parecía arrancado de un cuadro, lo que indujo a Cipriano a pensar en los atuendos que encontraría en La Manga. Después de orillar los bogales del camino, conforme a su experiencia, el carruaje se detuvo ante la puerta de la parra junto al pozo. No había nadie en los alrededores. Hasta los perros y los gansos habían sido recogidos y Cipriano no reconoció a Octavia, la criada de Peñaflor, con toca y saya, cuando le abrió la puerta. En el salón, sentado junto al fuego, en una butaca de mimbre, como en un trono, esperaba don Segundo Centeno. Se había arreglado pelo y barba y había sustituido la carmeñola por una media gorra azul fuerte. Cipriano respiró hondo al advertir el cambio desde la puerta. Pero, cuando don Segundo se puso en pie para saludar a su tío, un golpe de sangre le subió al rostro al advertir las calzas acuchilladas que vestía, una prenda que los lansquenetes habían puesto de moda en España seis lustros atrás. Ofrecía un aspecto extravagante que se diluyó pronto en su naturalidad pasmosa, una naturalidad que se resentía por su empeño en utilizar palabras que no le eran habituales. La ceremonia prosiguió con la aparición de Teodomira con un atuendo no menos impropio: una saya negra de cola corta, que trataba de escamotear su cuerpo, con un manto de burato de seda. Su físico resultaba un poco excesivo en todo caso. El propio tío Ignacio, de estatura media, era ligeramente más bajo que ella. Pero lo más curioso de todo eran aquellos cuatro personajes, envarados en sus atuendos festivos, moviéndose en la modesta sala, con fuego de leña, como en un escenario teatral.

Don Segundo mostró con orgullo sus posesiones a su huésped y le habló después de los tratos firmados con su sobrino que esperaba *redundaran* en beneficio mutuo. Más tarde abordó el tema de la vida en el campo de cuyas ventajas hizo don Segundo un canto exaltado. Apreció en su justo valor que don Ignacio fuese oidor de la Chancillería y ambos acordaron firmar las capitulaciones matrimoniales después del almuerzo, en ausencia de los interesados.

Al sentarse a la mesa, la fuerza de la costumbre se impuso a la urbanidad y don Segundo Centeno despachó la empanada de cordero y los huevos con espinacas con la gorra puesta y únicamente se la quitó al advertir los escandalizados aspavientos de su hija al servir Octavia los entremeses fritos. Al fin, bien comido y bien bebido, don Segundo quedó un momento inmóvil, congestionado el rostro, las manos sobre el vientre, hasta que soltó un regüeldo que él mismo coreó con un *salud* de alivio y un refrán que venía a exaltar una vez más las virtudes del campo sobre la ciudad y la excelencia de su comida.

—En las casas de postín ya sabe vuesa merced: mucho lujo, mucho boato y poca tajada en el plato.

Cuando quedaron solos, don Segundo adoptó hacia don Ignacio un tratamiento más ceremonioso aún: *señor oidor* o *don Salcedo*, le llamaba. Daba la impresión de haber estudiado el tema y que estaba dispuesto a casar a la muchacha aunque tuviera que desprenderse de su cachucha. Por su parte, el oidor, abrumado por la elementalidad del ganadero, deseaba dar la puntilla a una reunión que, desde su llegada, le había resultado incómoda. De acuerdo con sus deseos las capitulaciones fueron firmadas sin objeciones. Don Segundo Centeno dotaría a su hija Teodomira con la friolera de mil ducados y don Ignacio Salcedo entregaría a don Segundo Centeno, en concepto de arras, la cantidad de quinientos. A partir de este momento, don Segundo empezó a levantar la voz y a golpear en la espalda a don Ignacio, como viejos camaradas, cada vez que abría la boca. Daba la impresión de que la cifra anunciada por la *compra* de su hija le había sorprendido favorablemente. Otro tanto le había acontecido al oidor con la de la dote. Don Segundo no era, al parecer, un tacaño impenitente. Convenido en estos términos el contrato matrimonial, don Segundo puntualizó, como algo que no admitía vuelta de hoja, que la boda se celebraría en la iglesia parroquial de Peñaflor de Hornija, si *don Salcedo* no tenía nada que oponer, el 5 de junio a las nueve de la mañana. Y el *banquete,* que, dadas sus escasas relaciones, sería un acto familiar, en el patio delantero de su casa de labranza, junto a las teleras que constituían su mundo. Don Ignacio dio su asentimiento, pero, una vez en el coche, camino de Villanubla, entre dos luces, intentó hacer ver a su sobrino la disparidad de las partes:

—Una pregunta, Cipriano. ¿Tu suegro se deja la barba o no se afeita? Parece lo mismo pero no es lo mismo.

Cipriano rompió a reír. El clarete de Cigales había hecho su efecto y la reacción de su tío le divertía:

—H... hoy estaba hecho un figurín —dijo—. Me gustan sus calzas de lansquenete. Espero que la tía pueda apreciarlas el día de la boda.

El tono irónico de su sobrino le desarmó. Había subido al coche con la esperanza de hacerle reflexionar ya que, a su juicio, las dos familias eran inconciliables. Lo dijo así, pero Cipriano le respondió que a él no le afectaban esos prejuicios burgueses. Cruelmente, don Ignacio aludió a su futura diciendo que aquella muchacha era algo más que un prejuicio burgués, pero Cipriano zanjó la cuestión arguyendo que para juzgar a Teo no era suficiente un almuerzo. En un último esfuerzo desesperado, el oidor le preguntó si aquella atracción que decía sentir hacia la hija de *el Perulero* no sería un simple *mal de amores*:

—¿Mal de amores? Y ¿eso qué es?

—Un deseo carnal que se impone a todo razonamiento —declaró el oidor.

—Y ¿es, por casualidad, una enfermedad?

La línea del Páramo se incendiaba a poniente y, a contraluz, se agigantaban las encinas del trayecto.

—No lo tomes a broma, Cipriano. Tiene su diagnóstico y su tratamiento. Podrías visitar al doctor Galache, no digo para que te medique sino simplemente para mantener con él una conversación.

Cipriano Salcedo acentuó su sonrisa. Puso su pequeña mano sobre la rodilla de su tío.

—Por ese lado puede vuesa merced estar tranquilo. No estoy enfermo, no padezco *mal de amores* y voy a casarme.

El día 5 de junio, en la iglesia de Peñaflor, adornada con flores silvestres, se celebró el tan controvertido enlace. No pudo asistir doña Gabriela, aquejada de repentina indisposición, pero sí don Ignacio, Dionisio Manrique, el sastre Fermín Gutiérrez, Estacio del Valle, el señor Avelino, el bichero de Peñaflor, Martín Martín y los pastores de don Segundo en Wamba, Castrodeza y Ciguñuela. El banquete nupcial, en el patio de la casa grande, resultó muy animado y, tras los postres, don Segundo, con sus calzas acuchilladas y su media gorra a la cabeza, se subió torpemente a la mesa y pronunció un discurso sentimental que subrayó dando vivas a los novios, al señor cura y al acompañamiento, y remató con un nervioso zapateado.

De regreso, se produjo el primer rifirrafe entre los recién casados. Teodomira se empeñaba en bajar a *Obstinado*, su caballo pío, a Valladolid y Cipriano le preguntó que qué pito iba a tocar un penco tan innoble en la Corte. *La Reina del Páramo* le replicó fuera de sí que si *Obstinado* no bajaba ella tampoco y, en ese caso, diera por no celebrado el casamiento. Aún trató de resistirse Cipriano pero, en vista de la intransigencia de su cónyuge, terminó cediendo. Vicente, el criado, bajó montando a *Obstinado* y ellos dos en el coche, a la rueda del de don Ignacio.

Ya en casa, tras saludar al servicio, Cipriano llevó a cabo la prueba para la que venía preparándose durante los dos últimos meses. Tomó en sus bracitos musculados a la que por ley era ya su esposa, empujó con el pie la puerta del dormitorio, avanzó con ella hasta el lecho nupcial y la depositó suavemente sobre el gran colchón de lana de La Manga que *el Perulero* les había regalado. Teodomira le miraba con sus redondos ojos de asombro:

—Tú das el pego, chiquillo. ¿Es posible saber de dónde sacas esas fuerzas? —preguntó.

IX

Los primeros meses de matrimonio fueron gozosos y apacibles para Cipriano Salcedo. Teodomira Centeno, que había pasado a llamarse Teo, desayunaba en la cama a las diez de la mañana, se arreglaba y bajaba un rato a la tienda. Algunas tardes daba un paseo con *Obstinado* hasta Simancas o Herrera o subía un rato a La Manga a ver a su padre. Cipriano, consciente de que el penco de su esposa no era de recibo en la Corte, le regaló un potrillo alazán, de hermosa presencia, que la hija de *el Perulero* rechazó toda alborotada, alegando que prefería su caballo de toda la vida que aquel pura sangre lleno de pretensiones. *La Reina del Páramo* tenía esos prontos. Era de buen conformar pero, de improviso, por cualquier nadería, le agarraba como una sofocación y, entonces, desvariaba, gritaba y se volvía irascible y agresiva. Él le echaba en cara que únicamente le movía el afán de llevar la contraria y ella que Cipriano se avergonzaba del paso que había dado, pero que, al tomarla por esposa, debía aceptarla con todas las consecuencias. De nuevo Cipriano tuvo que transigir y, en lo sucesivo, cada vez que salían de paseo a caballo, lo hacían por trayectos diferentes y, si se trataba de visitar a don Segundo, Teo le esperaba con su caballo manchado en la ribera opuesta del Puente Mayor, donde se reunían. Bastaron unas semanas para que Cipriano advirtiera una cosa importante: había ordenado su vida al margen de la indolencia de Teo y de los accesos de humor colérico que empezaba a observar en su conducta. Mas como los viajes a La Manga no eran frecuentes, Cipriano pudo dedicar las mañanas al almacén y las tardes al taller, mientras en casa ocupaba el tiempo libre en contestar el correo y la lectura. Apenas lo había hecho a raíz de abandonar el colegio, cuando tropezó con la gran biblioteca de su tío, pero ahora, ya instalado en el hogar, había vuelto a la vieja costumbre. Después del viaje nupcial por Ávila y Segovia, ciudades que Teo desconocía, a Cipriano empezó a urgirle la visita a Pedrosa por donde hacía dos años que no pisaba. Martín Martín apenas le había facilitado algunas novedades en Peñaflor, el día de la boda, tal que don Domingo, el viejo párroco que le ayudara a conseguir el título de hidalgo, había fallecido y que los pagos del arroyo de Villavendimio, que había incorporado a su finca para reforzar la solicitud, daban más cardos que uvas. Al parecer la cosecha presente entraba en los niveles de normalidad pero, así y todo, las rentas de los dos últimos años no había sido fácil cobrarlas. Y, guiado por la máxima de que el ojo del amo engorda al caballo, Cipriano había decidido visitar Pedrosa con asiduidad.

En el aspecto sexual, su matrimonio funcionaba. La evidente pereza de Teo no le afectaba. Nunca trató de comprar una criada ya que Crisanta y Jacoba se bastaban para atender el cuerpo de casa y Fidela cumplía con su obligación en la cocina. Teo había llegado, pues, a la Corredera de San Pablo 5 como una señora. Otra cosa era que su vida conyugal se mantuviera alejada de la impaciencia y el rijo propios de los nuevos esposos. Al decir de Crisanta, la doncella, daba la impresión de que el amo y la señora Teo llevaban doce años casados. Pero esto, que era cierto de puertas afuera, de puertas adentro no se ajustaba a la verdad. Cipriano, al tiempo que el amor carnal, iba descubriendo en Teo sorprendentes peculiaridades, como la absoluta falta de vello de su cuerpo. Las carnes blancas, prietas y apetecibles de su esposa eran totalmente lampiñas y el pelo no aparecía ni en aquellas zonas que parecían exigirlo: las axilas y el pubis. La primera vez que la vio desnuda a duras penas pudo dominar su perplejidad, pero este hecho que, en principio, le sorprendió se fue convirtiendo con el tiempo en un nuevo aliciente. Poseer a Teo, se decía, era como poseer a una Venus de mármol llena de agua caliente. Porque Teo podía ser blanca y robusta pero no fría. En sus juegos lascivos él la llamaba *Mi Estatua Apasionada*, sobrenombre que a ella no parecía incomodarla. En cualquier caso, Teo se comportaba como una hembra cálida, experta, poco melindrosa. Sus ágiles manos de esquiladora jugaban un papel importante en el amor. Desde el primer día aprendió a buscarle a oscuras *la cosita* y, cuando la encontraba, prorrumpía en grititos de admiración y entusiasmo. De esta manera, como no podía ser menos, *la cosita* se erigió en eje de la vida íntima del matrimonio. Pero una vez hallada, Cipriano asumía la parte activa de la conquista, forcejeaba por encaramarse a ella, casi inabordable, y, ya en lo alto, retozaba, perdido en la generosa orografía de Teo, tan dura y maciza como había colegido tras los furtivos contactos del noviazgo. Teo se transformaba de pronto en el *Obstinado* y él, gustosamente, lo cabalgaba. Pero a su cuerpo le faltaba piel, superficie para poseerla íntegramente y, en su defecto, también sus pequeñas manos debían entrar en acción. Ella le sentía sobre sí como un fruitivo parásito, le recibía gozosa y, en el momento culminante de la posesión, se atragantaba en un risoteo descarado y salaz que desconcertó a Cipriano el primer día pero que llegó a constituir, con el tiempo, la apoteosis de la fiesta carnal. Era el acompañamiento sonoro de su orgasmo.

Hacer gozar a una mujer tan grande halagaba la vanidad del pequeño Cipriano. Y cuando ella, momentos antes del risoteo, exclamaba en pleno paroxismo: «¡arremetes como un toro, chiquillo!», él, que por razones obvias había detestado siempre los diminutivos, aceptaba el cálido *chiquillo* como un homenaje a la agresividad del macho. Mas no faltaban noches en las que Teo, fatigada o desganada, permanecía pasiva en la cama, no hacía por *la cosita*, y entonces Cipriano aguardaba expectante, pero la búsqueda no llegaba a producirse, con lo que se veía obligado a tomar la iniciativa en frío y, tras unos minutos de impaciente espera, empezaba a gatear por el costado de su esposa a la conquista de las protuberancias protectoras. Ella fingía soportar su asedio pero, cuando le notaba encaramado sobre ella, susurraba incitante:

—¿Qué buscas, mi amor?

La pregunta era la señal para que el consabido juego de cada noche comenzase, bien que por otro punto distinto. En cualquier caso, tras los reiterados actos de amor, Teo quedaba desfallecida, el brazo izquierdo abandonado sobre la almohada, separado del cuerpo, y Cipriano, anheloso siempre de un hueco protector, acabó acostumbrándose a recostar su pequeña cabeza en la axila cálida y pelona de Teo y, en este seguro refugio, a quedarse dormido.

En aquellos bochornosos días del primer verano de casados, Cipriano hizo otro sorprendente descubrimiento: Teo no sudaba. Pasaba calor, se sofocaba, se cansaba, pero sus poros no se abrían. Ante un fenómeno tan inexplicable, la actitud de Cipriano se hizo aún más reverencial. Su viva aversión hacia las axilas sudadas, hacia la sobaquina, no rezaba con su esposa. Ni en el caluroso viaje de novios, en las recalentadas pensiones, ni en sus paseos por las viejas ciudades Teo sudaba, en tanto la reducida anatomía de Cipriano, con escasas grasas que quemar, se derretía como la manteca bajo las altas temperaturas. En principio él atribuyó la anomalía a algún motivo adventicio, pero Teo le sacó de dudas:

—Ni después de pelar al sol cien corderos me ha caído de la frente una gota de sudor.

Fue otra novedad que avivó la sexualidad de Salcedo. Él buscaba una razón para explicarla y, finalmente, creyó haberla encontrado: la ausencia de sudor y de vello eran manifestaciones de un mismo fenómeno. Las carnes prietas de Teo no florecían porque les faltaba riego. A pesar de esto, a pesar de todo, Cipriano, durante el primer año de su matrimonio, lejos de considerar defectos estas rarezas, las consideraba acicates, estímulos libidinosos. También Teo, por su parte, hacía descubrimientos extraordinarios

257

en el cuerpo de su marido. Cipriano no solamente era un ser humano bello, aunque reducido y musculado, sino, contrariamente a ella, excepcionalmente velludo. El vello no sólo crecía en abundancia en las axilas y en el pubis sino en los lugares menos propicios para albergar folículos, como los pies, los hombros o la cintura. Ante tamaña muestra de masculinidad, ella, algunas noches, tras su risotada explosiva, exclamaba fuera de sí:

—Me enloqueces, chiquillo. Tienes más pelos que un mono.

Cipriano, que gustaba de las carnes duras, lisas, sin accidentes de su esposa, pensaba: la atracción de los contrarios. Mas entre esta exclamación de Teo y su demostración muscular de la primera noche, se sintió valorado, distinguido como macho, lo que contribuyó a crear entre ambos una saludable reciprocidad. Ella parecía satisfecha de él y él, *Obstinado* aparte, satisfecho de ella.

Temerosos de que la tía Gabriela dejase enfriar sus relaciones, invitaban a los tíos con alguna asiduidad, de modo que, transcurridos ocho meses desde la boda, Gabriela, tan bien educada como bien vestida, charlaba y se divertía con Teo como con cualquier amiga de la villa. Más si cabe, puesto que su sobrina política la trasladaba a un mundo desconocido, el mundo del campo y del trabajo, en el que todo constituía para ella una novedad: la higiene personal, los pequeños ritos, la convivencia con los animales. No asimilaba, por ejemplo, que una manada de gansos resultara más eficaz que los mastines para la guarda de la casa, como Teo aseguraba. Los *patos*, para la tía, eran animales domésticos carentes de agresividad.

Gabriela le preguntaba por sus vestidos, los muebles del hogar, sus adornos. No comprendía que Teo hubiera podido vivir años con una saya para el trabajo y un traje para los días festivos. La muchacha admitía que su padre era rico pero le costaba ganarlo y le dolía que se malgastase. El hecho de que don Segundo le hubiese dotado con mil ducados venía a demostrar que su padre había vivido sólo para ella. Este pensamiento la emocionaba y, prácticamente todos los meses, subía al monte de Peñaflor para darle un abrazo. Incluso alimentaba *in mente* un noble propósito: pasar con él un par de semanas cada primavera para ayudarle en el esquileo.

Pero, antes de que pudiera poner en práctica su propósito, don Segundo se volvió a casar. Estacio del Valle bajó de Villanubla en la mula a notificárselo a Cipriano. Don Segundo Centeno, *el Perulero*, había contraído matrimonio con la Petronila, la chica mayor del Telesforo Mozo, uno de los pastores de Castrodeza, una boda acertada, a juicio de Estacio del Valle, porque, de una sola tacada, don Segundo dispondría de mujer para yacer y obrera para esquilar ya que, ausente Teodomira, la Petronila era la mejor peladora de la comarca. Por su parte, Telesforo Mozo, el pastor, tampoco quedó desnudo: Don Segundo le autorizó a llevar con su rebaño un hatajo de ovejas de vientre cuyos gastos corrían por cuenta del patrón.

Informada de la novedad, Teo esperó a Cipriano a la salida del Puente Mayor con la intención de subir juntos a La Manga. Estaba sofocada e irritable, en plena crisis, y no aceptaba la comprensión de Cipriano hacia la decisión de su padre. Pero cuando ella le recriminó a éste la boda arrastrada que había hecho y él le hizo ver que el ganado era muy esclavo y que sólo con dos manos, más viejas cada día, mal podía valerse, ella, ante aquel tácito reconocimiento de su ayuda, le abrazó estrechamente. Por su parte, Cipriano indagó si había firmado algún papel con el Telesforo Mozo, pero don Segundo lo negó. No, no había firmado nada con el Telesforo porque entre la gente del campo sobraban los papeles, era suficiente la palabra dada. Pero, al mes siguiente, Telesforo Mozo le comunicó que doblaba el número de reses de su hatajo porque diez ovejas de vientre era como no tener nada. Don Segundo visitó a su hija en la capital y, al marchar, dejó la casa impregnada de un olor a cagarrutas que no se fue en varios días. Pretendía el apoyo de don Ignacio, el oidor, pero su yerno le aclaró que, en el campo, la palabra dada era tan frágil como en la ciudad y que había facilitado al Telesforo Mozo un arma con la que podía estarle chantajeando hasta el día del juicio. Ante esto, don Segundo desistió de visitar a don Ignacio y regresó al monte impregnado de su olor a basura, cabizbajo y con las orejas gachas.

Al iniciarse abril, Cipriano encontró al fin un hueco entre sus ocupaciones para visitar Pedrosa. Como de costumbre salió de su casa por el Puente Mayor y galopó por las faldas de las colinas, hasta Villalar. Encontró a su rentero en el campo, almorzando en una gayola, y cabalgaron juntos hasta el pago de Villavendimio. Los cepones apenas habían echado hoja y las calles de la viña estaban llenas de broza. Cipriano sugirió a Martín Martín la posibilidad de poner el pago de cereal pero el rentero lo rechazó de plano, el trigo y la cebada no cundían en terrenos tan flojos, no medraban. Pasaron la mañana viendo el resto de las viñas y la señora Lucrecia, muy viejecita ya, les sirvió de comer como hacía en vida del difunto don Bernardo.

Por la tarde, Salcedo se alojó en la fonda de la hija de Baruque, en la Plaza de la Iglesia. Al entornar los postigos para dormir la siesta, divisó a un cura sentado en el poyo del templo leyendo un libro. Estaba tan absorto, que ni las bandadas de palomas que le sobrevolaban de vez en cuando, ni los labriegos que atravesaban la plaza canturreando a lomos de sus borricos, le distraían. Después de dormir un rato, al abrir los postigos, Cipriano constató que el cura seguía en el mismo sitio. Estaba tan inmóvil como si lo hubiesen disecado, pero cuando Salcedo salió a saludarle, el nuevo cura, que había venido a sustituir al difunto don Domingo, se puso en pie cortésmente. Cipriano se presentó pero el cura ya le conocía de referencias. En el pueblo le habían hablado de él, de su acceso a la hidalguía y de la fiesta subsiguiente, pero sentía una curiosidad: ¿era tal vez el oidor de la Chancillería, don Ignacio Salcedo, pariente suyo? Tío, era su tío, aclaró Cipriano, y también su tutor. Entonces el nuevo párroco se refirió a don Ignacio como uno de los hombres más cultos e informados de Valladolid. Seguramente su biblioteca, si no era la primera, sería la segunda en número de ejemplares. Acto seguido se presentó él: Pedro Cazalla, dijo humildemente. Y Cipriano Salcedo, a su vez, le preguntó si tenía algún parentesco con el doctor Cazalla, el predicador:

—Somos hermanos —dijo el cura—. Estuvo unos

meses en Salamanca pero ahora vive con mi madre en Valladolid.

Salcedo reconoció que era asistente habitual a los sermones del Doctor.

—Es un orador fácil —dijo Cazalla sin darle importancia.

Aparentaba menos años que el Doctor, con su pelo negro y denso, encanecido en las sienes, su curtido rostro varonil y unos ojos oscuros, de mirada escrutadora.

—Algo más que fácil —replicó Salcedo—. Yo diría el mejor orador sagrado del momento. Construye sus discursos con la solidez de un arquitecto.

Pedro Cazalla encogió los hombros. Le azoraban los elogios a su hermano. Aceptó su facilidad expresiva, su espiritualidad. El Emperador le había llevado con él a Alemania durante unos años precisamente por eso, por su espiritualidad. Fue un honor y una experiencia que su hermano no olvidaría nunca ahora que Carlos V se disponía a retirarse a Yuste.

Cipriano Salcedo preguntó a Cazalla por qué su hermano predicaba sistemáticamente fuera de los conventos. Cazalla volvió a levantar los hombros: dispone de mayor libertad —aclaró—. La comunidad de frailes se presta a una crítica múltiple y encontrada, no siempre saludable.

Salcedo sentía cómo se avivaba su curiosidad hacia el nuevo párroco. Su pasión por la lectura, la novedad de sus ideas, la falta de paternalismo, tan frecuente en los curas rurales, le sorprendían. Era ya noche cerrada cuando se despidió de él. Fue el párroco quien le sugirió la posibilidad de verse a la tarde siguiente, invitación que Salcedo, que había pensado regresar a Valladolid por la mañana, no declinó. A las diez, después del desayuno, el cura seguía leyendo en el atrio en la misma postura que la tarde anterior. Cuando Cipriano fue a recogerle después de almorzar continuaba inmóvil en el poyo de la iglesia. Cerró el libro al verle y se incorporó:

—¿Puede saberse qué lee con tanto celo vuestra paternidad?

—Releo a Erasmo —respondió Cazalla—. Nunca se acaba de conocer su pensamiento.

—Yo fui en tiempos un aguerrido erasmista —dijo Cipriano con sorna.

El cura se sorprendió:

—¿De veras le ha interesado a vuesa merced Erasmo alguna vez?

—Entiéndame, padre. Le estoy hablando de mi infancia, de la Conferencia sobre Erasmo. En mi colegio se formaron entonces dos bandos y yo pertenecía al de los erasmistas. Y, aunque ninguno de los grupos sabíamos quién era Erasmo, llegamos a pelearnos por él.

Habían atravesado el pueblo sin plan preconcebido y ahora se encontraban en el camino de Villavendimio, en dirección a Toro. Cazalla observaba a los animales, a los pájaros, se revelaba como un experto conocedor del campo. Hablaba de los estorninos pintos como más pendencieros y mejores albañiles que los negros, más locuaces y canoros también.

Pero al cura le había interesado la mención de su vida colegial. Le preguntó por el centro donde se había educado.

—El Hospital de Niños Expósitos —dijo Salcedo.

—Pero vuesa merced no lo era, no era expósito quiero decir.

—No lo era pero mi padre me sometió a esa dura disciplina. No creía en mi inteligencia y varios preceptores habían fracasado conmigo.

—¿No estaba allí el padre Arnaldo?

—El padre Arnaldo y el padre Toval, ambos enfrentados precisamente en la cuestión erasmista. Erasmo fue el inspirador de Lutero, a juicio del padre Arnaldo. Sin él la Reforma nunca se hubiera producido. Por contra, el padre Toval creía en la buena fe del holandés.

Los ojos de Cazalla parecían mirar a algo remoto.

—Aquéllos fueron días de esperanza —dijo de pronto—. El Emperador estaba junto a Erasmo, lo apoyaba, y el inquisidor Manrique también. ¿Qué significaban los mosquitos pegajosos que se alzaban contra ellos? Por aquellas fechas Erasmo publicó la segunda parte de su *Hyperaspistes* rebatiendo algunas afirmaciones de Lutero. Esto consolidó su prestigio ante el Rey quien le escribió, llamándole «honrado, devoto y amado nuestro» en el encabezamiento de la carta.

Las palabras de Cazalla tenían un estremecido tono nostálgico:

—Y ¿cómo se malogró aquel empeño?

—Se cambiaron las tornas. Fue un hecho fatal. El inquisidor Manrique dejó de apoyar a Erasmo y el Rey se olvidó de él en Italia. Los frailes aprovecharon la circunstancia para atacarle desde el púlpito. Carvajal respondió agriamente al *Hyperaspistes* y Erasmo, en lugar de callar y no darse por aludido, le replicó con violencia. La situación había dado un giro

264

completo. A partir de ese momento, para la Inquisición, Erasmo y Lutero fueron ramas de un mismo tronco.

Habían alcanzado el Recodo del Viejo, junto a la junquera, donde una urraca galleaba con insolencia. El cura contempló al pájaro con curiosidad sin dejar de caminar. El sol se ensanchaba y enrojecía al desplomarse tras las colinas grises de poniente. Pedro Cazalla se detuvo y dijo:

—¿Ha reparado vuesa merced en los crepúsculos de Castilla?

—Los saboreo con frecuencia —dijo Salcedo—. Las puestas de sol en la meseta resultan a veces sobrecogedoras.

Habían dado la vuelta y la tarde empezaba a refrescar. A lo lejos se divisaban las casitas de barro señoreadas por la iglesia. Las cigüeñas habían sacado pollos y se erguían en la espadaña como dibujos esquemáticos. Pedro Cazalla miró de nuevo al sol declinante. Los entreluces del lubricán le fascinaban. Sonó en el aire quedo el tañido de una campana. Cazalla apresuró el paso. Volvió hacia Salcedo sus ojos profundos:

—Ayer Erasmo era una esperanza y hoy sus libros están prohibidos. Nada de esto es obstáculo para que algunos sigamos creyendo en la Reforma que proponía. Quizá sea la única posible. Trento no aportará nada sustancial.

A la mañana siguiente el cielo estaba empañado por algunas nubes blancas y *Relámpago* tomó el camino de Villavieja por las cuestas, a galope tendido. Cipriano agradecía la velocidad, el fresco viento en el rostro, mientras pensaba en los hermanos Cazalla, en su melancolía, en su inquietud reformista. Comprendía ahora mejor la sensación de vacío que le producían los sermones del Doctor. El erasmismo se desarraigaba en Castilla y, en consecuencia, su causa era una causa perdida. No obstante, veinte años atrás, el padre Arnaldo les había mandado rezar por la Iglesia, por la desaparición de las doctrinas erasmistas. ¿Cómo conciliar respuestas tan dispares ante un mismo fenómeno? *Relámpago* dejó atrás el pueblo de Tordesillas y, al alcanzar el de Simancas, cruzó hacia el camino general y atravesó el puente romano, a legua y media de la villa.

Teo le recibió como si hiciera un mes que no se veían. Había sido la primera separación y le había echado de menos. Después de cenar, *la Estatua Apasionada* abrevió la sobremesa, y ante la sorpresa de Crisanta, la doncella, a las diez el matrimonio estaba acostado. Teo le estrechaba contra ella y a él le agradaba sentirse protegido, en el fortín, a cubierto de cualquier asechanza. A poco, *la Estatua Apasionada* le buscó *la cosita* y comentó, con voz meliflua, que qué bien que su marido no se la hubiera olvidado en Pedrosa, en tanto Salcedo se esforzaba por encaramarse a la meseta de las protuberancias. Sintió el atragantado risoteo de su esposa, vibrante y prolongado, pero ello no impidió que, pasados unos instantes, *la Estatua Apasionada* reiniciara el acto de amor. A Cipriano le sorprendió su avidez. Se diría que Teo encadenaba los contactos en una actitud compulsiva como si pusiera a prueba su resistencia. Y, tras una cuarta vez, cuando el acoso cedió, Cipriano, extenuado, buscó el refugio de su axila. En Pedrosa había echado en falta su calor y tuvo que dormir con la gorra puesta. Al recuperar ahora el techo perdido se sentía cobijado y feliz por más que la actitud de Teo siguiera sin definirse.

Al despertar, encontró a su mujer sofocada, inquisitiva, apremiante. Era otro tropezón, aparentemente baladí, de su matrimonio:

—¿Por qué nosotros no tenenos nunca un hijo, Cipriano? Llevamos casados más de diez meses y nunca me pasa nada.

Salcedo le acarició los rizos color caoba de la nuca, se hacía anillos con ellos sin conseguir amansarla:

—¡Oh, querida, estas cosas no tienen horario fijo! —dijo—. No dependen de nuestra voluntad. Por otra parte, los Salcedo nunca fuimos muy fértiles. No debes impacientarte por eso. Ya llegará.

Se adivinaba que Teo había reflexionado sobre el particular:

—Todas las mujeres cuando se casan tienen un hijo, Cipriano. ¿Por qué no me dijiste a tiempo que tu familia tenía dificultades? Cada vez que depositas tu semilla en mí pienso que esta vez va a ser la definitiva pero nunca llega.

Se mostraba erizada, resentida, pero él le quitó importancia al asunto:

—No te inquietes por eso, cariño. Los Salcedo siempre nos reprodujimos con parsimonia. Mi bisabuelo no tuvo más que un hijo y mi abuelo dos, pero entre medias transcurrieron ocho años. El tío Ignacio tampoco tiene familia y ten en cuenta que mi madre, que gloria haya, estuvo cinco años tratándose su supuesta infecundidad. Y ¿crees que le fue bien el tratamiento? De ninguna manera. Mi madre quedó encinta cuatro años después de dejarlo, cuando Dios quiso y cuando ya se había olvidado de su obsesión. Hay influencias astrales que, en cierta medida, determinan estas cosas. El cuerpo requiere un tiempo de madurez.

—Y ¿cuánto tiempo necesitó tu madre?

—Exactamente nueve años y siete días. Tal vez la medida de los Salcedo se exprese en años en lugar de en meses. La cifra no deja de ser curiosa.

Teo vaciló:

—No... ¿no estará enferma *la cosita*?

—Tú sabes que funciona con regularidad. Antes te hablaba de la infertilidad de los Salcedo, pero el retraso bien puede provenir de ti. El doctor Almenara, una notabilidad en su época, decía que dos de cada tres veces la infecundidad dependía de las mujeres.

La impaciencia de Teo se tradujo en una avidez sexual desordenada. Sin duda pensaba que la frecuencia aumentaba las posibilidades. Cipriano trataba de aleccionarla cada noche:

—Querida, más importante que el número de coitos es tu estado de recepción. Acéptame relajada, receptiva. No olvides que en cada cópula yo introduzco en tu vagina centenares o millares de semillas que buscan un lugar donde fructificar. Pero la fecundación no depende tanto del número como del terreno que tú prepares para recibirlas.

Teo pareció aplacada de momento pero lo suyo era una monomanía. No pensaba en otra cosa y se valía de cualquier pretexto para sacarlo a relucir. Él le había dicho: muchos problemas se resuelven esperando, olvidándose de ellos. Y ella procuraba hacerlo así pero, en lugar de los pensamientos, era la angustia por desembarazarse de ellos lo que la martirizaba. Teo se confiaba a su marido:

—Constantemente pienso que no debo pensar en ello pero con esta obsesión puedo llegar a volverme loca.

—¿Por qué no me concedes un plazo? ¿Por qué no decides esperar unos años antes de tomar una determinación? Dentro de cuatro tendrás veintisiete, la edad más adecuada para procrear.

Teo callaba. Tácitamente le concedía el plazo pero, poco a poco, iba perdiendo la fe en él y, con la fe, su encandilamiento sexual. Apenas buscaba ya *la cosita* y, si lo hacía, era sin el ardor de antaño, desganada. Sabía que el hijo tenía que venir por esa vía pero llevaba más de un año intentándolo y no venía. Salcedo se daba cuenta del descorazonamiento de su esposa e intentó distraerla ocupándola en el taller, pero Teo se aburría allí. Entonces pensó que, ahora que se aproximaba la época del esquileo, Teo podría pasar en La Manga una larga temporada ayudando a su padre, mas, antes que la faena del esquileo comenzase, llegó la noticia: Telesforo Mozo, el pastor de su suegro, pretendía llevar el rebaño a medias. No se trataba ya de un hatajo más o menos grande sino de partir las ovejas que pastoreaba por la mitad. Segundo Centeno ni lo pensó. Despidió a Telesforo, se amancebó con la Benita, la hija del pastor de Wamba, Gildardo Albarrán, y relegó a la legítima a la condición de criada y esquiladora por seis reales al mes.

Ante la gravedad del problema, Teo se instaló en La Manga. Advirtió enseguida el reconcomio de Petronila aunque ésta no pronunciase palabra y anduviera todo el día por la casa con la mirada huida, haciendo visajes y aspavientos. Pero don Segundo volvía sobre el tema cada mañana. La obligaba a hacer la cama adulterina todavía caliente y a lavar la ropa interior de la pareja. El resto del día lo pasaba Petronila pelando borregos. No decía palabra. Se sentaba a esquilar en el tajuelo y no abría la boca por mucho que *la Reina del Páramo* se esforzara en entablar conversación con ella. Una noche, Teo salió a dar un paseo y le pareció ver entre dos luces la silueta furtiva de un hombre escondiéndose entre las encinas. Habló a su padre seriamente: no debía exponerse así. Debería cambiar de actitud. No había hombre que aceptara con los brazos cruzados su despido y la vejación reiterada de su hija. Por su parte, Gildardo Albarrán se movía ahora por la finca con la misma libertad que si fuera suya. Se reunía con don Segundo en la sala, entraba en la casa por la puerta principal y charlaban largo rato como iguales, eso sí sin que Gildardo pidiera nada. Visto lo del Telesforo y aleccionado por su fracaso, sabía que al señor Centeno era preferible entrarle por las buenas que por las malas.

Así las cosas, la vieja aspiración de Teo se atenuaba. Se preocupaba menos de ser madre que de conservar a su padre. Y cuando Cipriano la visitaba, una vez por semana, tenía ocasión de departir con él como en los buenos tiempos: paseando por el monte, levantando de las encinas bandos de torcaces con los buches repletos de bellotas, o viendo apeonar a las becadas en el calvero. Cipriano creía en la terapia de la distracción y confiaba en que Teo volviese a su vida normal y le concediera un plazo razonable antes de dar por fracasado su matrimonio. Pero dormía mal. Al regatearle Teo el cobijo de su axila, la cabeza se le enfriaba, se le desgobernaba en la noche, durante el sueño y, al levantarse, le mortificaba la tortícolis. Volvía a ser el niño desprotegido que había sido. Y utilizaba gorras, sombreros y hasta capuchas forradas de piel, como sucedáneos. Al propio tiempo trataba de llenar la prolongada ausencia de Teo con frecuentes visitas a sus tíos. Doña Gabriela, muy satisfecha en su condición de esposa sin descendencia, no entendía la actitud de su sobrina. Hay otras cosas en la vida, instituciones, enfermos, niños con hambre, colegios de caridad, decía. Buscar a toda costa un ser de nuestra propia sangre para volcar en él nuestra afectividad es una conducta egoísta. Y, en el fondo, Cipriano le daba la razón, pero no dejaba de comprender que desdoblarse fuese la máxima aspiración de toda mujer en este mundo.

Una mañana, antes de salir para la Judería, un correo urgente de Peñaflor le dio cuenta de que su suegro, don Segundo, había sido asesinado. Le habían seccionado la garganta con un hocino. El Telesforo Mozo, su autor, se había entregado a la autoridad en Valladolid y al ser preguntado por los móviles del crimen había dicho: «Me dejó en la calle tirado como a un perro y quebró la condición de mi hija. Era un sujeto que no merecía vivir».

Cipriano partió para La Manga sin demora. Le dio tiempo de enterrar a su suegro en el atrio de la iglesia de Peñaflor y hacerse cargo de los papeles que don Segundo guardaba en el escritorio. La Petronila, asustada, había huido de casa; en cambio compareció Gildardo Albarrán llamándose a la parte, no porque la ley le amparase, sino porque tenía testigos de que don Segundo había hecho de su hija una barragana

271

sin su consentimiento. Teo mostró una entereza admirable. El esquileo se había acabado y esto la aliviaba. Por otra parte, la cruenta muerte de su padre le parecía horrible pero a cambio no había sufrido, lo que no dejaba de ser un consuelo.

Cipriano previó graves complicaciones y un aumento de trabajo hasta desenredar aquello, pero su tío Ignacio, como de costumbre, lo simplificó. El testamento del señor Centeno era claro. Teo era la única heredera, Petronila usufructuaria de un pequeño fundo y arrendataria de la vivienda mientras durara el plazo del alquiler, la Benita, la barragana, volvió con su padre a Wamba y Estacio del Valle, el fiel corresponsal de Villanubla, quedó encargado de resolver el problema de los pastores puesto que los rebaños de don Segundo, como le decía Cipriano Salcedo en su misiva, habían pasado a ser propiedad de Teodomira Centeno, su consorte.

X

Teo se quitó unas libras de encima con el luto, un luto distinguido y respetuoso que le indujo a ponerse sobre el escote un collar de perlas negras que contrastaba con la palidez de su tez. También Cipriano Salcedo se resumió en sí mismo ataviado con un coleto sin mangas, negro, a la moda, y un cuello tan alto que le cubría medio pescuezo, por encima del cual asomaba el borde rizado del cabezón de la camisa. Pero el luto no enderezó las relaciones de la pareja. Teo volvió a sus apremios maternales mientras Cipriano le insistía que le diera un plazo y asumiera un poco de sensatez. En su afán por facilitarle argumentos, Cipriano le recordó que su padre contaba con ocho años más que su tío Ignacio y había que imaginar que entre los dos nacimientos los abuelos habrían mantenido el mismo tipo de relaciones íntimas que antes y después. Sin embargo, persuadido de que todo era inútil, visitó una tarde, por su cuenta, al doctor Galache. Hubiera preferido hacerlo al que ayudó a traerle al mundo, al doctor Almenara, pero éste había fallecido once años atrás. El doctor Galache le sometió a reconocimiento y le dijo que todo era correcto, que estaba íntegro y que, con vistas a enriquecer la calidad del esperma, ingiriese una infusión de verbena y madreselva después de las comidas. Salcedo admitió que él, físicamente, se encontraba fuerte y que por ese lado no parecía provenir la esterilidad. En ese momento, el doctor Galache le formuló la temida pregunta:

—¿Por qué no trae vuesa merced a su señora? En buena medida ellas son las causantes de la infecundidad matrimonial.

Salcedo le confió que ella no estaba preparada para el evento pero que no descartaba que, con el tiempo, se decidiera a hacerlo. Cipriano Salcedo no dijo nada a Teo de su consulta a Galache ni, naturalmente, puso en práctica el remedio aconsejado por él.

A la mañana siguiente marchó a Pedrosa. Era un día tranquilo, de nubes blancas y altas temperaturas. La liviandad de Cipriano, la velocidad del caballo y el dédalo de atajos y trochas que había llegado a conocer le permitían llegar a Pedrosa en poco más de dos horas. Iniciaba el viaje faldeando las colinas, doblaba en la senda de Geria y desde allí, en línea recta, entre los majuelos, atravesaba Villavieja y Villalar y accedía a Pedrosa por los trigales, sin desviarse. En algunas gayolas, a la puerta, se sentaba un hombre y un perro ratonero le ladraba al pasar el caballo. En ocasiones había también niños que le decían adiós con la mano.

Se alojó en la posada de la hija de Baruque y acudió sin demora a visitar a su rentero. Hacía días que había concebido una idea luminosa: desarraigar las cepas del pago de Villavendimio y plantar en su lugar una pinada. Era cierto que en la ribera derecha del Duero nadie había osado nunca poner pinos pero la naturaleza del suelo, floja y arenosa, lo pedía a gritos aquí. Martín Martín, por añadidura, era un experto en esta clase de árboles. Había cultivado el albar con su tío en tierras de Olmedo y conocía las exigencias del pino e incluso los vaivenes del piñón en el mercado:

—La ventaja del pino sobre las siembras —le dijo— es que el pino marca las cosechas con dos años de antelación.

—¿Marca las cosechas el pino? —inquirió Cipriano.

—Lo que oye, sí señor; hoy recoge vuesa merced la piña hecha, pero en el árbol queda la perindola o sea la piña del año que viene, que está por hacer, y una cosita así —marcaba la mitad de la falange de un dedo—, en cuanto que se la advierte, que es la piña del año siguiente.

Cipriano Salcedo se sintió satisfecho de su iniciativa y Martín Martín quedó en apalabrar a una cuadrilla de gañanes para descepar las diez fanegas de Villavendimio. Ante Cazalla, Cipriano se pavoneó de terrateniente experto. Lo había pensado mucho. Después de incorporarlo a sus tierras no podía dejar yermo ese pago. Plantaría pinos albares que daban piñón e indicaban de antemano las dos cosechas venideras. Es decir, era el único cultivo del que no podían esperarse sorpresas. Por su parte, Pedro Cazalla le invitó a cazar el perdigón a la mañana siguiente en la línea del monte de La Gallarita. Cipriano Salcedo rompió a reír:

—Desde luego vuestra paternidad es aún más sorprendente que el pino albar —dijo.

La primera luz les sorprendió en las salinas del Cenagal, a una legua larga de Casasola. Cazalla llevaba un retaco en bandolera y en la mano derecha la jaula del perdigón cubierta con una sayuela. Apenas se anunciaba el sol cuando entraron en el tollo, una gran mata hueca, con una tronera al frente para disparar. Cazalla afirmó el tanganillo con cuatro piedras, colocó sobre él la jaula desnuda y, luego, se metió en el tollo y se sentó en la banqueta, junto a Salcedo. El día iba abriendo y, mientras el macho emitía el primer coreché de la mañana, Pedro Cazalla le mostró muy ufano su retaco, la escopeta que había comprado al maestro armero vizcaíno Juan Ibáñez. Mediría poco más de una vara de larga. El propio Cazalla, hábil de manos, había desbastado la culata de nogal y encepado el tubo de hierro en el otro extremo. El cañón se cargaba por la boca, baqueteando la pólvora con un taco de borra y poniendo encima un puñadito de perdigones. Cazalla le enseñó los perdigones de plomo que unos amigos le enviaban desde Alemania. Al mostrarle el sistema de fogueo puso en ello un entusiasmo pueril. Se trataba de una especie de serpentín, como una ese, en cuya parte superior se colocaba la mecha que hacía de percutor, en tanto la inferior servía de gatillo. Al oprimirlo, la mecha bajaba sobre el agujero del tubo y, al ponerse en contacto con la pólvora, provocaba la explosión, pero el cazador debía seguir a la pieza por el punto de mira durante cuatro o cinco segundos, hasta que aquélla se producía, si aspiraba a cobrarla.

La luz ensanchaba y el perdigón llenaba el campo con su cántico ardiente y persuasivo. De la parte del monte sonó una respuesta remota:

—¿Oye? El campo ya contesta.

—Y ¿acude a liberar a la prisionera?

Cazalla sonrió, con la sonrisa indulgente del experto ante el novicio.

—No se trata de eso —dijo—. Los pájaros están en celo y el macho acude a la llamada del otro para disputarle la hembra. Entra a pelear. Y unas veces viene solo y otras trae a la compañera para que sea testigo de su proeza.

El campo respondía cada vez con mayor ahínco y la perdiz enjaulada estiraba el cuello, difundía su coreché por el ancho mundo del páramo. Cazalla sacó cuidadosamente por la tronera la boca de su retaco y advirtió a Salcedo:

—Guarde silencio.

El macho cambió de tono, sustituyó el áspero coreché del comienzo por una parla inextricable, farfulladora, confidencial.

—Ojo, ya recibe —dijo Cazalla.

Salcedo se empinó en su asiento hasta divisar al perdigón enjaulado. Daba vueltas sobre sí mismo picoteando los alambres sin dejar de parlotear, mientras otra perdiz, al pie del tanganillo, cuchichiaba en tono menor. Cazalla susurró de pronto, afianzando en el hombro la culata de su retaco:

—Ya está ahí ese insensato. ¿Lo ve vuesa merced?

Salcedo asintió. La perdiz libre erguía el cuello y miraba a la de la jaula con ojeriza. El cura añadió:

—Detrás viene la hembra.

Salcedo se asomó a la mirilla y, en efecto, una perdiz de menor tamaño seguía a la primera. Cazalla aplastó la mejilla contra el tubo y tomó puntería sobre la más grande. Estaba a veinte varas, junto al pulpitillo, y abría un poco las alas en actitud retadora. Cazalla oprimió la parte baja del serpentín y, nerviosamente, siguió por el punto de mira los pasos del macho hasta que la explosión le aturdió. Cuando el humo se disipó, Salcedo vio la perdiz aleteando impotente en el suelo, mientras tres plumillas azuladas se elevaban en el aire y la hembra se alejaba pausadamente del lugar de la tragedia. Cazalla puso la culata de su retaco en el suelo. Sonreía:

—Todo funcionó a la perfección, ¿no cree?

Salcedo fruncía los labios disgustado. No aprobaba la emboscada, aquella espera alevosa, la intromisión de su amigo en la vida sentimental de los pájaros. Pero Cazalla, insensible, atascaba de nuevo la pólvora en el tubo con la baqueta.

—¿No le ha gustado? —dijo—. Es un método de caza limpio, casi científico.

Salcedo denegó con la cabeza:

—Me parecen deshonestos los juegos con el amor. ¿Por qué disparó vuesa merced?

Cazalla encogió los hombros. Por la tronera se divisaba al perdigón enjaulado, ahuecando las plumas, pavoneándose de su hazaña:

—No tengo otra salida —dijo—. Si no disparase, el perdigón se malearía y no volvería a cantar. La muerte es necesaria para que el prisionero siga incitando al campo.

De nuevo volvía el silencio. Por la mirilla se descubría el páramo lleno de luz. Un majano, a la derecha, producía una sombra negra y escueta. La hierba era prieta y fresca y Salcedo se dijo que no estaría de más un buen rebaño en Pedrosa. Hablaría con Martín Martín. También aquí, como en La Manga, abundaban las piedras en los perdidos. Cazalla desenvolvía un pequeño paquete y alargó un pastel a Salcedo. Los había preparado su hermana Beatriz. El macho de la jaula parecía repuesto, olvidado de su adversario, y volvía a engallarse y a convocar al campo. La escena inicial volvió a repetirse media hora más tarde, pero ahora entró solamente un macho, un macho viudo o soltero, desparejado. Cazalla, nervioso con la demora del arma, erró el disparo cuando el animal se abalanzaba sobre la jaula. Contra lo que Salcedo esperaba, Pedro Cazalla no se enfadó. El retaco, con el percutor de mecha, era un arma muy traicionera, dijo calmosamente, pero su amigo, el vizcaíno Juan Ibáñez, no fabricaba de momento otro tipo de escopeta más acabado.

Hasta ellos llegaban los graznidos de las urracas, los pío-pío de las cogujadas, el áspero carraspeo de los cuervos. Hacía calor dentro del tollo. El perdigón daba vueltas sobre sí mismo y, de cuando en cuando, emitía un co-re-ché fláccido, sin el empuje inicial. Él mismo se sorprendió cuando le respondió el campo. Se entabló un diálogo de poco aliento entre los dos pájaros sin dejar apenas pausa entre sus cantos. A pesar de su respuesta inapetente, uno pensaba en un macho enardecido pues su aproximación a la jaula había sido más rápida que la de los dos anteriores. Entró en plaza con la hembra coqueteando detrás y, al parloteo confidencial del perdigón enjaulado, respondió con un fiero ataque con las alas entreabiertas. Pedro Cazalla lo abatió de un tiro certero, a dos varas del pulpitillo y, de nuevo, el perdigón pregonó su victoria estirando el cuello al límite. Cazalla se levantó sonriendo de la banqueta. Se había hecho mediodía, la hora de regresar. Colgó las dos perdices en la percha y enfundó la jaula en la sayuela cuando el macho comenzaba a alborotarse. Salcedo tomó el retaco al salir del tollo. Miraba el arma con curiosidad y desconfianza, pero Cazalla que iba sin sotana, con calzas abotonadas, insistió:

—El retaco no es un arma bien resuelta. Mi amigo Juan Ibáñez hará algo mejor cualquier día.

El sol caía de plano sobre el camino y Salcedo notaba en la frente el húmedo calor del sombrero. Al divisar las salinas del Cenagal, Cazalla se acercó a la primera, se sentó a la orilla, se descalzó y metió los pies en el agua. Cuando Salcedo le imitaba, voló entre los carrizos una pareja de patos reales.

—Nunca fallan —dijo Cazalla—. Siempre retozan aquí.

—¿No estarán anidando?

—Es tarde. El azulón es madrugador, tiene un rijo temprano.

Los carrizos se quebraban a su paso y Salcedo sentía un raro placer al notar las escurriduras del cieno entre los dedos de los pies. De pronto divisó el enorme sapo nadando entre las espadañas. Nadaba despacio, sin alborotar el agua, con los ojos abultados, fríos e indiferentes, en un punto fijo. Mostró a Cazalla el repugnante animal.

—Es la sapina —dijo éste con curiosidad—. Está en plena cópula. ¿Se ha fijado?

Al oírle fue cuando Salcedo descubrió al macho, un sapillo diminuto e impávido sobre el ancho lomo de la sapa. Algo se le revolvió en el estómago. Experimentó un almadiamiento y, acto seguido, la náusea. Miraba a los dos animales apareados pero no los veía. Veía una barcaza con el rostro y los pechos de Teo como mascarón de proa, y él bogando solitario en la popa. Experimentó asco de sí mismo, una repugnancia tan apremiante que salió apresuradamente del agua y, antes de alcanzar el camino, vomitó. Cazalla caminaba tras él:

—¿Se pone enfermo vuesa merced? Ha perdido el color.

—Esos bichos, esos bichos —repetía Salcedo.

—¿Los sapos dice? —reía—. La hembra es diez veces mayor que el macho. Curioso ¿verdad? El macho apenas es algo más que un minúsculo irrigador, un saquito de esperma.

—Calle vuestra paternidad, se lo ruego.

La turbia imagen no salía de su cabeza aunque torturara a *Relámpago* con las espuelas, como si la torpe visión estuviera relacionada con la velocidad. La Teo-sapa dejándose escalar por Cipriano-sapo y, una vez conquistada, navegar sobre ella por el gran lago, era una escena que volvía a alterarle el estómago. ¿Tendría valor para volver a poseer a Teo?

La Reina del Páramo le recibió con exageradas manifestaciones de alivio:

—¡Oh, ya estás aquí, chiquillo! ¡Dios mío, creí que no volvías nunca! Me veía sola, Cipriano, y me decía: sola no puedo tener un hijo, necesito *la cosita* de mi esposo.

Pero a la noche Cipriano no hizo intención de acercarse a ella. Tampoco Teo, como si presintiera algo, le buscó *la cosita*. Y, a la noche siguiente, volvió a repetirse la escena, cada uno esperó en vano la iniciativa del otro. Mas a Cipriano, la imagen de la gran sapa nadando en la salina del Cenagal era lo que le inutilizaba. Durante una semana se prolongó la infructuosa espera de Teo. Cipriano seguía viendo en ella la sapa autoritaria, caprichosa y posesiva. Y aún le repugnaba más el complemento: la actitud servil, complaciente y oficiosa del pequeño sapo fecundador encaramado en su dorso. Un saquito de esperma, había dicho Cazalla. Nunca, como en aquellos días, tuvo Cipriano tan alejada de sí cualquier inclinación salaz. La sola idea de atacar el flanco de su esposa le daba náuseas. Y Teo terminó enojándose, presa de una sofocación intensa, preludio de un ataque de histeria. Su marido no deseaba un hijo; no quería tenerlo. Hasta le regateaba su *cosita* y ella, por sí sola, carecía de la capacidad de fecundarse. *La cosita* era elemento imprescindible para la reproducción, pero ya no contaba con ella. Su marido la había hecho desaparecer como por ensalmo. Lloraba sobre él, entre sus ropas de luto, poco alentadoras también para cambiar el ánimo de Cipriano. Pero cada vez que éste la abrazaba sin abarcarla, volvía a ver en ella a la sapina, enorme y absorbente, nadando en la salina, encareciéndole que la fecundase. Las cosas iban de mal en peor, Cipriano no podía moverse de casa. Teo voceaba y gritaba sin causa, no comía, no dormía, hasta que una mañana Cipriano le propuso visitar al doctor Galache, la notabilidad del momento en la villa, para exponerle el problema. No le ocultó a Teo su visita anterior, la buena opinión del doctor sobre sus posibilidades reproductoras, su interés por verla a ella.

Cipriano encontró a Galache tan solemne y abierto como la primera vez, vestido lujosamente de terciopelo, con las manos muy cuidadas, desnudas. Pensó que cuarenta años atrás sus padres habían hecho una visita análoga sin resultados. Y que, precisamente, él nació cuando doña Catalina, su madre, hacía cuatro que había abandonado el tratamiento. Estuvo a punto de recordarlo pero calló. Con seguridad su impertinencia hubiera menoscabado el incipiente optimismo de su esposa. Ocultó pues este detalle en la información sobre los antecedentes familiares: la escasa fertilidad de los Salcedo. El doctor Galache le escuchaba gravemente. Dijo al fin:

—Permítame; voy a reconocer a su esposa.

Teo se tendió en la mesa. Y durante unos minutos reinó el silencio en la consulta, hasta que Galache se enderezó:

—No hay nada de particular —dijo—. La mecánica reproductora de esta señora es correcta, apta para concebir.

Les reunió a los dos en la galería de la mesa y las sillas blancas.

—Les voy a ser sincero —dijo—. Nuestros abuelos, ante un caso semejante, en que las dos partes parecen útiles para la procreación, hubieran apelado a pruebas supersticiosas, que hoy sabemos que no sirven para nada, como la del ajo. Pero yo sé, sin necesidad de poner a esta señora un ajo en la vagina, dado que entre la vagina y la boca no existe comunicación alguna, que mi paciente no está opilada. Vayamos pues a lo práctico.

Cipriano Salcedo se inquietó:

—¿Cree vuesa merced que podremos conseguir algo?

El doctor trenzó los dedos de sus manos desnudas:

—Vuesas mercedes han acudido a mí porque tienen confianza. Y yo voy a intentar resolverles su problema. En primer lugar la historia de la familia Salcedo es concluyente: los machos no son excesivamente fértiles, pero tampoco estériles, necesitan tiempo. Hay matrimonios a quienes les bastan nueve meses para tener familia, pero los Salcedo no están en ese caso. Estos señores han precisado seis y hasta nueve años para desdoblarse. La suya es una reproducción morosa que forma parte de su naturaleza. En cuanto a usted, debe tener calma, señora: déjese vivir, distráigase, no se piense y yo le aseguro que cuando se cumpla el plazo reproductor de los Salcedo usted quedará encinta. Yo se lo prometo solemnemente si sabe esperar, si recibe a su esposo con entusiasmo, con la ilusión de concebir. Ninguna mujer se ha quedado encinta, que yo sepa, con gemidos y lloriqueos. Haga un esfuerzo.

El doctor Galache se incorporó. En su recetario escribió rápidamente unas palabras enigmáticas. Añadió:

—Los varones de la familia Salcedo padecen una particularidad que los médicos de hoy llamamos semen renuente. Contra esto, la mejor medicina es la paciencia. No apresurarse, esperar a que se cumpla el plazo. Pero, por si acaso, yo voy a ayudarles. El señor Salcedo debe tomar todas las noches un preparado de escorias de plata y acero para aumentar la eyaculación. Es eficaz y no le producirá efectos secundarios. En cuanto a usted, señora, va a hacerme este favor: propóngase una abstinencia sexual de cuatro días seguidos cada mes y, en la noche del quinto, a la hora aproximada de la coyunda, y en lugar de ésta, bébase un zumo caliente de salvia con sal. Es la mejor manera de preparar el cuerpo para concebir.

Teo salió de la consulta remozada. El consejo del doctor aventó sus aprensiones por completo. Hacía ya año y medio de la muerte de su padre y, al llegar a casa, se colocó un vivo blanco en el escote. Parecía que no pero aquella cintita suavizaba el luto, le volvía menos rígido y esterilizador, la animaba. Después, en los días que siguieron a la consulta, se preocupó de cumplir los consejos del doctor minuciosamente. Llevaba a la mesa el preparado de escorias de plata y acero para Cipriano y, cada mes, puntualmente, hacía un alto de cuatro días en su relación carnal y, el quinto, ingería un zumo caliente de salvia con sal. Cipriano, que había conseguido ahuyentar la torva imagen de la sapina en celo, ya no era un ser sexualmente nulo y hasta experimentaba ciertos apremios cada vez que se presentaban los días de abstinencia.

—¿Estás loco? ¿Es que ya no recuerdas la recomendación de Galache?

Le volvía la espalda y él se quedaba solo, desprotegido, como cada noche. Teo seguía sin prestarle el cálido cobijo de su axila para conciliar el sueño y Cipriano lo sustituía por una almohada doblada, metiendo la cabeza en el doblez. Llegó a habituarse a la innovación. Ahora dormían, pues, espalda contra espalda y cada vez que Teo daba media vuelta, sacaba la ropa de su lado y Cipriano se enfriaba. Pero todo lo daba por bien empleado viendo a su esposa instalada en la normalidad.

Por si fuera poco, Teo se decidió a iniciar una vida

más activa. Bajaba temprano a la tienda y ayudaba a Elvira Esteban en el mostrador. Avanzaba el otoño y Valladolid se aprestaba a capear el duro invierno mesetario adquiriendo zamarros y ropillas aforradas. Era curioso observar, pasada la novedad, que las ropillas aforradas habían quedado como prendas invernales imprescindibles en Castilla. Por la noche, Teo le daba a Cipriano el parte del día y cuenta de la caja. De esta manera, Teo se fue habituando a la actividad comercial y cogiendo gusto a las anotaciones.

La paz del hogar devolvió a Cipriano la libertad y un mes más tarde, doblado septiembre, asistió a un nuevo sermón del doctor Cazalla sobre el egoísmo católico, en oposición a la incondicional entrega de Cristo en su pasión. Estuvo muy duro el Doctor aquella tarde. Habló del escándalo de los monasterios que disponían de vasallos, de los prelados que se creían señores y de los obispos entregados a la gula y la concupiscencia. Por una vez Cazalla fue directo al grano, no se anduvo con rodeos. Entre el auditorio corría un murmullo de protesta e incredulidad, pero, en ese instante, sabiamente, el Doctor mentó a Cisneros, confesor de la Reina Católica, un hombre que en su día se había alzado contra estos excesos, y cuya conducta —dijo— deberíamos imitar los creyentes.

Cipriano pasó por casa de su tío Ignacio y le pidió un ejemplar del *Enchiridion,* de Erasmo. Tenía la sospecha de que el Doctor no había mencionado a Erasmo deliberadamente y había utilizado en cambio el nombre de Cisneros como pantalla, por la sencilla razón de que el pueblo guardaba de éste buena memoria. Abrió el libro después de cenar y lo leyó len-

286

tamente, procurando exprimir cada renglón. Cuando languidecía la luz del quinqué, Cipriano lo cerró. Lo había terminado. Le invadía una sensación de desaliento. Era consciente de su escasa formación para entrar en debate sobre los puntos esenciales de la obra: la eficacia del bautismo, la confesión auricular o el libre albedrío. Pero notaba la inquietud inicial del disidente, el desasosiego, la necesidad de hacer preguntas. Durmió mal, intranquilo, sabedor de que existía otro mundo distinto de aquel en que se había instalado y que, tal vez, tenía el deber de conocer.

Muy de mañana partió para Pedrosa. Confió a Teo a la tía Gabriela. Ella la acompañaría durante su ausencia. Él llevaba varias noches pensando en Pedro Cazalla y, ahora que carecía de director espiritual, se dijo que tal vez pudiera él desempeñar tal diligencia. Aborrecía a los directores blandos, amigos de secreteos de confesionario, y Pedro Cazalla le parecía un hombre robluzo y abierto que no necesitaba que se lo pidiera para asumir su dirección.

Por primera vez tomaron el camino de Villalar, entre los rastrojos hollados e interminables. Faltaba aquí, en la perspectiva, el geométrico acompañamiento de la viña. Cipriano se preguntaba si el cura dispondría de un camino adecuado para cada situación. Por de pronto, la decadencia del rastrojo, su desolación, marchaba acorde con sus inquietudes del momento. Salcedo le confesó al cura que había leído el *Enchiridion* después de escuchar un duro sermón de su hermano contra los abusos del clero.

—¿Una cosa le llevó a otra?

—Algo así. Deseaba saber dónde se había inspirado.

—Y ¿encontró por fin la fuente?

—El hermano de vuestra paternidad puso de pantalla a Cisneros, pero en realidad había bebido en Erasmo. La cosa estaba clara. Seguramente lo hizo para acallar los rumores de protesta del auditorio.

Pedro Cazalla miraba con curiosidad su perfil apocado:

—¿Y qué impresión le produjo la lectura del *Enchiridion*?

—De flaqueza y desaliento —dijo Salcedo—. El libro es crudo como vuestra reverencia sabe.

—¿Qué edición leyó?

—La del canónigo de Palencia Fernández Madrid.

—¡Oh! —exclamó Cazalla sorprendido—. El *Enchiridion* es mucho más áspero que todo eso. Alonso Fernández le quitó el aguijón, lo maquilló. Hizo de él un librito amable para leer en familia.

Alentado por el silencio y la soledad, Cipriano confió a Cazalla sus escrúpulos y dudas. Siempre los había padecido. Desde niño desconfió de sus buenas obras. Repetía sus oraciones una y otra vez ante el temor de haber caído en la rutina, de no estar pensando en lo que decía.

—¿Por qué se tortura de esa manera vuesa merced? —dijo—. Confíe en Cristo, en los méritos de su pasión. ¿Qué valor tienen nuestros actos comparados con ella?

A Cipriano le sosegaban las palabras de Cazalla, su mirada profunda, el tono persuasivo de su voz:

—Me gustaría creerlo así —murmuró.

—¿Por qué tan poca fe? Si Cristo murió por nuestros pecados ¿cómo va a exigirnos luego reparación por ellos?

Clareaban los rastrojos de cebada, casi blancos en

el crepúsculo; a Salcedo también le sonaban a Erasmo las palabras del otro Cazalla y se lo dijo así. Pedro Cazalla sonrió y encogió los hombros:

—Vuesa merced no debe preocuparse tanto de la procedencia de las ideas cuanto de las ideas mismas: si son morales y justas o no lo son.

—¿Quiere decir vuesa paternidad que nuestros sacrificios, nuestros sufragios, nuestras oraciones son inútiles, carecen de sentido?

Cazalla puso delicadamente una mano en su brazo:

—Ninguna buena obra es inútil pero tampoco imprescindible para entrar en las estancias del Señor. Pero vuesa merced únicamente me habla de obras ¿es que no tiene fe?

Se habían sentado en el cembo del camino y Cazalla se acodó en sus rodillas cubiertas por la sotana y se sujetó la cabeza entre las manos. La voz de Cipriano le alcanzó empañada por la emoción:

—Tengo fe —dijo—. Y grande. Creo en Cristo y que Cristo es hijo de Dios.

Cazalla apenas le dejó terminar:

—¿Entonces? —preguntó—. Cristo vino al mundo a redimirnos; su pasión nos hizo libres.

Salcedo le miraba ensimismado, se diría que en su cabeza daba forma a las ideas que el otro formulaba. No obstante, intuía que acababa de hacer un raro descubrimiento. Dijo:

—Eso es exacto. Cristo dejó dicho: el que cree en mí se salvará; no morirá para siempre. Bien mirado sólo nos pidió fe.

—¿Conoce vuesa merced un precioso librito titulado *El beneficio de Cristo*?

Cipriano Salcedo denegó con la cabeza. Añadió Cazalla:

—Yo se lo prestaré. El libro no ha sido impreso en España pero conservo un ejemplar manuscrito. Don Carlos trajo de Italia el original.

Cipriano se hacía la ilusión de que algo empezaba a alentar dentro de él. Era como si atisbara un punto de luz en un horizonte cerrado. Aquel cura parecía mostrarle una nueva dimensión de lo religioso: la confianza frente al temor.

—¿Quién es ese don Carlos de que me habla?

—Don Carlos de Seso, un caballero veronés aclimatado en Castilla, un hombre tan fino de cuerpo como de espíritu. Ahora vive en Logroño. En el 50 viajó a Italia y trajo libros e ideas nuevas. Luego acudió a Trento con el obispo de Calahorra. Hay quien dice que don Carlos cautiva tras un trato superficial y desilusiona tras un trato profundo. En suma que es conversador de distancias cortas. No sé. Tal vez vuesa merced tenga oportunidad de conocerle y juzgará por sí mismo.

Cipriano Salcedo se daba cuenta de que estaba deslizándose de las aguas someras a las profundas, de que estaba enredándose en una conversación trascendente y crucial. Pero experimentaba una paz inefable. Tenía una vaga idea de haber oído mentar a don Carlos de Seso en casa de su tío Ignacio. Y, aunque se encontraba a gusto allí, sentado en el cembo, empezaba a sentir el relente.

Se incorporó y bajó al carril. Cazalla le siguió. Caminaron un rato en silencio, al cabo del cual Cipriano preguntó:

—¿No tuvo alguna vez don Carlos de Seso concomitancias luteranas?

—¡Oh! déjese de prejuicios ahora. La Iglesia necesita una reforma y ninguna opinión está de más en estas circunstancias. Es preciso que nos entendamos. Los que regresan de Trento dicen que no creen que sea malo todo lo luterano.

El espíritu de Salcedo se serenaba. Le placía oír la voz tranquila y convencida de su interlocutor. Añadió Cazalla como si pusiera un broche final a su disquisición:

—El dominico Juan de la Peña ha dicho con mucho sentido: ¿Por qué ocultar que yo confío en la Pasión de Cristo porque por su misericordia yo la he hecho mía? Esta frase es de los Santos Padres. Los luteranos se han apropiado de ella, aluden a ella constantemente como si fuera suya pero los Santos Padres la pronunciaron antes. El miedo nos impide aceptar de los protestantes verdades reconocidas por nosotros de antemano.

Con el lubricán el pueblecito se identificaba con la tierra y, de no ser por la tenue llamita de algún candil desperdigado, hubiera podido pasar inadvertido. De pronto, sin ningún preámbulo, Pedro Cazalla le invitó a cenar. Así podrían seguir charlando. Su hermana Beatriz le acogió con agrado. Era una muchacha alegre que sonreía con los dientes, abiertamente. El mobiliario de la casa era tan sobrio como el de Martín Martín: una cocina con una mesa y dos escañiles. Tajuelos en la sala, butacas de mimbre y una librería. Y, a los dos lados, sendas habitaciones con altas camas de hierro, con dorados en los cabeceros. Beatriz guisaba y les servía la mesa en silencio. Era tal el respeto hacia su hermano que, en tanto hablaba, no osaba mover un dedo. Permanecía quieta, de espaldas al hogar, mirando a la mesa, las manos cruzadas sobre el halda. Únicamente en las pausas se atrevía a servir vino o cambiar un plato de sitio. Pedro Cazalla, a pesar de que hacía media hora que habían terminado su paseo, remató su parlamento con naturalidad, como hacía en tiempos *el Perulero*, como si la conversación no se hubiera interrumpido.

—Hace casi catorce años que conozco a don Carlos —dijo—. Entonces era un joven apuesto y refinado en el vestir, tanto que lo último que uno esperaba de él era oírle hablar de teologías. Tenía varios contertulios en Toro y una tarde nos hizo ver que Cristo había dicho sencillamente que el que creyese en Él tendría la vida eterna. Únicamente nos pidió fe —precisó—, no puso otras condiciones.

Comían maquinalmente, atendidos por Beatriz. Cazalla hablaba y Cipriano, en silencio, se dejaba adoctrinar. Durante la comida el párroco ahondó en los mismos temas que habían tratado en el paseo y, al final, todo volvió a confluir en el libro *El beneficio de Cristo:*

—Es un libro cuya sencillez no oculta una gran profundidad. Una apasionada exaltación de la justificación por la fe. Tras su lectura, el marqués de Alcañices quedó arrebatado. A otras muchas personas les ha sucedido lo mismo.

Terminada la cena, se trasladaron a la sala. En el anaquel del rincón se alineaban unas docenas de libros encuadernados. Cazalla tomó uno sin vacilar y se lo entregó a Salcedo. Era un texto manuscrito y Cipriano lo hojeó, elogió la gracia de su caligrafía:

—¿Lo ha escrito vuestra reverencia?

—Yo lo traduje, sí —dijo modestamente Cazalla.

292

A la mañana siguiente, Cipriano asistió a la misa de nueve en Pedrosa. En la iglesia apenas había dos docenas de personas, mujeres en su mayor parte. Al terminar, Cipriano se despidió del cura en la sacristía y le devolvió el libro. Pedro Cazalla le interrogó con su mirada sombría, remotamente esperanzada. Salcedo asintió con una sonrisa:

—Su lectura me ha hecho mucho bien —dijo escuetamente—. Seguiremos charlando

XI

Cipriano Salcedo fue uno de los muchos vallisoletanos que, mediado el siglo XVI, creyeron que la instalación de la Corte en la villa podía tener carácter definitivo. Valladolid no sólo rebosaba de artesanos competentes y nobles de primera fila, sino que las Cortes y la vida política no daban ninguna impresión de provisionalidad. Al contrario, una vez llegado el medio siglo, el progreso de la ciudad se manifestaba en todos los órdenes. Valladolid crecía, su caserío desbordaba los antiguos límites y la población aumentaba a un ritmo regular. «No cabemos ya dentro de la muralla», decían orgullosos los vallisoletanos. Y ellos mismos se replicaban: «Construiremos otra mayor que nos acoja a todos». Un visitante flamenco, Laurent Vidal, decía de ella: «Valladolid es una villa tan grande como Bruselas». Y el ensayista español Pedro de Medina medía la belleza de la Plaza Mayor por los huecos que ofrecía al exterior: «¿Qué decir —escribía— de una plaza con quinientas puertas y seis mil ventanas?». Pero, doblado el medio siglo, la construcción, activa ya desde 1540, se aceleró, se acabaron de urbanizar las Tenerías, frente a la Puerta del Campo, y se levantaron importantes edificios más allá de las puertas de Teresa Gil, San Juan y la Magdalena. Las huertas de Santa Clara perdieron pronto su carácter agrícola y se convirtieron primero en solares y, luego, en casas de pisos con balcones de herraje, formando un barrio que corría paralelo al río Pisuerga.

El frenético ritmo de edificación hizo surgir en todas partes nuevas manzanas de casas, utilizando tanto los espacios cerrados, patios y jardines, como los terrenos abiertos de los arrabales. Para Cipriano Salcedo y sus convecinos constituyó un motivo de orgullo la transformación de su barrio, desde la Corredera de San Pablo a la Judería, próxima al Puente Mayor. Tres docenas de casas de nueva planta se habían edificado en las calles Lechería, Tahona y Sinagoga, y otras tantas aún más sólidas en la huerta del Convento de San Pablo cedida para este fin. Para dar salida a estos bloques se abrió la calle Imperial, que enlazaba con el barrio recién construido. Otras licencias para obras de envergadura se concedieron, asimismo, en la calle Francos y en la huerta del convento de monjas de Santa María de Belén, entre el Colegio de Santa Cruz y la Plaza del Duque.

Pero lo más espectacular fue la expansión de la villa por las parroquias de extramuros: San Pedro, San Andrés y Santiago. Las cesiones de terreno de los hermanos Pesquera, que facilitaron sesenta y dos nuevos solares, resultaron beneficiosas incluso para los donantes, lo que indujo a otros propietarios a cambiar sus fincas, por una renta anual vitalicia, en lugares concretos como la calle de Zurradores, la linde del camino de Renedo y la del de Laguna, a la izquierda de la Puerta del Campo. En este tiempo, mediada la década, Valladolid se convirtió en un gran taller de construcción sobre el que pasaban los años sin que su febril actividad conociera reposo.

Simultáneamente a la erección de nuevos edificios, nació entre las clases pudientes la necesidad de acondicionarlos, de amueblarlos conforme a las más exigentes normas estéticas europeas. La decoración interior empieza entonces a ser considerada un arte. La Corte y sus exigencias van imbuyendo en los vallisoletanos una propensión al consumo cuya primera manifestación es el adorno. Incluso Teodomira Centeno, que durante años se había conformado con un discreto pasar, se sintió arrastrada de pronto por la fiebre de suntuosidad que impulsaba a sus convecinos. Para Cipriano Salcedo, el derroche de su mujer revelaba, por una parte, un contagio social y, por otra su carácter inestable. Teo explicaba de manera expresiva esta debilidad: el día que no gasto cien ducados lo considero un día perdido, confesaba a su marido. Esta obsesión por el gasto, junto a la observancia rigurosa de la terapia del doctor Galache, llenaron su vida en aquellos días. Con una particularidad, la tía Gabriela, tan reticente años atrás al matrimonio de Cipriano, se convirtió de pronto en la más fiel amiga y aliada de su esposa. El proverbial buen gusto de la tía se unió a la fabulosa fortuna de su sobrina. Teo no sólo era dócil sino que aceptaba agradecida las sugerencias de Gabriela. *La Reina del Páramo* conocía sus límites, se sabía mejor esquiladora que su tía pero carecía de un gusto tan decantado como el suyo. Por si fuera poco, la tía Gabriela, que ya se aproximaba a los sesenta, había encontrado en el despilfarro del dinero ajeno una actividad rejuvenecedora. En cuanto a Salcedo, poco apegado a las cosas materiales y embarcado en problemas trascendentes, apenas le afectaba la propensión al hedonismo de su cónyuge, antes bien, la alentaba. A estas alturas de su vida le agradaba una mujer ocupada, distraída, ya que Teo iba dejando de ser para él un elemento de sosiego al mismo tiempo que un aliciente perturbador. Se había equivocado con ella. Su tamaño, su blancura de estatua, la ausencia de vello y de sudor no dejaban de ser defectos que su fantasía de pretendiente había convertido en atributos. Aquella figura carnosa, prieta y lacteada le decía ya muy poco como mujer y nada como sombrilla protectora. Su relación era simple: Teo le servía cada noche el preparado de escorias de plata y acero y, a cambio, le exigía mensualmente cinco días de respeto. Teo seguía viviendo alentada por la esperanza de ser madre. Creía a cierra ojos en la promesa del doctor Galache y se atenía escrupulosamente a sus instrucciones. Cualquier día quedaría preñada de Cipriano y el pronóstico del doctor se habría cumplido.

Cipriano, por el contrario, ingería la pócima nocturna por complacerla. No creía en ella en absoluto. Tenía el convencimiento de que Galache había utilizado la receta como recurso para quitarse de encima a una histérica. Transcurridos los cinco o seis años previstos ya vería el mejor modo de prolongar la expectativa. Pero Teo no cejaba. Para ella las relaciones íntimas tenían el mismo fin que las escorias de plata y acero o sus tomas de salvia con sal después de los cuatro días de abstinencia. Ya no enredaba con *la cosita*. Ese juego había pasado a la historia como la escalada de Cipriano hasta la meseta de las protuberancias. Olvidado ya de la sapina y de su desapacible cópula, Cipriano aceptaba el débito sin reticencias ni entusiasmos, lo mismo que ella, es decir con desventaja, ya que él no creía en la terapia del doctor para activar la descendencia y ella sí. En esta situación, de la inicial protección física que Teo le dispensara, no le quedaba otro recuerdo que el doblez de la almohada donde cada noche introducía su pequeña cabeza para conseguir conciliar el sueño.

Nada de esto impedía que Teo le mostrara con entusiasmo los progresos en la decoración de la casa. Los muebles de pino iban desapareciendo sustituidos por otras maderas más nobles, principalmente roble, nogal y caoba. Con ello, su despacho, por ejemplo, iba ganando en calidad y riqueza: sobre la gran mesa de nogal reposaba una escribanía de avellano, a su lado un atril y, enfrente, una estantería de roble llena de libros. Bajo la ventana, Teo había dispuesto una arqueta veneciana de ébano con incrustaciones en marfil de escenas bíblicas. Una auténtica joya. También los escañiles iban quedando para los pobres. Su lugar lo ocupaban ahora sillas de cuero u otras de estilo francés. Pero la transformación de la casa no se detuvo ahí. El dormitorio del matrimonio pasó de la eficacia a la coquetería. La vieja cama de hierro fue reemplazada por otra forrada de damasco carmesí cubierta por baldaquino de brocado de oro. Frente a la cama, Teo instaló un tocador de caoba con los enseres de plata y, junto a la puerta, un gran arcón forrado de piel de ternera para la ropa de cama. Sin embargo, las copias de cuadros, que distribuyó por la parte noble de la casa, no tuvieron acceso al santuario matrimonial, tan venido a menos, donde las paredes estaban decoradas por guardamecís dorados y, presidiéndolo todo, sobre el lecho, un crucifijo encargado ex profeso a don Alonso de Berruguete. En el mismo estilo, ennobleciendo puertas y ventanas y dando entrada a tapices y alfombras, decoró Teo la sala y el comedor. Únicamente quedaron en su antiguo estado las buhardillas del piso alto, los trasteros y la habitación de Vicente, el criado, junto a las cuadras, en la planta baja, que era intocable.

Pero el cambio más importante que experimentó la casa de la Corredera fue el relativo al ajuar: toallas bordadas a punto real, sábanas de Flandes, pañuelos y pañitos de Holanda, almohadones alemanes y toda clase de ropa, incluida la interior, abarrotaban los gigantestos armarios. Y sobre anaqueles y rinconeras, juegos de té, jarras y candelabros, en plata y oro procedentes de las Indias. De oro y plata eran también las cuberterías, vinajeras, cascanueces, azucareros y saleros, ordenados en el aparador, frente al cual, en el juguetero veneciano, se exhibían porcelanas y cristales de Bohemia de exquisitas formas y tonos.

A Cipriano no dejaba de conmoverle el tesón de Teo por superar su pasado de esquiladora, no de olvidarlo, puesto que aparte del *Obstinado*, el ruin penco que conservó hasta su muerte, guardaba en su armario personal, como una reliquia, junto a ricas prendas de *ruan* y *holandas*, el acial y los juegos de tijeras y cuchillos de trasquilar, merced a los cuales obtuvo un día el título de *Reina del Páramo*. Cipriano dejaba que las cosas marcharan a su aire. No le desagradaban ni la molicie que el cambio hogareño comportaba ni la pasión que Teo ponía en ello. A veces, Teo y la tía Gabriela llegaban cargadas de chucherías al caer la tarde, Crisanta les servía unas pastas y un refresco y los tres charlaban largo rato sobre los nuevos proyectos y las últimas adquisiciones.

Pero, ordinariamente, Cipriano Salcedo vivía estas novedades un poco al margen, cada vez más embebido en los libros y los viajes. Frecuentaba las visitas a Pedrosa, ya que la palabra de Pedro Cazalla, su compañía y adoctrinamiento habían llegado a hacérsele imprescindibles. A veces, esperándole en su casa, charlaba con Beatriz, la hermana, muy sutil e inteligente, con un extraño ángel en el rostro, luminosa y empecinada. Resultaba edificante la confianza con que vivía la teoría del beneficio de Cristo, sobre la que no admitía discusión. La Pasión del Señor había sido una obra perfecta y resultaba grotesco que algunos creyentes con sus mezquinas invenciones pretendieran enmendarle la plana al Redentor. Mantenía una activa vida de relación con las vecinas del pueblo y con tres de ellas se ocupaba del mantenimiento de la parroquia.

De cuando en cuando se presentaban en Pedrosa Cristóbal de Padilla y Juan Sánchez. El primero era criado de los marqueses de Alcañices y el segundo lo había sido de doña Leonor de Vivero, luego de Pedro Cazalla, en Pedrosa, quien acabó facturándoselo de nuevo a su madre debido a su entrometimiento. Padilla era un extraño ser, alto y desgarbado, con una melena larga y roja que le daba la apariencia de un personaje de cuento infantil. Contrariamente Juan Sánchez era un muchacho de baja estatura, cabezón, piel reseca y apergaminada pero muy activo y oficioso. Caballero en vieja mula, solo o acompañado de Cristóbal de Padilla, se había convertido espontáneamente en enlace de la comunidad de Valladolid con los grupos de Zamora y Logroño. En Zamora, era Padilla quien llevaba la batuta y organizaba catequesis en busca de nuevos adeptos, mostrándose con frecuencia demasiado audaz y arriesgado. Pese a las órdenes en contrario, Juan Sánchez le acompañaba en ocasiones. En cambio, Beatriz Cazalla era una muchacha cauta y discreta y cuando charlaba con ellos, dada su inteligencia, les abastecía de ideas y expresiones para su evangelización futura. A veces discutían en torno a los sacramentos y el matrimonio de los clérigos, y Pedro Cazalla se creía obligado a intervenir para imponerles silencio.

Las charlas de Pedro Cazalla y Cipriano Salcedo solían ser itinerantes. De ordinario tomaban el carril de Casasola, con las salinas del Cenagal y el monte de La Gallarita al fondo, pero, a medio camino, solían sentarse en la cima del Cerro Picado, el más próximo al pueblo, y allí seguían departiendo mientras contemplaban las casitas molineras agrupadas a un costado de la iglesia, entre las acacias, y el ejido con el pajero del común, el pozo, y los restos de carros y trillos desguazados. Algunas tardes paseaban en dirección a Toro, entre sembrados y viñedos, hasta alcanzar el camino de Zamora. O bien se acercaban a Villavendimio, en cuyos terrenos yermos y arenosos empezaba a desarrollarse la pinada plantada por Martín Martín. En primavera, subían, de alba, con el perdigón, invariablemente a la linde de La Gallarita. Poco a poco, Cipriano Salcedo se había ido convirtiendo en un conspicuo pajarero. Sabía identificar la voz de *Antón* entre las de otros machos decidores y distinguía a la perfección los cantos de llamada de los de recepción. Curtido en mil aguardos, ya no censuraba a Cazalla la sangre vertida. Vivía el duelo entre el hombre y el pájaro apasionadamente y, sumiso al cura, terminaba aceptando, tarde o temprano, todo lo que saliese de su boca.

Un día del mes de abril, cuando *Antón* emitía una llamada encendida desde lo alto del tanganillo, ante la terca mudez del campo, Pedro Cazalla le dijo brutalmente, sin preparación alguna, que no había purgatorio. Pese a estar sentado, la rudeza de Cazalla le produjo a Salcedo una extraña flaqueza en las rodillas y un vértigo en la boca del estómago. El cura le miraba de soslayo, atentamente, pendiente de su reacción. Le vio empalidecer como el día de la sapina y buscar acomodo para sus piernas en la angostura del tollo. Finalmente murmuró:

—E... eso no puedo aceptarlo, Pedro. Forma parte de la fe de mi infancia.

Estaban encerrados en el tollo, sentados en la banqueta, el uno junto al otro, Cazalla con el retaco cargado entre las piernas, ajenos ambos al comportamiento del perdigón. Dijo Cazalla dulcemente encogiendo los hombros:

—Es muy duro, Cipriano, lo comprendo, pero debemos ser coherentes con nuestra fe. Observando los mandamientos ninguna cosa hay que no nos sea perdonada por la Pasión de Cristo.

Salcedo parecía a punto de llorar, tal era su desolación:

—Tiene razón vuesa paternidad —dijo al fin—, pero con esta revelación me deja desamparado.

Pedro Cazalla le puso una mano en el hombro:

—El día que don Carlos de Seso me lo dijo sufrí

tanto como vos. Las tinieblas me envolvían y sentí miedo. Estaba tan atribulado que pensé en denunciar a don Carlos al Santo Oficio.

—Y ¿cómo superó esa angustia?

—Sufrí mucho —repitió—. Me sentía empecatado. En los días siguientes no pude decir misa. Así es que, una mañana, aparejé la mula y me fui a Valladolid. Tenía necesidad de ver al virtuoso teólogo, don Bartolomé Carranza. ¿Le conoce vuesa merced?

—Tiene fama de santo y sabio.

Pedro Cazalla retiró la mano de su hombro y prosiguió:

—Me confié a él, le abrí mi alma. Don Bartolomé me dirigió una mirada adivinadora y me preguntó: ¿quién le ha dicho lo del purgatorio? No se lo quise decir y, entonces, él añadió: y si lo acierto, ¿vos me lo confirmaréis? Y como yo le respondiese que sí, él pronunció el nombre de don Carlos de Seso y yo bajé la cabeza asintiendo.

Pedro Cazalla hizo una pausa, como esperando una reacción inmediata de Salcedo, pero éste tenía la boca seca y le costaba articular palabra:

—Y ¿qué le dijo su paternidad? —inquirió al fin.

—Fui yo quien le advertí que me creía en el deber de dar parte al Santo Oficio, de denunciar a don Carlos, pero él me aquietó, que me sosegara, que no delatara a nadie, que regresase a mi curazgo y rezase la misa como todos los días. Y así lo hice y él, en tanto, mandó un correo a Logroño rogando a don Carlos que viajara a Valladolid, que le iba mucho en ello. Y don Carlos vino por la posta y se fue directamente al Colegio de San Gregorio a hablar con don Bartolomé Carranza, pero en el patio nos encontramos y él entonces me dio la paz en el rostro, me besó en la mejilla, cosa que nunca había hecho conmigo, y esto me conmovió. Y juntos subimos a la celda del teólogo pero éste me dijo que yo quedara fuera, que no era menester mi presencia. Y, al decir de don Carlos, al verse solos, le preguntó si era cierto que me había dicho que no había purgatorio y que en qué lo fundaba. Y Seso le respondió que en la superabundante paga que había dado Nuestro Señor por nuestros pecados con su pasión y muerte. Y su paternidad le advirtió entonces que ninguna buena razón era suficiente para apartarse de la Iglesia ya que no todos los hombres se iban de este mundo tan llenos de fe como la que él demostraba. Luego le advirtió que estaba en vísperas de irse a Inglaterra con el Rey nuestro señor pero que, tan pronto regresara, procuraría escucharle y satisfacerle más particularmente. Y, antes de despedirse, alabó de nuevo su fe y siguió sin condenar sus palabras. Únicamente le encareció que guardase el secreto de la entrevista. Exactamente le dijo: «Mirad que esto que ha pasado aquí, aquí quede enterrado y por ninguna circunstancia lo digáis».

El interés con que escuchaba la historia apartó de momento a Salcedo del motivo de su aflicción. Y aprovechó la pausa de Cazalla para preguntarle:

—Y ¿volvieron a hablar en alguna ocasión de este negocio?

Cazalla encogió los hombros. Dijo con cierta amargura:

—Su paternidad aún no ha terminado con sus quehaceres.

A *Antón* se le quebró en el cuello el último coreché. El pájaro se mostraba aburrido y desanimado; el campo parecía desierto. Cazalla se incorporó en el tollo, las manos en los riñones. Dijo, cambiando de tono:

—A la caza no hay que buscarle las cosquillas. Si dice que no, es mejor dejarlo.

Por la noche, en la posada, Cipriano padeció angustias de muerte, no consiguió dormir. Sentía su espíritu turbado, afligido. Ya en el tollo había experimentado un tirón violento, como una amputación. Ahora advertía que su mundo se había visto alterado de raíz con las palabras de Cazalla. Y, entre el cúmulo de ideas que se mezclaban en su cabeza, solamente una veía clara: la necesidad de modificar su pensamiento, poner todo patas arriba para luego ordenar serenamente las bases de su creencia. Se levantó antes de amanecer y las primeras luces del alba le sorprendieron en Villavieja. Ya en Valladolid, rebuscó afanosamente entre los libros. Allí estaba lo que buscaba. La frase de Melchor Cano le apaciguó momentáneamente: la intención de Carranza ha sido siempre ortodoxa, decía. Pero don Bartolomé se identificaba con Seso y de ahí que no lo hubiera denunciado. Bartolomé Carranza seguramente creía que no existía el purgatorio, pero era consciente del riesgo de proclamarlo así sin tener en cuenta la formación del interlocutor. El gran teólogo era, sin duda, un hombre escrupuloso y prudente.

Antes de cumplir una semana, la inquietud de Cipriano le llevó de nuevo a Pedrosa. Le sorprendió que Cazalla, probablemente en un acceso de humildad, le llamase hermano. El párroco no abrigaba dudas sobre la relación entre Seso y Carranza. Entre ellos existía una evidente analogía de pensamiento. Melchor Cano tenía razón en ese punto. Caminaban por el carril de Toro, en una tarde apacible, cuando vieron venir en sentido contrario un esbelto corcel, envuelto en una nube de polvo. Pedro Cazalla no se alteró cuando dijo:

—Si no me equivoco aquí tenemos a don Carlos de Seso en persona.

El caballo, boquifresco, estrellado, de remos finos, fue lo primero que atrajo la atención de Salcedo. Enseguida se advertía que no era un caballo del montón sino escrupulosamente elegido: un animal albazano, impaciente, que piafó elegantemente al alcanzar la altura de los dos hombres. El caballero les saludó antes de apearse. Se trataba de un hombre esbelto, delgado, de mirada clara, unos años mayor que Cipriano. Rubio, de breve barba y pelo corto, tocado con una gorra italiana, su atuendo, con mangas lisas a la turca, vistas las puntas de la camisa y calzas enteras picadas, parecía el más adecuado para cabalgar. Daba la impresión de hombre de mundo, petimetre y altivo sin pretenderlo. Procedía de Toro. Iba a ser nombrado corregidor y había visitado la villa para saludar a los viejos amigos. Era hombre facundo, de verbo matizado, cuya desenvoltura atraía. Conducía a *Veronés*, su caballo, de la brida y caminaba entre Cipriano y Cazalla con naturalidad. Sin preámbulo alguno se dirigió a Salcedo: había conocido a un tío suyo muchos años atrás, en Olmedo, durante la peste, hombre culto, justamente afamado, abierto. A Pedro le había oído hablar de él, de Cipriano, como terrateniente fuerte y hombre espiritualmente inquieto. Más tarde charlarían. Pensaba dormir en la posada de Baruque y partir muy de mañana para Logroño.

Beatriz Cazalla, la hermana de Pedro, les recibió con mucho afecto y desenfado y los invitó a cenar; no tenía cena para tantos pero lo arreglaría con un pernil. Don Carlos trataba a Beatriz con una mezcla de familiaridad y respeto. La embromaba y ella reía sin parar. Cazalla aseguraba que era como su madre, mujeres sin telarañas en la cabeza, que habían nacido para reír. Durante la cena y la sobremesa se abordaron temas triviales: la afición a la caza de Pedro, el viñedo, el revoque de la iglesia, pero tan pronto se vieron solos Seso y Salcedo en la sala de la fonda ante una jarra de vino, Salcedo afrontó sin vacilaciones el tema del purgatorio. Le había parecido tan oportuna la irrupción de don Carlos que no dudó que Cazalla le había enviado un correo encareciéndole su presencia. Sobre el arcón había un gran crucifijo y, al advertirlo, Seso lo señaló teatralmente con un dedo y dijo:

—Ahí tiene vuesa merced mi purgatorio. Ése es mi purgatorio.

Hacía el efecto de un iluminado. En chancletas, con sus ojos grises muy fijos, la bata de viaje, se diría que su personalidad había mudado. Salcedo le miraba implorante, haciendo ostensible el sufrimiento de los últimos días.

—Los españoles dan mucha importancia a este negocio del purgatorio —comentó don Carlos sonriendo—. En mi país se acepta su inexistencia como consecuencia lógica de la nueva doctrina. Don Bartolomé Carranza se resistió a escucharme cuando le quise dar las razones; las dio por sabidas.

La hija de Baruque se había retirado después de

cebar el candil y echar unos leños al fuego. Mientras don Carlos se servía un nuevo vaso de vino, Cipriano sacó fuerzas de flaqueza para decir:

—Y... y a mí ¿podría decirme vuesa merced en qué basa su convencimiento? Carezco de las luces y la santidad de su reverencia.

La metamorfosis de don Carlos se había ido completando. La aparente despreocupación del camino había desaparecido de él y, pese a lo agraciado de su rostro, a su breve melena rubia, más parecía un hombre de iglesia, presto a iniciar un sermón, que un caballero. Sus ojos claros miraban ahora con empeño las pequeñas manos peludas de Cipriano:

—No quiero cansarle —dijo con aire protector—. Para mí hay tres razones de peso que demuestran la inexistencia del purgatorio...

Dejó su razonamiento en suspenso y Cipriano aproximó el rostro a sus labios, temeroso de que no llegara a formularlas:

—Le escucho —dijo impaciente, apremiándole.

Don Carlos clavó sus ojos grises en su rostro y reanudó la exposición:

—En primer lugar, al aceptar que no hay purgatorio, reconocemos haber recibido de Cristo la mayor misericordia. A esto, añada vuesa merced que ni los Evangelistas ni San Pablo aluden a él en sus escritos. Por último, y esto para mí también es esencial, tenemos la posición de don Bartolomé de Carranza, hombre santísimo y de gran sabiduría. ¿Necesita vuesa merced más y mayores evidencias?

Parpadeó reiteradamente Cipriano Salcedo como deslumbrado. Operaba sobre él una especie de fuerza sobrenatural que parecía provenir de aquel hombre.

Le convencían sus razones, las tres, especialmente la segunda: ¿por qué los Evangelistas no habían aludido al purgatorio y sí lo habían hecho al cielo y al infierno? Pero don Carlos no le daba tiempo a reflexionar. Hablaba y hablaba sin mesura. Remachaba el clavo. Para afrontar su nueva fe, don Carlos le recomendaba visitar a Cazalla, el Doctor, hablar con él. Frecuentar los conventículos, cambiar impresiones con los hermanos. No lo deje. Nuestra fuerza no es grande pero tampoco despreciable. No se quede sentado en una silla. Muévase. Abra su espíritu, no se resista a la gracia. Dispone de cenáculos en Valladolid, Toro, Zamora, en muchos sitios. Cipriano se apresuraba a tomar nota mental de sus consejos, de los nombres de personas y lugares que le recomendaba. Y, de pronto, don Carlos alteró la dirección de su discurso, le habló de Trento, había estado allí y el Concilio no había suscitado en él grandes esperanzas. Le habló también de Juan Valdés, fallecido unos años atrás, como su verdadero maestro y así fue encadenando temas hasta que la fatiga y el sueño llegaron a dominar a ambos interlocutores.

A la mañana siguiente, muy temprano, cabalgaron juntos hasta Valladolid. Don Carlos iba a Logroño, a Villamediana, donde vivía. Por primera vez admiraba Salcedo en otro caballo cualidades que no advertía en el suyo: *Veronés* arrancaba a galope desde el trote corto, sin transición y era capaz de detenerse en dos cuerpos, cosa que *Relámpago* y él nunca habían conseguido. Se trataba de un corcel brioso y bien educado. Don Carlos le informó que lo había adquirido en Granada y tenía más de la mitad de sangre árabe.

Cipriano encontró a su mujer al borde de una nueva crisis. Desde que dejó de representar para él un refugio y un incentivo carnal, Salcedo sólo aspiraba a una cosa: que le dejase en paz. No creía en las palabras del doctor Galache ni en los plazos que Teo observaba con rigurosa exactitud aunque fingiera hacerlo para mantener la paz conyugal. De ahí que en cada una de sus salidas, una bolsita con escorias de plata y acero, que su esposa le preparaba, formara parte de su equipaje. Indefectiblemente la bolsita volvía intacta pero ella no lo advertía. Creía que Cipriano vivía las instrucciones del doctor con el mismo convencimiento con que ella lo hacía. De esta manera el matrimonio iba sobreviviendo, mas, esta vez, el regreso fue desolador. Teodomira no salió a recibirle al vestíbulo. La encontró en su cuarto, en pleno ensimismamiento, mirando por la ventana sin ver. Maquinalmente le devolvió el beso que le dio en la mejilla, pero de una manera tan fría que Cipriano se preguntó qué novedad le esperaría esta mañana. Unas veces había sido *Obstinado*, otras sus menosprecios, otras, en fin, su infecundidad, pero era evidente que su enajenación quería decir algo. Le acompañó a la habitación para desvestirse. Cipriano aún no se había acostumbrado a los nuevos tapices, los cortinones, el dosel... Le abrumaban. Pero, inopinadamente, Teo se pronunció con acento dominante:

—Digo Cipriano que esta costumbre de dormir juntos, en una misma cama, es una porquería.

—¿Una porquería? Es lo que suelen hacer los matrimonios, ¿no?

Ella se iba enardeciendo poco a poco.

—¿De veras te parece normal que pasemos nueve

de las veinticuatro horas del día intercambiando nuestros efluvios, nuestros alientos, oliéndonos de continuo el uno al otro como dos perros?

—Bueno —convino su marido sobre la marcha—: quizá tengas razón. Tal vez debamos poner otra cama aquí.

La gran figura de Teo se desplazaba con ligereza de un lugar a otro de la estancia. Agarró una de las columnas del lecho y la sacudió con fuerza. Tembló el dosel arriba:

—¿Dos camas aquí? —preguntó irritada—. ¿Es eso todo lo que se te ocurre después de devanarme los sesos para adecentar el dormitorio? Destrozarlo con una cama auxiliar. ¡Eso! ¡He ahí la sugerencia del gran hombre!

Teo, en la pendiente, era como un alud, cada vez adquiría mayor fuerza y extensión. Alcanzado este extremo, Cipriano vaciló: ¿debía acatar su sugerencia o disentir? Él no ignoraba que de aceptar su juicio sin lucha, el tema inicial de la confrontación, generalmente nimio, podría derivar hacia otro más personal y explosivo. Y, en el caso de optar por el enfrentamiento, cabía que la exasperación de su esposa, en un increscendo previsible, terminara pasando de las palabras a los hechos. Cipriano no olvidaba que, en la crisis que precedió a la visita al doctor Galache, Teo le había amenazado una noche en la cama, incluso llegó a atenazarle la garganta con sus blancas manos poderosas. Desde ese momento había adoptado ante ella una postura ambigua no exenta de prevención. Es lo que había hecho esta mañana al advertir su alejamiento: ni aceptar a ojos cerrados, ni discrepar tajantemente, sino esperar que las cosas madurasen

312

por sí solas. Trató de amansarla con palabras amables, pero ella siguió con sus destemplanzas. Tan sólo se apaciguó el enfrentamiento cuando Teo le condujo a un viejo trastero contiguo que acababa de habilitar para dormitorio:

—¿Qué te parece? Crisanta y yo lo hemos dispuesto para ti.

Cipriano miraba acongojado el ventanuco, la otomana en un rincón, junto a la arqueta que iba a hacer las veces de mesilla de noche, donde de momento reposaba un candelabro de plata. Una esterilla como posapié, un armario de pino, dos sillas de cuero y un árbol para colgar la ropa constituían todo el mobiliario. Cipriano pensó que había sido expulsado del paraíso pero, al propio tiempo, tenía la solución inmediata del problema al alcance de la mano. Claudicó:

—Está bien —dijo—, es suficiente. Después de todo la ostentación resulta superflua en un dormitorio.

Teo sonreía. Cipriano había sabido valorar su esfuerzo. Le condujo hasta la puerta de la alcoba. A la derecha del marco, adherida a la pared, había una hoja de papel, donde ella había transcrito una especie de calendario. Los cuatro días de abstinencia recomendados por el doctor Galache estaban recuadrados en rojo. Sonrió con remota picardía:

—No trates de engañarme —dijo—. Tengo un cuadro igual a éste en la cabecera de mi lecho.

Las aguas habían vuelto a su cauce. Teo exultaba. No se dada cuenta de que había sido vencida. Por su parte, recobrada la libertad, conforme con las indicaciones de Seso, Cipriano decidió visitar al doctor Cazalla. No le encontró en casa pero le recibió su madre, doña Leonor de Vivero, una mujer de edad que sin embargo conservaba una vigorosa lozanía. Una piel fresca, sus ojos azules y vivaces, la serena coordinación de movimientos, su denso cabello blanco, alejaban cualquier idea de senectud. Una galera de brocado hasta los pies y la gorguera de lechuguilla blanca terminaban de perfilar su figura. Sonreía al hablar, con una sonrisa dentona, como si le conociera de toda la vida. Pedro le había hablado de él, de su devoción, de su probidad, de su buena disposición hacia el prójimo. Agustín regresaría tarde; tenía una reunión en el cabildo. El pequeño gabinete donde se encontraban era un trasunto del resto de la casa agobiada y oscura, donde los muebles pesados, de mucho bulto, ocupaban la mayor parte del espacio disponible. Únicamente la sala de reuniones, el oratorio, que doña Leonor le mostró solícita, escapaba de la norma. Era una habitación desahogada a costa del resto de la casa, el techo de vigas vistas, sin otro menaje que un pequeño estrado con una mesa y dos sillas y una larga fila de escañiles:

—Aquí celebramos nuestras reuniones mensuales —explicó doña Leonor—. Espero que vuesa merced nos haga el honor de acompañarnos en la próxima. Agustín le dará las instrucciones precisas.

La capilla no tenía otra ventilación que un angosto hueco a poniente con la contraventana almohadillada para amortiguar los ruidos y la luz.

Cipriano volvió con frecuencia por casa de doña Leonor de Vivero. Era una mujer tan abierta y esparcida que no le importaba que el Doctor se retrasara. También ella le recibía con muestras de contento y escuchaba sin pestañear su divertido anecdotario. Nunca Cipriano se había visto tan halagado, y, por primera vez en su vida, dilataba el final de sus historias que, en su timidez innata, siempre había tendido a resumir. Y doña Leonor reía fácilmente pero con discreción, sin estrépito, sin risotadas explosivas, como con una vibración monocorde del velo del paladar. A pesar de su contención, lloraba riendo, y sus lágrimas animaban a Cipriano que nunca había valorado su sentido del humor. Enlazaba un relato con otro y a la cuarta visita había agotado el filón de sus anécdotas impersonales y, sin solución de continuidad, inició el repertorio de las protagonizadas por él o sus allegados. Las historias de don Segundo, *el Perulero*, o las de su esposa *la Reina del Páramo*, desencadenaron en doña Leonor verdaderos ataques de hilaridad. Se desternillaba sin descomponerse, atildadamente, con un ligero cloqueo, sujetándose delicadamente el estómago con sus manos chatas y cuidadas. Y Cipriano, una vez lanzado, no se paraba en barras: el sobrenombre de su mujer, *la Reina del Páramo*, provenía del hecho de que esquilaba borregos con mayor rapidez y destreza que los pastores de Torozos. Por su parte, su padre recibía a las visitas con un modelo de calzas acuchilladas que los lansquenetes habían puesto de moda allá por el año 25 en Valladolid. Doña Leonor reía y reía y Cipriano, ebrio de éxito, le contaba con buen humor que el doctor Galache le había recomendado un preparado de escorias de plata y acero para aumentar su fertilidad.

Una tarde, animado por la atención de doña Leonor, le confió su pequeño secreto:

—¿Sabía vuesa merced que yo nací el mismo día que la Reforma?

—No le entiendo, Salcedo.

—Quiero decir que yo nacía en Valladolid al mismo tiempo que Lutero estaba fijando sus tesis en la iglesia del castillo de Wittenberg.

—¿Es posible o bromea vuesa merced?

—El 31 de octubre de 1517 exactamente. Mi tío me lo contó.

—¿Estaba usted predestinado entonces?

—En ocasiones he estado a punto de admitir esa superchería.

Doña Leonor le miraba con una ternura intelectual admirativa, los incisivos asomando entre sus labios rosados:

—Le propongo una cosa —dijo tras una pausa—. El próximo cumpleaños de vuesa merced lo celebraremos aquí, en casa, en compañía del Doctor y el resto de mis hijos. Una comida de acción de gracias. ¿Qué le parece?

Doña Leonor y Cipriano Salcedo se hicieron mutuamente imprescindibles. Él pensaba a menudo que, tras el fracaso sentimental con Teo, doña Leonor venía a sustituir a la madre que había esperado encontrar en ella. El caso es que cuando tenía cita con el Doctor, llegaba a su casa antes de tiempo sólo por el gusto de conversar un rato con doña Leonor. Y allí, sentados en las sillas de cuero del pequeño gabinete, charlaban y reían y, de cuando en cuando, ella le invitaba a una merienda. Pero tan pronto aparecía el Doctor, ella se levantaba, recortaba su espontaneidad, siquiera su autoridad siguiese manifestándose sin palabras. Aquella casa, sin duda, había sido un matriarcado que los hijos habían reconocido y alentado espontáneamente.

En el despachito, paredaño a la capilla, conversaban Cipriano y el Doctor, sentados en torno a una mesa camilla ya que su paternidad se enfriaba incluso en el mes de agosto. La habitación estaba forrada de libros y, fuera de ellos y de un pequeño grabado de Lutero que presidía la mesa de pino, junto a la ventana, carecía de otros adornos. Día a día, Cipriano comprobaba la fragilidad del Doctor, su hipocondría y, al propio tiempo, su agudeza, su admirable orden mental. Le había acogido como a un hijo de su hermano, tanto fue el interés que Pedro Cazalla puso en presentárselo. Pasaban largos ratos juntos y el Doctor, muy pagado de su alto magisterio, iba imponiendo a Salcedo en los principios de la nueva doctrina. Su acento persuasivo, sus asequibles razonamientos, le ayudaban en el empeño. Y para Cipriano, el mero hecho de disponer para él solo de la palabra del gran predicador, venerado en la ciudad, constituía ya un motivo de engreimiento. Al propio tiempo, después de haber admitido la inexistencia del purgatorio, a Cipriano Salcedo poco le costaba ya aceptar la inutilidad del monjío como estado, el celibato sacerdotal o rechazar a los frailes fariseos. Cristo nunca impuso a los apóstoles la soltería. San Pedro, concretamente, era un hombre casado. Salcedo asentía y asentía. Jamás dudaba. Se le antojaban verdades contrastadas, de pata de banco, las que el Doctor exponía. Análoga facilidad encontró para rechazar el culto a los santos, a las imágenes y a las reliquias, los diezmos mediante los cuales la Iglesia explotaba al pueblo y el sacerdocio institucional. O para asumir la comunión en las dos especies, lógica a la vista de los evangelios. Todo era sencillo para Cipriano ahora. Tampoco se había cuestionado la confesión mental. Nunca había sentido aversión por descargar sus pecados en un confesionario pero hacerlo ahora directamente ante Nuestro Señor le dejaba más tranquilo y satisfecho. Llegó a parecerle un acto más completo y emotivo que la confesión auricular. Recogido en el rincón más oscuro del templo, en silencio, fascinado por la llamita que brillaba en el sagrario, Cipriano se concentraba y llegaba a sentir muy cerca la presencia real de Cristo en el templo, incluso una vez creyó verlo a su lado, sentado en el escañil, la túnica refulgente, la mancha blanca de su rostro enmarcada por sus cabellos y su puntiaguda barba rabínica.

A juicio de Cipriano, ninguna de las enseñanzas del Doctor afectaba en profundidad a la creencia. Solía hablarle lenta, suavemente, pero el rictus de amargura no desaparecía de su boca. Quizá aquel rictus expresaba las inquietudes y temores que el Doctor reservaba para sí. Solamente hubo una novedad con la que tropezó Cipriano: la preterición de la misa. Por mucho que se esforzara no podía llegar a considerar el domingo como un día más de la semana. Si no asistía a misa, tal vez más por costumbre que por devoción, le parecía que le faltaba algo esencial. Treinta y seis años cumpliendo con el precepto habían creado en él una segunda naturaleza. Se sentía incapaz de traicionarla. Se lo dijo así al Doctor quien, contrariamente a lo que esperaba no se enojó:

—Lo comprendo, hijo —le dijo—. Asista a misa y rece por nosotros. También yo me veo obligado a hacer cosas en las que no creo. A veces es incluso aconsejable seguir con las viejas prácticas para no despertar sospechas en el Santo Oficio. Algun día podremos sacar a la luz nuestra fe.

—¿Tantos somos los nuevos cristianos, reverencia?

El rictus de amargura se acentuó en su boca, y, sin embargo, dijo:

—Mira, hijo. Si esperaran cuatro meses para perseguirnos seríamos tantos como ellos. Y si seis, podríamos hacer con ellos lo que ellos quieren hacer con nosotros.

A Cipriano le impresionó la respuesta del Doctor. ¿Pretendía insinuar que la mitad de la ciudad estaba contagiada por *la lepra*? ¿Quería decir que la gran masa de fieles que acudían a sus sermones comulgaban con la Reforma? Para Salcedo, los hermanos Cazalla y don Carlos de Seso eran tres autoridades indiscutibles, más lúcidos que el resto de los humanos. En sus ratos de recogimiento agradecía a Nuestro Señor que los hubiera puesto en su camino. Su adoctrinamiento había cimentado su creencia, disipado los viejos escrúpulos: le había devuelto la serenidad. Ya no le angustiaban las dudas, la impaciencia por llevar a cabo buenas obras. No obstante, a veces, cuando agradecía a Dios el encuentro con personas tan virtuosas, atravesaba su cabeza como un relámpago la idea de si aquellas tres personas, tan distintas en el aspecto externo, no estarían unidas por el marco de la soberbia. Sacudía violentamente la cabeza para ahuyentar el pecaminoso pensamiento. El Maligno no descansaba, se lo había advertido el Doctor. Era necesario vivir con el espíritu alerta. Pero debía tratarse de aprensiones accidentales, pensaba, puesto que él acataba la voz de sus maestros, los veneraba. Su inte-

ligencia estaba tan por encima de la suya que constituía un raro privilegio poder cogerse de su mano, cerrar los ojos y dejarse llevar.

Era enero, el día 29. El Doctor se levantó de la vieja
silla y agitó con brío una campanita de plata que
tomó de la escribanía. Entró Juan Sánchez, el criado,
tan escuchimizado como siempre, con su rostro aper-
gaminado, amarillo de papel viejo:

—Juan —dijo el Doctor—, al señor ya le conoces:
don Cipriano Salcedo. Asistirá al conventículo del
viernes. Convoca a los demás para las once de la noche. La contraseña es *Torozos* y la respuesta *Libertad*.
Como siempre, mucha discreción.

Juan Sánchez bajó la cabeza asintiendo:

—Lo que vuestra eminencia ordene —dijo.

XII

Oculto en el trastero, Cipriano sintió la tos banal de su esposa en la habitación contigua, se sentó en la cama y esperó unos minutos. Las criadas debían de haberse acostado también en el piso alto, porque no se oía el menor ruido. Tampoco se movía Vicente en la habitación de los bajos, junto a las cuadras. Sentía el corazón oprimido cuando volvió a ponerse de pie. Respiró hondo. Había aceitado las bisagras para que las puertas no chirriasen. Bajó las escaleras con el candil en la mano, de puntillas, y en el zaguán lo apagó y lo depositó sobre el arca. Nunca había sido noctámbulo pero, más que la novedad, le excitaba esta noche el recuerdo de las palabras de Pedro Cazalla en Pedrosa: los conventículos para resultar eficaces han de ser clandestinos. El secretismo y la complicidad acompañaban a la reunión de esta noche, primer conciliábulo en el que Cipriano iba a participar. Secretismo y complicidad, pensó, eran una manera de traducir otras palabras más inflamables como miedo y misterio. Nadie fuera de ellos debía conocer la existencia de estas reuniones puesto que, en caso contrario, el brazo ejecutor del Santo Oficio caería implacable sobre el grupo. En el umbral de la puerta de la calle se santiguó. No sentía temor aunque sí alguna inquietud. La noche estaba fría pero calma. Notaba en los huesos un frío húmedo impropio de la meseta. El silencio le desconcertó, no oía otra cosa que el ruido de sus propias pisadas alertándole, las patadas de los caballos en el empedrado de las cuadras, el paso lejano de una patrulla... Avanzaba casi a tientas, aunque arriba, donde las casas se acercaban, se adivinaba una difusa claridad lechosa. En alguna ventana hacían tímidos guiños los vislumbres de una lámpara, tan recogidos que su resplandor no alcanzaba a la calle. Oyó, muy lejos, la voz de un borracho y la coz de una caballería contra una puerta de madera. Recorrió la calle de la Cuadra, nervioso y alterado, y abocó a la Estrecha. En esta vía, especialmente angosta, flanqueada por nobles palacios, la ansiedad de los caballos era más notoria. Pateaban el suelo y resoplaban en su sueño impaciente. Cipriano se embozó en el capuz. El recelo hacía más intenso el frío. En la encrucijada dobló a mano derecha. Allí se veía un poco más, veía blanquear vagamente las fachadas de las casas y, en particular, la negrura de los huecos. Caminaba casi por el centro de la calle, a la izquierda de la alcantarilla, y el imperceptible eco de sus pisadas contra los edificios le orientaba como a los murciélagos. Divisó de pronto la casa de madera que precedía a la de doña Leonor y se arrimó a las fachadas. Los golpes de su corazón, bajo el capuz, eran ahora muy rudos. Cipriano vaciló. El Doctor le había advertido: no utilice vuesa merced la aldaba; produciría demasiado escándalo. Se aproximó a la puerta pero no llamó. Únicamente dijo *Juan* dos veces, a media voz. Aunque sabía que Juan Sánchez era el encargado de recibir a los asistentes, no encontró respuesta. Sacó la mano de bajo el capuz y dio dos golpes en la puerta con los nudillos. Antes de sonar el segundo oyó la voz rasposa de Juan Sánchez, a medio tono:

—Torozos —dijo.

—Libertad —respondió Cipriano Salcedo.

La puerta se abrió sin ruido, entró y Juan le dio las buenas noches. Juan hablaba en cuchicheos, y, sin levantar la voz, le preguntó si sabía el camino. Cipriano le invitó a quedarse en la puerta puesto que conocía la situación de la capilla, al fondo del angosto pasillo. Mientras caminaba por él, recordó de nuevo las misteriosas palabras de Pedro Cazalla: secretismo y complicidad. Se estremeció.

Doña Leonor y el Doctor Cazalla ya estaban sentados en las sillas, sobre la tarima, tras de la mesa, cubierta con un tapete morado, encarados a los ocho grandes escañiles alineados abajo. El pequeño ventano del fondo tenía un almohadillado sobre la contraventana para impedir que las luces y las palabras trascendieran al exterior. Cipriano saludó a los Cazalla con una inclinación de cabeza. Pedro estaba también allí, en el segundo banco, y le dirigió una mirada cómplice antes de sentarse. Una bujía sobre la mesa del Doctor y otra en un vano de la pared, junto al que Cipriano se había sentado, alumbraban tímidamente la estancia. Entonces advirtió en el hombre que acompañaba a Pedro los rasgos inequívocos de la familia: sin duda era Juan Cazalla, otro hermano del Doctor, y, la mujer sentada a su lado, Juana Silva, su cuñada. Distribuidos por los bancos, distinguió también a Beatriz Cazalla, don Carlos de Seso, doña

Francisca de Zúñiga y al joyero Juan García. Preguntó a éste, que era el más próximo, con un hilo de voz, quiénes eran los ocupantes del cuarto banco, a la izquierda de la mesa presidencial. Se trataba del bachiller Herrezuelo, vecino de Toro, Catalina Ortega, hija del fiscal Hernando Díaz, fray Domingo de Rojas y su sobrino Luis. Antes de iniciarse el acto, entró en la capilla una mujer alta, cimbreña, de extraordinaria belleza, embutida en una galera ajustada al talle y un turbante en la parte alta de la cabeza, que levantó un ligero murmullo entre los convocados. El joyero Juan García se volvió a él y le confirmó: doña Ana Enríquez, hija de los marqueses de Alcañices. Minutos antes de aparecer doña Ana se había oído rodar un carruaje que no se detuvo hasta el siguiente cruce. Al parecer, doña Ana Enríquez temía la oscuridad pero, al propio tiempo, se mostraba prudente, no quería facilitar la localización del conventículo. Por último, cerrando la puerta tras sí, entró el servicial Juan Sánchez, con su gran cabeza y su piel arrugada, de papel viejo, que se sentó delante de Cipriano, en la esquina izquierda del primer escañil. Todos miraban expectantes al Doctor y a su madre, en lo alto del estrado, y, una vez que cesaron los cuchicheos, doña Leonor carraspeó y advirtió que se abría el acto con la lectura de un hermoso salmo que sus hermanos de Wittenberg cantaban a diario pero que ellos, por el momento, deberían conformarse con rezarlo. Doña Leonor hablaba con su voz lenta, bien modulada, potente pero reprimida. Cipriano miró a doña Ana, cuyo largo cuello emergía de la galera ornado con un collar de perlas, y la vio reclinar la cabeza y entrelazar devotamente los dedos de las manos.

Cipriano pretendía encontrar en las estrofas del salmo alusiones prohibidas:

Bendecid al Señor en todo momento,
Su alabanza estará siempre en mi boca.
Mi alma se gloria en la alabanza del Señor,
Que lo oigan los miserables y se alegren.

Al iniciar la segunda estrofa, doña Leonor, que seguramente había encontrado fría la primera, acentuó el énfasis, pero el Doctor la golpeó discretamente con el codo y ella bajó el tono:

Alabad conmigo al Señor.
Ensalcemos todos juntos su nombre;
Porque busqué al Señor y me ha respondido,
Me ha librado de todos los temores.

Ana Enríquez levantó la cabeza, carraspeó y sonrió dulcemente. El Doctor se inclinó hacia su madre y cambió con ella una breve impresión. Doña Leonor seguía el orden del día y él se reservaba, como los divos, el final de la velada. El silencio era total en la sala cuando doña Leonor anticipó que el conventículo iba a versar sobre las reliquias y otras supersticiones y, para iniciarlo, leería alguno de los diálogos de Latancio y Arcidiano del libro de Alfonso de Valdés, *Diálogos de las cosas acaecidas en Roma*. El texto —dijo— mueve a la hilaridad pero les ruego lo celebren con un poco de discreción dados la hora y el lugar en que nos encontramos. Cipriano miró a Ana Enríquez, su cabeza erguida, el cuello blanco sobresaliendo de la galera granate, su mano derecha, muy cuidada, aferrada al respaldo del escañil delantero. Doña Leonor, antes de empezar la lectura, advirtió que no pocas de estas creencias ridículas circulaban aún por nuestras iglesias y conventos y se respetaban como artículos de fe. Abrió el libro por donde indicaba la cinta y leyó: *Latancio* y, tras una breve pausa, continuó:

Decís muy gran verdad, mas mirad que, no sin causa, Dios ha permitido esto, por los engaños que se hacen con estas reliquias que sacan dinero de los simples, porque hallaréis muchas reliquias que os las mostrarán en dos o tres lugares. Si vais a Dura, en Alemania, os mostrarán la cabeza de santa Ana, madre de Nuestra Señora. Y lo mismo os mostrarán en León, de Francia. Claro es que lo uno o lo otro es mentira si no quieren decir que Nuestra Señora tuvo dos madres o santa Ana dos cabezas. Y siendo mentira ¿no es gran mal que quieran engañar a la gente y quieran tener en veneración un cuerpo muerto que quizá es de algún ahorcado? Cuál tendrían por mayor inconveniente: ¿que no se hallara el cuerpo de santa Ana o que por él se hiciese venerar el cuerpo de alguna mujer de por ahí?

Arcidiano

Mas querría que ni aquél ni otro ninguno pareciese, que no que me hicieran adorar un pecador en lugar de un santo.

Cipriano asentía a las palabras de doña Leonor, bajaba la cabeza afirmativamente ante la ingeniosa respuesta de Arcidiano.

La voz de doña Leonor proseguía:

326

Latancio

¿No querríais mejor que el cuerpo de santa Ana que, como dicen, está en Dura y en León, enterrasen en una sepultura y nunca se mostrara, que no que con el uno de ellos engañasen tanta gente?

Arcidiano

Sí, por cierto.

Latancio

Pues de esta manera hallaréis infinitas reliquias por el mundo y se perdería muy poco en que no las hubiese. Quisiera Dios que en ello se pusiera remedio. El prepucio de Nuestro Señor yo lo he visto en Roma y en Burgos y también en Nuestra Señora de Auvernia (rumores de risas). Y la cabeza de sant Joan Baptista, en Roma y en Amiens, de Francia (cuchicheos y risas). Doce apóstoles habría si los quisierais contar, y, aunque no fueron más de doce, hallaríamos veinticuatro en diversos lugares del mundo. Los clavos de la cruz escribe Eusebio que fueron tres y el uno lo echó santa Elena en el mar Adriático para amansar la tempestad y el otro hizo fundir un almete para su hijo y del otro hizo un freno para su caballo...

Súbitamente se oyeron pasos y ruido de voces en la calle. Inmediatamente cesaron las risas reprimidas de los congregados, doña Leonor interrumpió la lectura y levantó la cabeza. Reinaba un gran silencio; el auditorio, pendiente de la mesa, no respiraba. El Doctor Cazalla alzó su mano blanca y delgada y ocultó la llama de la bujía. Cipriano hizo otro tanto con la del vano, a su lado. Las voces se aproximaban. Doña Leonor miraba a los presentes uno por uno como queriendo transmitirles seguridad. El grupo parecía haberse detenido ante la casa y, de pronto, sonó una voz potente: *Pensaban ir juntos,* dijo la voz. Cipriano no dudó que habían sido descubiertos, que alguien los había delatado. Esperaba crispado el aldabonazo pero éste no se produjo. Se oyó, en cambio, otra palabra, *mercenarios,* al pie de la casa. Luego ruido de pasos y de conversaciones entrecruzadas otra vez. Los rostros de los reunidos habían empalidecido y el temor asomaba a sus ojos. Pero, poco a poco, a medida que los pasos y las voces empezaban a alejarse, iba volviéndoles el color, excepto al Doctor que mostraba una lividez transparente, vidriosa. El grupo seguía alejándose y, una vez que las voces se convirtieron en un rumor, el Doctor liberó la luz de la vela y doña Leonor, serena en todo momento, tomó el libro y dijo simplemente: *continuamos.* Y reanudó la lectura:

... del otro hizo un freno para su caballo —repitió—; y ahora hay uno en Roma, y otro en Milán, y otro en Colonia, y otro en París, y otro en León, y otros infinitos (volvieron las risas más animadas). Pues del palo de la Cruz dígoos de verdad que si todo lo que dicen que hay della fuese cierto, bastaría para cargar de leña una carreta. Dientes que mudaba Nuestro Señor cuando era niño pasan de quinientos los que hoy se muestran solamente en Francia. Pues leche de Nuestra Señora, cabellos de la Magdalena, muelas de sant Cristóbal, no tienen cuento. Y más allá de la incertidumbre que en esto hay, es una vergüenza muy grande ver lo que en algunas partes dan a entender a la gente. El otro día, en un monasterio muy antiguo, me mostraron las tablas de las reliquias que tenían y vi entre otras cosas que decía: «Un pedazo del torrente de Cedrón». Pregunté si era del agua o de las piedras de aquel arroyo y dijéronme que no me burlara de las reliquias. Había otro capítulo que decía: «De la tierra donde apareció el ángel a los pastores». Y no les osé preguntar qué entendían por aquello. Si os quisiera decir otras cosas más ridículas e impías que suelen decir que tienen, como del ala del ángel sant Gabriel, de la sombra del bordón del señor Santiago, de las plumas del Espíritu Santo, del jubón de la Trinidad y otras infinitas cosas a éstas semejantes, sería para haceros morir de risa. Solamente os diré que pocos días ha que en una iglesia colegial me mostraron una costilla de sant Salvador. Si hubo otro Salvador, sino Jesucristo y si él dejó acá alguna costilla o no, véanlo ellos.

Arcidiano

Eso, como decís, a la verdad, es más de reír que de llorar.

Los últimos párrafos habían iluminado el rostro de doña Leonor con su sonrisa dentona. Cerró el libro y observó a los asistentes con evidente regocijo, en tanto, el Doctor, que apenas si había recuperado el color, retiró un poco la escribanía y cruzó los brazos sobre la mesa como solía hacer en el púlpito en los momentos cruciales. En la sala se habían producido algunas toses y carraspeos, aprovechando la pausa, pero al observar los preparativos del Doctor, se hizo de nuevo el silencio. La voz de Cazalla, entera y empañada como en los sermones, resultaba más asequible y confidencial que en la iglesia. Aludió al famoso diálogo de Latancio y Arcidiano, parte del cual aca-

329

baban de escuchar, y dijo que era de por sí tan expresivo y jocoso, que casi sobraba todo comentario. Pero atraído, como siempre, por la sistemática y el orden dijo que, aprovechando la circunstancia de la lectura, iba a decir dos palabras sobre el tema que traían entre manos: las reliquias.

El auditorio se había distraído un poco, se miraban unos a otros, se saludaban inclinando las cabezas. Cipriano advirtió que don Carlos de Seso se volvía con frecuencia hacia Ana Enríquez. Y que el bachiller Herrezuelo tenía como una cicatriz que tiraba de su labio superior, imprimiéndole una mueca permanente que no se sabía si era de alborozo o de repugnancia.

Por su parte la familia Cazalla se había relajado. La palabra de la madre encerraba para algunos mayor atractivo que la del Doctor y varios de ellos habían reído en corto durante la lectura del coloquio de Latancio y Arcidiano. El Doctor inició así un breve comentario al texto. Volvió a mencionar el humor cáustico de Valdés y advirtió que el culto a las reliquias respondía de ordinario a invenciones urdidas sobre Cristo o los santos que, como diría Lutero, «hacían reír al diablo». A lo largo de unos minutos intentó demostrar que las reliquias eran algo innecesario y no sólo inútil sino nocivo para la Iglesia y que deberíamos esforzarnos para desarraigar ese culto pueril de nuestras costumbres religiosas. Y con esa habilidad congénita del Doctor para enhebrar dos hilos en la misma aguja terminó hablando del problema de las indulgencias, tan frecuente en su oratoria, para decir que las indulgencias, para vivos y para muertos, se producían inevitablemente con el dinero de por medio y concluyó afirmando que estos negocios no sólo carecían de valor escriturístico sino que era evidente la falacia a que daban lugar.

Sus últimas palabras cayeron ya sobre un auditorio fatigado. Cipriano seguía con atención el desarrollo de los actos, pero se azoró cuando doña Leonor, una vez terminado el parlamento del Doctor, le sonrió desde el estrado y le dio la bienvenida en alta voz. Se trata de un hombre generoso y devoto, dijo, cuya colaboración nos será de gran utilidad. Todos volvieron la cabeza hacia él y asintieron, y doña Ana Enríquez dijo entonces que a la buena nueva de la incorporación del señor Salcedo al grupo debía añadir otra: el hecho de que dos personas muy ligadas a la Corona, de gran influencia política, estaban en contacto con uno de los hermanos y no tardarían mucho en unirse a ellos. Pedro Cazalla, visiblemente disgustado con estos optimismos fuera de lugar, replicó que era preciso actuar con prudencia y cautela, que la prisa no era buena consejera y que si en principio era provechoso incorporar a la secta personas influyentes, no debían olvidar el riesgo que semejantes adhesiones comportaba. Doña Catalina Ortega, por su parte, afirmó saber de buena tinta que la cifra de luteranos en España sobrepasaba los seis mil y que, por los mentideros de la Corte, circulaba la especie de que la princesa María y el mismísimo Rey de Bohemia simpatizaban con ellos. Una boca contagiaba a otra y Juana de Silva, la esposa de Juan Cazalla, de natural retraído, dijo entonces que el propio Rey de España veía con simpatía el movimiento reformista pero los compromisos de la Corte no le permitían exteriorizarlo. La euforia, como solía ocurrir en todos los conventículos, se iba extendiendo y, para tratar de reducir los hechos a la escueta realidad de cada día, el bachiller Herrezuelo tomó la palabra e hizo ver que todas estas victorias quiméricas eran propias de situaciones clandestinas como la que estaban viviendo y no conducían a nada práctico, salvo a crear falsas ilusiones que luego desmoralizarían al grupo al venirse abajo. El Doctor apoyó con calor las manifestaciones del bachiller Herrezuelo y anunció que iban a proceder a celebrar la eucaristía, el momento culminante de la reunión. Fervorosamente, sin revestirse, utilizando una gran copa de cristal y una bandeja de plata, con la audiencia arrodillada, don Agustín Cazalla consagró el pan y el vino y los distribuyó luego entre los asistentes que desfilaron ante él. Uno a uno regresaban a sus bancos con recogimiento y el Doctor terminó la ceremonia dando de comulgar a su madre en el estrado. Tras la acción de gracias, el Doctor, puesto en pie, les tomó juramento sobre la Biblia de que nunca revelarían a nadie el secreto de los conventículos y no delatarían a un hermano ni en tiempos de persecución. Tras el enérgico «juramos» con que respondieron los reunidos, la asamblea se disolvió y alrededor de la tarima se congregaron algunos circunstantes, comentando a media voz los últimos acontecimientos. Durante unos minutos Cipriano Salcedo constituyó la principal atracción, estrechando manos y recibiendo parabienes. El diligente Juan Sánchez, con su rostro de papel viejo, organizaba la evacuación discreta del piso formando parejas que abandonaban la casa cada dos minutos. Tras la salida de la primera pareja, regresó a la capilla y anunció la novedad:

—Está nevando —dijo.

Pero nadie pareció escucharle. El grupo se desentumecía tras hora y media de inmovilidad y Ana Enríquez, a quien Cipriano Salcedo había preguntado por su domicilio, le informó que vivía parte del año en Zamora y otra parte en la casa de placer que su padre tenía en Valladolid, en la orilla izquierda del Pisuerga en su confluencia con el Duero. Le animó a visitarla para hablar de doctrina y confortarse mutuamente. Por su parte, el bachiller Herrezuelo expuso sus dudas sobre la eficacia de los conventículos y, en cualquier caso, si esa presunta eficacia compensaba el peligro que corrían y si no sería más útil y menos arriesgado mantener la comunicación entre los miembros por medio de correos periódicos mensuales. El Doctor admitió que no estaría mal simultanear ambos procedimientos, pero defendió los conventículos como única fórmula posible de convivencia y de compartir la eucaristía. Juan Sánchez, visto el fracaso de su primera advertencia y que la segunda pareja demoraba la salida, repitió:

—Está nevando.

Y, entonces sí, entonces surgieron los comentarios, las alarmas y las prisas. Fueron abandonando la casa de dos en dos y cuando, al final, solo ya, Cipriano Salcedo salió a la calle, advirtió en los copos que caían una cierta luminosidad. Se veía mejor que dos horas antes, el ambiente era más claro, y la nieve acumulada en el suelo avivaba esta impresión. Se embozó en el capuz y sonrió íntimamente. Se sentía contento y protegido, se esponjaba. Pero, más que los halagos de la acogida, le había emocionado la reunión en sí misma. En su mente confusa buscaba la palabra adecuada para definirla y cuando la halló sonrió abiertamente y se frotó las manos bajo el capuz: fraternidad; ésta era la palabra justa y lo que él había creído encontrar entre sus correligionarios. Aquel conventículo clandestino era una reunión de hermanos alentada por la fe y el temor, como las de los primitivos cristianos en las catacumbas, como las de los apóstoles tras la resurrección de Cristo. Sentía como una emoción indefinible que a ratos se traducía en una culebrilla fría por la columna vertebral. Tenía conciencia de que se hallaba al comienzo de algo, de que había entrado a participar en una hermandad donde nadie te preguntaba quién eras para socorrerte. Desde el criado Juan Sánchez a la aristócrata Ana Enríquez, todos parecían disfrutar de las mismas consideraciones allí. Una fraternidad sin clases, se dijo. Y, en un momento de euforia cordial, pensó en la posibilidad de hacer partícipes de su felicidad a sus amigos y asalariados, Martín Martín, Dionisio Manrique, incluso a sus tíos Gabriela e Ignacio. Pensó que no se hallaba lejos del mundo fraternal en que desde niño había soñado.

En una idealización inefable se vio, de pronto, como un apóstol propagando la buena nueva, organizando un conventículo multitudinario, tal vez en el almacén de la Judería, donde pastores, curtidores, sastres, costureras, tramperos y arrieros, alabarían juntos a Nuestro Señor. Y, llegado el caso, millares de vallisoletanos se congregarían en la Plaza del Mercado para entonar, sin oposición alguna, los salmos que ahora rezaba furtivamente doña Leonor al comenzar las asambleas.

A la tarde siguiente visitó a doña Leonor y a su hijo. Sabía por Pedro Cazalla y don Carlos de Seso que en Ávila, Zamora y Toro existían pequeños grupos cristianos, satélites del núcleo más importante de Valladolid, con los que, de vez en cuando, se relacionaban Cristóbal de Padilla, criado del marqués de Alcañices, y Juan Sánchez. Pero los movimientos de éstos, su tosco y elemental bagaje intelectual, su falta de tacto, preocupaban seriamente al Doctor. Había que tomar más en serio estos contactos y Cipriano podía ser el encargado de ello. Al Doctor le satisfizo su buena disposición. Le sobraban discreción, talento y dinero para afrontar la tarea. Luego quedaba Andalucía. De Sevilla, del grupo luterano del sur, estaban cada vez más alejados y los cambios de impresiones, dada la vigilancia del Santo Oficio, eran muy precarios. Los sevillanos no ignoraban que un correo interceptado a tiempo podría desmantelar simultáneamente los dos focos protestantes en unas horas. De ahí que la desconexión entre ambos fuese casi total. Don Agustín Cazalla vio, pues, con buenos ojos el ofrecimiento de Salcedo, su disponibilidad. Cipriano podía empezar por Castilla y terminar en Andalucía. Era buen jinete y no miraba el tiempo ni el dinero. Comenzó visitando los tres conventos de la villa donde tenían adeptos y con los que hacía meses que no se comunicaban: Santa Clara, Santa Catalina y Santa María de Belén. Portaba cartas de presentación para las monjas y celebró charlas de locutorio con las superioras: Eufrosina Ríos, María de Rojas y Catalina de Reinoso, respectivamente. Las tres eran incondicionales pero el Doctor deseaba saber si las nuevas ideas progresaban entre las novicias o permanecían estancadas. Su difusión era arriesgada en los conventos, al decir del Doctor, ya que nunca faltaban personas fanáticas prestas a ir con el cuento a la Inquisición. Eufrosina Ríos le confirmó los temores del Doctor en el convento de Santa Clara. No obstante, había sido una novicia, Ildefonsa Muñiz, profundamente identificada con la Reforma, la que había introducido en el convento el tratadito de Lutero *La libertad del cristiano*, y estudiaba la mejor manera de difundirlo. Peor estaban las cosas en las Catalinas, donde, aparte el fervor de María de Rojas, nada se había alterado y, dadas las circunstancias, según información de la superiora, mejor sería de momento no intentarlo. La sorpresa vino del monasterio de Belén por boca de Catalina de Reinoso, la priora. A través del torno, con su voz nasal, muy monjil, Catalina le dio cuenta del avance de las nuevas ideas intramuros. Eran muchas las religiosas que habían abrazado la teoría del beneficio de Cristo y le facilitó la relación: Margarita de Santisteban, Marina de Guevara, María de Miranda, Francisca de Zúñiga, Felipa de Heredia y Catalina de Alcázar. El resto de la comunidad estaba bien orientado; únicamente le pedía al Doctor dos cosas: libros sencillos y un poco de paciencia. Cipriano anotó los nombres de las nuevas cristianas y los incorporó al fichero que guardaba en su despacho y que, día a día, iba creciendo.

Antes de partir para Ávila y Zamora, Cipriano Salcedo encargó al impresor Agustín Becerril una edición de cien ejemplares de *El beneficio de Cristo*, tomando como base el manuscrito de Pedro Cazalla. Hombre guardoso, Becerril aceptó el encargo a cambio de una pingüe cantidad y, sopesando pros y contras, se comprometió a editar los ejemplares a condición de que nadie más se enterase de la operación. Él mismo, sin ayudas, realizó la tirada y, una noche, al cabo de un mes, Cipriano recogía el paquete en su coche, en la trasera de la imprenta. La posibilidad de disponer de cien ejemplares de *El beneficio de Cristo* fue muy comentada y celebrada en el conventículo del 16 de febrero. Ahora había que distribuir los libros con tacto, sin precipitaciones, procurando la mayor eficacia en su difusión.

En Ávila conectó con doña Guiomar de Ulloa, mujer de alcurnia, que, de vez en cuando, celebraba tertulias cristianas en un palacio pegado a la muralla. Aquella mujer dejaba traslucir una gran dignidad que aumentaba cuando tomaba la palabra. Su actividad era pequeña y no podía ser de otra manera: en la ciudad dominaba un catolicismo rutinario, decía, muy poco reflexivo y abierto. A cambio, sus cenáculos tenían fama por su altura y calidad. Por su casa habían pasado fray Pedro de Alcántara, fray Domingo de Rojas, Teresa de Cepeda y otra serie de personas eminentes. Cipriano la escuchaba con arrobo, recostado en la otomana, rodeado de cojines como un sultán. También pasó por aquí, dijo la dama, el doctor Cazalla a poco de regresar de Alemania. Con motivo de su visita convocó a los hermanos de la provincia, el barbero de Piedrahíta, Luis de Frutos, el joyero Mercadal, de Peñaranda de Bracamonte, y a su sobrino Vicente Carretero. El Doctor escuchó a todos, uno por uno, y dejó buena memoria de su paso, aunque él, personalmente, marchara decepcionado. Era una provincia difícil, áspera, dijo y doña Guiomar asintió. Cipriano Salcedo bebía ahora en las mismas fuentes, cambiaba impresiones con los mismos personajes, pero Luciano de Mercadal, el joyero, no se mostraba tan pesimista como doña Guiomar. Era cierto que Ávila, la capital, era muy tradicionalista, pero en Peñaranda y Piedrahíta había facciones en vías de organizarse y él estaba en ello. De momento, en Peñaranda, podía contarse con doña María Dolores Rebolledo, Mauro Rodríguez y don Rafael Velasco, como incondicionales, y en Piedrahíta con el carpintero Pedro Burgueño animador de una terna interesante.

De ahí saltó Cipriano a Zamora, a Aldea del Palo. En el trayecto advirtió por primera vez en su caballo *Relámpago* unos repentinos desfallecimientos que le preocuparon. El animal no había conocido enfermedad y estas manifestaciones parecían graves. De pronto había dejado de ser el corcel infatigable, capaz de hacerse de una tirada y al galope el trayecto Valladolid-Pedrosa. Ahora había que concederle treguas, al paso o al trote corto. Pero estos desfallecimientos súbitos que evidenciaba ahora, seguidos de ruidosos ahogos asmáticos, constituían algo nuevo que evidenciaba que *Relámpago* había envejecido, no era ya caballo para una prisa, en el que poder confiar. Consultaría a su regreso con Aniano Domingo, el tratante de Rioseco, muy entendido en caballerías. De momento le palmeó el cuello y se dio cuenta de que el animal sudaba copiosamente. Así y todo llegó a tiempo a la reunión de Pedro Sotelo, en cuya casa tenía el proselitista Cristóbal de Padilla no sólo un refugio seguro sino un lugar apropiado para la celebración de cenáculos. Sotelo era hombre pigre, de gruesos carrillos, barbilampiño. Con Padilla formaba una pareja cómica: aquél con su trasero desmedido, bajo, barrigudo y Padilla con sus melenas rojas, lacias y descuidadas, flaco como un huso. No obstante, uno confiaba en el otro y parecían inseparables, aunque a Cipriano le preocupó la temeridad con que ambos se producían. En sus conventículos, a pleno día, no se exigían controles ni contraseñas. Todo el mundo podía entrar en la casa, con lo que las reuniones resultaban excesivamente vivas y agresivas sin cultos que las justificasen. Al llegar Cipriano, ya estaban allí, con los organizadores, don Juan de Acuña, hijo del virrey Blasco, recién venido de Alemania, Antonia del Águila, novicia de la Encarnación, el bachiller Herrezuelo y otra media docena de personas desconocidas. Mas, antes de que Acuña bromeara con la monja, entraron dos jesuitas que se sentaron en el último banco. Justo en ese momento don Juan de Acuña le decía a Antonia del Águila irónicamente que Dios le había hecho la merced de ser monja porque no servía para casada, a lo que la novicia, muy templada, le respondió que aún no lo era, no era monja, pero pensaba serlo previa dispensa del Santo Padre. Acuña adujo, entonces, imprudentemente, que las dispensas de los votos de castidad no estaban ya en manos del Papa, momento en que el más joven y aguerrido de los jesuitas, puesto en pie, intervino para decir, sin venir a cuento, que acababa de regresar de Alemania y había observado que allí los luteranos vivían con mucha disolución, dando mal ejemplo, mientras los sacerdotes católicos lo hacían con mucho recogimiento y honestidad. La provocación era manifiesta, pero don Juan, puesto en pie y accionando con vehemencia, aceptó el desafío y voceó que también él venía de Alemania y lo que había visto no coincidía con lo manifestado por su reverencia. El jesuita joven le preguntó entonces qué conclusiones había sacado él de su viaje y Acuña, sin una vacilación, resaltó que tres esencialmente: la unción de los predicadores luteranos, su esfuerzo por ser honrados y parecerlo y el hecho de que tuvieran mujeres propias y no mancebas. El otro jesuita, el de más edad, intentó intervenir, pero don Juan frenó sus pretensiones: un momento, reverencia, dijo, aún no he terminado. Y seguidamente, sin ninguna precaución, se lanzó a censurar al clero católico alemán que, según él, comía y bebía a dos carrillos, mantenía en casa a sus concubinas y, lo que aún era peor, dijo, se ufanaba y hacía gala de todo ello. Cipriano se exasperaba. Y su irritación iba en aumento a medida que la controversia se centraba en minucias sobre la vida religiosa en Centroeuropa. Miraba ora a Sotelo ora a Padilla, pero ninguno de ellos parecía dispuesto a intervenir en el debate y encauzarlo. Llegó a pensar que ése debía ser el tono habitual de los conventículos en Aldea del Palo y se estremeció. Pero todavía don Juan de Acuña vociferaba que era público y notorio que una de las razones que movía a los alemanes a cerrar conventos era la vida licenciosa que se hacía en ellos y que, en este aspecto, la secta menos mala era la de Lutero.

Cipriano advertía que las palabras habían ido demasiado lejos y ya no era fácil reconducir el coloquio hacia otros derroteros. El jesuita más viejo trató de hacer ver a los asistentes, con voz que pretendía ser serena, que Lutero había muerto rabiando y había sido llevado a la sepultura por los mismísimos demonios. Don Juan de Acuña, arrebatado de ira, respondió que cómo lo sabía y, cuando el jesuita replicó que lo había leído en un libro impreso en Alemania, don Juan aclaró, con ironía, que Alemania era un país libre y por tanto podían publicarse en él cosas que eran ciertas y cosas que no lo eran tanto, ya que, según sus propios informes, la muerte del reformador había sido edificante. El jesuita más joven se refirió entonces al matrimonio de Lutero, al enlace libre con una monja exclaustrada, acto sacrílego, dijo, puesto que ambos habían hecho votos de castidad, afirmación que Acuña rebatió haciendo ver que la prohibición de casarse los clérigos era de derecho positivo, es decir decisión de un Concilio y, por tanto, otro Concilio podía autorizarlo como había hecho la Iglesia griega. La discusión se agriaba y los temas se enlazaban unos a otros sin que los polemistas lo advirtieran. Acuña aludió a la falibilidad del Papa, demostrada en el intento de Paulo IV de declarar cismático al Emperador y, en ese momento, Cipriano Salcedo, consciente de que Acuña había disparado directamente al corazón de la orden de Ignacio de Loyola, se puso de pie en el escañil y, alzando su voz sobre las de los demás, rogó a los polemistas que cambiaran de tema y tono, que al resto de los asistentes les desagradaba el fondo y la forma de desarrollarse el debate puesto que ellos habían acudido allí a escuchar una lección de doctrina y no a soportar un lamentable intercambio de improperios. Sonaron unos tímidos aplausos, mas, ante el asombro de la concurrencia, don Juan de Acuña, consciente tal vez de sus excesos, escandalizado de su proceder, se incorporó de pronto, retiró el escañil donde se sentaba, se acercó a los dos jesuitas y les pidió disculpas.

341

Pero su cambio de actitud no acabó ahí sino que explicó además que tenía un hermano en la Compañía y solía ejercitarse con él en estos duelos verbales, pero que en modo alguno alimentaba ideas heréticas, ni creía en lo que había sostenido, sino que todo había comenzado al permitirse una broma inocente con la novicia Antonia del Águila con la que tenía confianza y por la que sentía un antiguo afecto. La novicia asentía con la cabeza y sonreía y los jesuitas, por no ser menos en aquel imprevisto pugilato de buenas maneras, se pusieron en pie, aceptaron sus explicaciones y elogiaron la labor de su hermano en la Compañía de Jesús, *un gran teólogo,* dijeron a dúo y, con la esperanza de que don Juan no repitiese en público su actuación de esta mañana, dieron por zanjado el incidente.

Cipriano Salcedo desistió de terminar su gira. Deprimido por las escenas que había presenciado y preocupado por la enfermedad de *Relámpago,* cuyos desfallecimientos volvieron a producirse al subir una pequeña colina, regresó a Valladolid dejando para mejor ocasión sus visitas a Toro y Pedrosa. Le corría prisa informar al Doctor del resultado de su viaje. Cristóbal de Padilla, al fin y al cabo un criado, no podía a su juicio actuar por propia iniciativa, ni ellos admitir su alianza explosiva con Pedro Sotelo. Los sucesos de Aldea del Palo constituían una seria advertencia. Sin la discreción de los jesuitas, la Inquisición estaría a estas horas tras sus pasos. Habían corrido, pues, un riesgo innecesario. Por otra parte el Doctor debería conectar con don Juan de Acuña sin demora y frenar su boca caliente que dejaba a la organización a la intemperie. Su imprudente verbo en Aldea del Palo justificaba sobradamente la intervención del Santo Oficio. Otros muchos, más discretos y mesurados que él, esperaban juicio en las cárceles secretas. Don Pedro Sotelo, demasiado ingenuo, debería terminar sin más con esas reuniones insensatas. Los miembros de la Compañía de Jesús se movían por el mundo de dos en dos, y los mandos de la orden solían compensar la intransigencia de uno con la tolerancia del compañero. La actitud de la pareja en Aldea del Palo había sido, no obstante, extrañamente unánime y comprensiva dado que la Compañía, con su carácter militar, había sido fundada precisamente para defender el catolicismo. Había que contar también, como factor favorable, con la militancia del hermano de don Juan en la orden. Sin esa circunstancia era más que probable que la pareja de jesuitas no se hubiera mostrado tan condescendiente. La misma violencia con que se produjo Acuña, unida a su juventud y al historial de su hermano, indujeron a la pareja a no tomar demasiado en serio sus palabras y, finalmente, aceptar sus explicaciones. En todo caso, la escena había sido tan imprudente que Salcedo, tan pronto se disolvió la reunión, montó su caballo y, desdeñando la invitación de Pedro Sotelo para almorzar juntos, siguió a Valladolid sin despedirse de Acuña ni de Cristóbal de Padilla. Las descarnadas frases cruzadas en el coloquio le quemaban el estómago. No veía el momento de poder departir con el Doctor y, al divisar el castillo de Simancas desde lo alto de un cerro, suspiró con alivio. Pero, en ese mismo momento, el caballo tropezó o, debido a su misma flaqueza, flexionó inesperadamente sus remos delanteros, dobló las patas traseras y quedó allí, tendido entre los tomillos, los ojos tristes, el belfo lleno de babas, resollando. Cipriano Salcedo se apeó alarmado y propinó a *Relámpago* unas palmadas amistosas en el lomo. Sudaba y jadeaba, miraba con indiferencia, no reaccionaba. Unos ásperos ruidos guturales salían ahora de su boca con la baba. Cipriano se sentó a su lado, junto a una aulaga, a esperar que se repusiera. Tenía la impresión de que el caballo estaba muy enfermo. Pensó en *Valiente*, tendido y ensangrentado entre las cepas en Cigales, según el relato del tío Ignacio. *Relámpago* inclinó la cabeza y emitió una serie de relinchos largos y apagados. Son los estertores, pensó Cipriano. Pero, instantes después, sujetándole del vientre y mediante un esfuerzo, el animal se incorporó y Salcedo lo llevó de la brida, al paso, hasta Simancas. Le dio de beber y, en el viejo puente, volvió a montarlo y el caballo aceptó la liviana carga hasta Valladolid. Vicente limpiaba la cuadra a su llegada y, nada más verle, se dio cuenta de que el caballo estaba enfermo. Lleva tres días débil, asmático y sin comer, le aclaró Cipriano. Y añadió:

—Mañana, una vez que el animal descanse, súbeselo a Aniano Domingo, en Rioseco. Infórmate bien de si el mal tiene remedio. Haz noche en La Mudarra, cuidando que no se agote. No quiero que el caballo sufra.

Vicente miraba los ojos de *Relámpago*, le palmeaba el cuello sin parar. Vio que su amo vacilaba, abrió la boca y volvió a cerrarla. No se decidía. Finalmente le oyó decir:

—Si Aniano no diera esperanzas, sacrifícalo. Un tiro, sí, en la mancha blanca, entre los ojos. Y el de gracia en el corazón. Antes de enterrarlo asegúrate que está muerto.

XIII

Le sorprendió el recibimiento de Teo, sus mejillas tensas, el griterío, las lágrimas, la brusquedad de sus ademanes. Las cosas se desarrollaron en un proceso opresivo, un increscendo que pasó por varias fases, de acuerdo con el grado de excitación de su esposa. Al principio no acababa de entenderla, farfullaba parrafadas inconexas, palabras mezcladas, frases incoherentes. No la entendía, o mejor dicho, Teo no ponía interés en que la entendiera. Se habían refugiado en el dormitorio, pero ella permanecía de pie, iba y venía, articulaba palabras indescifrables y, entre ellas, alguna que tenía algún sentido para Cipriano: escorias, olvido, última oportunidad. Le estaba echando en cara algo pero no acababa de definirlo. Paso a paso, como en una lenta labor de aprendizaje, Teo empezó a unir una palabra con otra, concretando un poco su discurso. Sus ojos eran duros, como el vidrio, aún humanos, aunque su mirada no encerrara ni chispa de lucidez. Pero las palabras, al juntarse, se hacían expresivas, hablaban del olvido de las escorias de plata y acero, de su indiferencia hacia el tratamiento del doctor, de la flacidez de *la cosita*, de sus esfuerzos inútiles ante su pasividad. Todavía lo hacía sin violencia, como intentando razonar y Cipriano iba uniendo una frase con otra, reconstruyendo su pensamiento como en un rompecabezas. Hasta que llegó un momento en que todo se presentó claro ante sus ojos: Teo había omitido incluir la bolsita con escorias de plata y acero en su equipaje, tal vez por olvido involuntario, tal vez, lo que parecía más probable, para someterlo a prueba. A su regreso le faltó tiempo para registrar el fardillo y comprobar que no había comprado otras. Cipriano, pues, llevaba cuatro días sin medicinarse. Había interrumpido deliberadamente el régimen del doctor Galache. Sus palabras se iban convirtiendo ahora en una especie de lamento, de maullidos apesadumbrados, pero todavía comprensibles. Había dejado sin efecto cuatro años de medicación y ella no tenía ya ni edad ni humor para comenzar de nuevo. Cipriano se esforzó por evitar el desbordamiento, por mantener el desencanto de su esposa dentro de unos límites razonables: nada de lo ocurrido era esencial, una pausa de cuatro días no era significativa en un tratamiento tan prolongado. Lo reanudarían con más fe, con mayor rigor, dos tomas diarias en lugar de una, lo que Teo quisiera, pero ella cubría sus razonamientos con sus voces. No había vivido para otra cosa que para tener un hijo pero ya no lo conseguiría por su culpa. Se había entretenido unos años pelando borregos hasta que se sintió núbil, madura. Mas si se casó fue únicamente para ser madre pero él, de pronto, lo había echado todo a rodar. Durante su vida todas las cosas le habían hablado de la maternidad: los muñecos de la infancia, las parideras en el monte, los nidos de la urraca en la gran encina, frente a la casa, *la cosita*. Reproducirse había sido su única razón de ser pero él no lo quiso, lo había desbaratado todo cuando apenas quedaban unos meses para que se cumpliese el plazo fijado por el doctor.

Al llegar a este punto, la protesta de Teo alcanzó una violencia inusitada. Tal vez fue el intento de Cipriano por calmarla, su ademán de apaciguamiento, lo que la sacó de quicio. Sus palabras se hicieron de nuevo indescifrables, su furor aumentó, corrió hacia las ventanas y desgarró visillos y cortinas, lanzó al suelo a manotazos los pequeños utensilios de plata del tocador e inició una retahíla de palabras cortadas como ladridos. De pronto, Cipriano comprendió. Le estaba llamando cabrón aunque ella sabía que no lo era. Nunca había pronunciado Teo palabras malsonantes, y a Cipriano se le ocurrió pensar que se trataba de reminiscencias de su pasado de esquiladora, cuando cada rebaño de ovejas debía acoger dos cabras hembras y un macho cabrío según la ley. La palabra cabrón, pensó, no debía de tener connotaciones despectivas en el Páramo. Hizo un nuevo intento por calmarla pero resultó contraproducente. Teo gritaba como una posesa, le empujaba hacia la puerta, le voceaba, mientras él trataba de indagar en sus ojos, de buscar en ellos un atisbo de luz, pero su mirada era turbia y vacante, absolutamente desquiciada. Y cuanto mayor empeño ponía en reducirla, mayor y más grave era el repertorio de denuestos que mezclaba ahora con soeces vocablos escatológicos, echándole en cara su inhabilidad, el pequeño tamaño y la inutilidad de *la cosita*. Cipriano temblaba, trató de taparle la boca con la mano, pero ella le mordió y prosiguió con su andanada de insultos. Se había tumbado en la cama y con sus uñas rapaces rasgaba la delicada colcha y los forros de los almohadones. Luego, inesperadamente, se incorporó, se colgó del dosel y todo se vino abajo. Parecía gozar en su furia destructora, en su procacidad, sin preocuparse de que sus desahogos verbales pudieran traspasar tabiques y muros. En los cristales desnudos de la ventana el decadente resplandor de la calle iba siendo substituido por la luz cenicienta y mate que preludiaba el anochecer. Teo había vuelto a tumbarse en el lecho, jadeando, y Cipriano, en un esfuerzo desesperado, trató de inmovilizarla, de sujetar sus anchas espaldas contra el jergón. Ella volvía los ojos, bizqueaba, mientras él le repetía que estuviera tranquila, que todo tenía remedio, que volvería al medicamento, dos tomas en lugar de una, pero sus ojos bizcos iban hundiéndose más y más tras los pómulos, en una mirada ladeada e inexpresiva. Eran unos ojos ocluidos, incapacitados para ver y comprender. Forcejearon de nuevo y Teo consiguió darse la vuelta. Tenía más fuerza de la que Cipriano hubiera podido sospechar. Esta enfermedad, este tipo de enfermedades vigoriza a los pacientes, se decía. Consiguió ponerla boca arriba y le atenazó las muñecas contra la almohada. Al sentirse inmovilizada, Teo reanudó su rosario de invectivas, cada vez más procaces y, de improviso, mencionó su dote, su herencia, su fortuna. ¿Dónde había metido Cipriano *su* dinero? Este factor añadía nuevos motivos de agravio, buscaba en su mente confusa calificativos más hirientes, continuaba ofendiéndole más, en su desmadejamiento general. Cipriano advertía que, tras dos horas de lucha, la tensión de su esposa iba cediendo. De nuevo intentó acariciarle la

348

frente, pero otra vez su boca se revolvió contra su pequeña mano hecha una furia. Sin embargo, al tercer intento, ella aceptó la caricia, se dejó tocar. Tornó él a halagarla murmurando suaves palabras de afecto y ella quedó inmóvil escuchando atentamente su voz, probablemente sin entender su significado. Teo acezaba, los ojos cerrados como después de un arduo esfuerzo físico, mientras él proseguía acariciándola, se hacía anillos con los rizos de su pelo, pero ella ni lo agradecía ni protestaba. Había alcanzado ese punto neutro, flojo, en que suelen resolverse algunas crisis nerviosas. Empezó a llorar mansamente. Rodaban las lágrimas calientes y silenciosas por sus mejillas y él las restañaba con el embozo de la sábana, con infinita ternura. No amaba a aquel ser pero lo compadecía. Evocaba los días de La Manga, sus paseos por el monte, cogidos de la mano, mientras las bandadas de torcaces se despegaban de las encinas con los buches repletos de bellotas o las becadas volaban en el crepúsculo camino de los calveros. En realidad, Teo había sido para él como esas palomas o esas becadas, un fruto más de la naturaleza, vivo y espontáneo. Apenas había tenido relación con mujeres y la sencillez de *la Reina del Páramo* le desarmó. Incluso le agradó que esquilara ovejas a la intemperie del mismo modo que las señoras burguesas hacían labores de punto en los salones. Él siempre había admirado las tareas prácticas y desdeñado los pasatiempos, los tedios disimulados. Sentado en la cama, la miraba fijamente. Había cerrado los ojos y sus inspiraciones iban haciéndose más profundas y espaciadas. Se incorporó con cuidado y caminó de puntillas procurando posar los pies en los espacios alfombrados. Había encendido un candil y con él en la mano rebuscó entre los medicamentos del botiquín. Escogió varios y con ellos preparó en la cocina un julepe. La tía Gabriela solía decir que el julepe era uno de los remedios que nunca le habían defraudado, no sólo se dormía profundamente después de tomarlo sino que no despertaba hasta bien entrada la mañana. Regresó al cuarto de Teo. Continuaba inmóvil, respirando regularmente. Se sentó a la cabecera de la cama y, por primera vez, reparó desolado en los destrozos de la habitación: el dosel rasgado, los cortinones arrancados, las dos almohadas con la lana fuera. ¿Qué podría decirle a Crisanta? Pero ¿para qué decirle nada si los criados, aún sin aparecer, habrían sido testigos del paroxismo de su esposa? Teo empezó a inquietarse murmurando palabras ininteligibles. Abrió los ojos y los cerró sin llegar a verle. De pronto cambió de postura, dio media vuelta y se colocó del lado derecho, encarándole. Empezó a mover la cabeza. Murmuró palabras confusas. Con mil precauciones, Cipriano cogió el vaso del medicamento con la mano derecha y levantó la cabeza de su esposa tomándola delicadamente por el cuello con la izquierda:

—Bebe —dijo imperativamente.

Y ella bebió. Sentía sed. Bebió sin pausa, ávidamente, y con las últimas gotas se atragantó y sufrió un leve acceso de tos. En la ventana se había hecho de noche y la calle estaba en silencio. De espaldas al candil, Cipriano veía moverse la sombra de su cabeza sobre el blanco rostro de Teo. Aguantó sin moverse hasta las tres. Teo rebulló varias veces y cada vez que se movía cambiaba de postura. A veces farfullaba palabras a media voz, pero eran como cohetes follones, no llegaban a explotar. Seguramente soñaba. Cuando Cipriano se levantó parecía tranquila, su respiración acompasada, pero, a pesar de todo, dejó abierta la puerta del falsete y la del trastero donde dormía. Se desnudó a la luz de la lámpara y, ya en la cama, tomó uno de los ejemplares de *El beneficio de Cristo*, donde solía refugiarse en momentos de tribulación. Sin darse cuenta le fue asaltando el sueño y el libro cayó de sus manos. Fue un instante o se lo pareció. Le despertó el golpe del cajón del armario de Teo al cerrarse bruscamente, una especie de grito inarticulado y la silueta voluminosa de su mujer en el marco de la puerta. Seguía vestida con la saya rota tal como se había quedado dormida y en su mano derecha levantada portaba ahora la tijera grande de esquilar. Cipriano trató de detenerla, quiso decirle algo, pero únicamente se oyó la apremiante amenaza de Teo irrumpiendo en el trastero:

—¡Voy a esquilar tu maldito cuerpo de mono! —chilló.

Cipriano adoptó la precaución de apoyar la espalda en la cabecera de la cama y encogió las piernas, de modo que, cuando Teo se abalanzó sobre él, estiró las rodillas y la detuvo momentáneamente con los pies. Teo cayó, finalmente, de costado en el pequeño catre e inmediatamente se enzarzaron en una sorda pelea. Ella enarbolaba la tijera, mientras Cipriano se limitaba a esquivar sus golpes ciegos y a sujetar sus manos sin lastimarla. Escucha, decía, escúchame Teo, por favor, pero ella se enardecía por momentos, le acorralaba. Cipriano notó un desgarrón en el brazo derecho con el que intentaba contenerla, al tiempo que escuchaba las concretas amenazas de su mujer:

351

voy a caparte como a un gocho, decía, voy a cortarte esa *cosita* que ya no nos sirve para nada. Hubo un momento en que, a pesar de la herida, o acaso estimulado por el dolor, Cipriano tuvo sujeta a Teo por ambos brazos pero, en un movimiento arisco, se desasió y su mano armada se escondió bajo la ropa y lanzó un viaje a ciegas. Cipriano gritó al sentir herido su muslo derecho pero en ese momento consiguió agarrar a Teo por el cuello y darse la vuelta. Su posición era como en las noches de amor, cabalgando sobre las protuberancias de la mujer, pero compitiendo ahora por la posesión de la tijera. Teo se revolvía, tornaba a insultarle, voy a esquilar tu maldito cuerpo de mono, repetía, pero Salcedo la tenía ya a su merced. La dejó desfogarse en su empeño inútil, en sus vanos intentos, en sus sórdidas amenazas. Veía el vacío en sus ojos, sus pupilas hundidas y desalmadas y, en ese instante, comprendió que había perdido a Teodomira, que su esposa se había ausentado para siempre. Tras un esfuerzo infructuoso, Teo se entregó. Soltó la tijera y rompió en un llanto manso, de derrota, que, sin solución de continuidad, dio paso a otro, quizá más intenso pero menos convulso, y, siguiendo el mismo proceso que la vez anterior, al cabo de un rato, quedó plácidamente dormida. Cipriano repitió su incursión al botiquín, pero no se fió ya del julepe y administró a la enferma una alta dosis de filonio romano. Marchó luego a su despacho y escribió una nota a su tío Ignacio: «Temo que Teo haya perdido la razón. No puedo moverme de casa. ¿Te importa traer contigo a la máxima autoridad en enfermedades mentales?». Despertó a Vicente y le encomendó el billete para su tío. La señora estaba enferma. La visita a

Aniano Domingo con *Relámpago* debía aplazarla para otro día.

Con su diligencia acostumbrada, don Ignacio Salcedo se presentó en casa de su sobrino, acompañado del joven doctor Mercado, dos horas después. Cipriano le atendió solícito. El doctor era una eminencia en ciernes. Médico del Monasterio de la Concepción y de la Casa del Marqués de Denia, empezaba a ser respetado en la Corte. Se aseguraba que el día de su boda no aportó otra cosa que la ropa que llevaba puesta, una mula y dos docenas de libros. En cualquier caso los quinientos ducados de la dote de su esposa constituyeron la base de su fortuna posterior. En este momento, apenas poseía unos viñedos en Valdestillas y una casa en la calle de Cantarranas. No obstante, los vallisoletanos se hacían lenguas de su ojo clínico, de la eficacia de sus tratamientos, de su creciente prestigio. Era el primer doctor de la villa que había dado de lado el atuendo oscuro del gremio y vestía elegantemente, como un caballero. Nada externamente delataba su profesión. Entró en la habitación y al primer vistazo advirtió los cortinones en el suelo, la colcha desgarrada, el brazo sangrante de Cipriano, el desbarajuste de la casa:

—¿Le ha agredido a vuesa merced?

Cipriano asintió.

—¿Es la primera vez que lo hace?

Volvió a asentir Cipriano. El doctor miró su brazo herido:

—Luego curaremos eso. —Se volvió hacia Teo que dormía—. ¿Qué le ha dado?

—Un julepe y un filonio romano, doctor. No me atreví a más.

El doctor Mercado sonrió con un gesto de suficiencia:

—Escasa defensa para contener un ciclón —dijo.

Ahora le tomaba el pulso y le ponía su mano cuidadísima en el pecho izquierdo:

—Fiebre no hay —añadió al cabo de un rato—. La exploración es forzosamente superficial pero el caso no ofrece duda. ¿Alguna obsesión?

—Una muy viva, doctor. La de ser madre. Se casó para tener hijos pero yo no he sabido dárselos. Los Salcedo —miró a su tío por encima del hombro del doctor— no somos un prodigio de fertilidad.

Apresuradamente le contó al doctor Mercado sus visitas a Galache, el tratamiento a que les había sometido y la interrupción injustificada de sus tomas de escorias de plata y acero durante su último viaje como desencadenante de la crisis. El doctor volvió a sonreír.

—¿Pretendía remediar su infecundidad con escorias de plata y acero?

Cipriano se sostenía el brazo herido con la mano izquierda:

—Yo entiendo que fue un recurso del doctor para distraer a la enferma.

—Ya.

Había sacado de su cartera de piel de ternera una lupa alemana y con ella en la mano se aproximó a la enferma. Se dirigió a ellos volviendo la cabeza:

—Estén preparados para reducirla —dijo—. Puede despertar en cualquier momento.

Le levantó el párpado del ojo derecho y observó la pupila con insistencia. Luego repitió la operación con el otro ojo. Volvió a tomarle el pulso:

—A esta señora hay que internarla —dijo—. En la calle Orates tienen el Hospital de Inocentes. No es un hotel de lujo pero tampoco es fácil encontrar otro mejor en la ciudad. Los procedimientos son primitivos. El enfermo vive atado a los barrotes de la cama o con grilletes en los pies para que no escape. Claro que con un poco de dinero, pagando dos loqueros para que la atiendan, pueden vuesas mercedes evitar esa humillación.

Don Ignacio Salcedo, que se había mantenido en silencio, preguntó al doctor si no sería posible instalar a la señora en un hospital normal, pagando aparte la vigilancia. El doctor asintió:

—El dinero es muy amable —dijo—. Con dinero se puede conseguir en este mundo casi todo lo que uno se proponga.

Provisionalmente trasladaron a Teo al Hospital de Inocentes de la calle Orates. El tío Ignacio les acompañaba, pero cuando, a la puerta del hospital, dos loqueros intentaron maniatar a la enferma, Teodomira se revolvió como una pantera, con tanto ímpetu que uno de los enfermeros rodó por el suelo. Los transeúntes, atraídos por el espectáculo, se detenían al pie de las escaleras, donde el enfermero había caído, pero, unos minutos más tarde, Teo quedó instalada en el manicomio, al cuidado de dos comadres de pago, dos mujeres aparentemente fuertes que, llegado el momento, parecían capaces de dominarla.

Sin embargo, a las nueve de la noche, Salcedo recibió un correo del manicomio anunciándole que «la señora había escapado en un descuido de sus guardadoras». Cipriano avisó de nuevo a su tío que, en un santiamén, puso en movimiento a las fuerzas de seguridad de la villa. Por su parte, Cipriano, acompañado de Vicente, recorrió la ciudad de norte a sur y de este a oeste, sin encontrar rastro de la enferma ni referencia alguna de ella. Se había evaporado. A la mañana siguiente reiniciaron la búsqueda sin resultado. Al caer la tarde, el barquero Aquilino Benito, que hacía el servicio entre el embarcadero del Espolón Viejo y el pequeño muelle del Paseo del Prado, comunicó a la Chancillería que había hallado a la fugada entre los carrizos de la orilla, inconsciente y en muy mal estado, como una pordiosera. Durante la travesía hacia el Espolón el citado Aquilino había conseguido volver en sí a la enferma que se encontraba extenuada.

Mientras tanto, don Ignacio había realizado las indagaciones pertinentes y, una vez repuesta, Teodomira fue trasladada a Medina del Campo, en el coche de su marido, sin abrir la boca. Allí, en Medina, fue alojada en el Hospital de Santa María del Castillo, dependiente de la Cofradía de Nuestra Señora de la Merced, a un paso del Monasterio de San Bartolomé. Era un caserón destartalado y noble, sin mucho movimiento de enfermos, donde se avinieron a acoger a doña Teodomira y poner a su disposición dos loqueros en servicio permanente y una comadre para las atenciones propias de la mujer. El presupuesto ascendía a cuarenta y cinco reales diarios pero contaban con la benevolencia de la organización para visitar a la enferma a cualquier hora durante los siete días de la semana.

Una vez hospitalizada su esposa, Cipriano Salcedo se sintió aliviado pero el regreso a casa le produjo un hondo decaimiento. Habituado a la presencia de Teo, y aunque ella no representara ya para él nada fundamental, la echaba en falta. Reinició su vieja actividad. Muy de mañana visitaba el taller y el almacén donde departía con el sastre Fermín Gutiérrez y Gerardo Manrique sobre las novedades del día. Había dos problemas importantes: el abandono del conejo en la confección de zamarros y la progresiva escasez de alimañas a causa de la sañuda persecución en montes y serranías. Resuelto el primero, un correo inesperado de Burgos le comunicó que Gonzalo Maluenda, todavía joven, había fallecido de un tabardete fulminante y su medio hermano Ciriaco, hijo de don Néstor y su tercera mujer, se había hecho cargo del negocio. Al decir del nuevo empresario, una galera armada acompañaba ahora a las flotillas en conserva con lo que la carga volvía a gozar de una relativa seguridad. El porte lógicamente encarecía pero aumentaban las garantías, con lo que ningún ganadero puso reparos a la medida. Por su parte Cipriano Salcedo, cuyo comercio con los Maluenda había descendido de las diez carretas anuales, en los mejores tiempos de don Bernardo, a las tres que habían sobrevivido al auge del negocio de los zamarros, pensó que había llegado el momento de aumentarlas a cinco. Para tratar de estos pormenores y conocer al nuevo diputado, Cipriano realizó un viaje a Burgos. De nuevo un correo urgente venía a sacar a un Salcedo de su postración. La vida se repetía. Montó a su nuevo caballo *Pispás*, adquirido por su amigo Seso en Andalucía, pero la competencia de don Carlos en tales menesteres no podía evitar que Cipriano añorase a su viejo caballo y extrañara las reacciones del nuevo, sus vicios de origen, su nerviosidad, sus dimensiones. Vicente había sacrificado finalmente a *Relámpago,* en el monte de Illera, en Villanubla, de un balazo en la frente. Estacio del Valle le había facilitado la pistola y un par de mulas poderosas para el enterramiento. En lo alto del túmulo, su criado había colocado una gran lancha para identificar el lugar.

Aunque el nuevo Maluenda no le llegara a don Néstor ni a la suela del zapato, no le causó mala impresión a Cipriano. La diligencia y probidad de Ciriaco Maluenda estaban a cien codos de las del difunto don Gonzalo. Aceptó de buen grado el incremento de pieles que Salcedo le anunciaba, pues aunque la cifra descendía a la mitad de los fletes de antaño, casi doblaba la de los últimos envíos. La relación con los Maluenda volvía a ser amistosa.

Entre quehacer y quehacer, Cipriano visitaba a Teo en el Hospital de Medina. Sedada con filonio romano vivía tranquila, sin ganas de pelea. Vegetaba más bien, se dejaba consumir. A Cipriano le entristecían aquellos ojos de mirada vacía, antaño tan bellos. Nunca llegó a saber si le reconocía, si sus visitas le producían algún efecto, ya que cada vez que se presentaba le dirigía una mirada inexpresiva, la misma que dirigía a sus enfermeros cuando se movían por la habitación. Día a día iba encogiéndose, dejaba de ser la mujer fuerte que conoció en La Manga. Su cuerpo se reducía al tiempo que se agrandaban sus facciones que iban ocupando cada vez mayor espacio en su rostro enteco, antaño ancho y floreciente.

No hablaba, no comía, no llegaba a abrir la boca más que para beber; su vida carecía de alicientes, le decían, pero no sufre. Esto le aliviaba. La ventana enrejada de la habitación se abría al campo y desde ella divisaba el castillo que parecía hipnotizarla. Cipriano se esforzaba en inventar algo que pudiera animarla pero sus obsequios, pequeñas joyas, flores, dulces, no le producían la menor reacción. Cada vez que la visitaba regresaba a casa más deprimido que la anterior: no le había reconocido; le daría lo mismo que no volviese. A veces, los propios guardadores se animaban entre sí: había comido un poco, había dado un corto paseo por la habitación, pero en su cara no se reflejaban tales progresos. Con su liberalidad habitual, Salcedo daba a aquéllos generosas propinas que nunca consideraba suficientes. A estas alturas, pensaba, era ya lo único que podía hacer por su esposa enferma: sobornar a los que la cuidaban para que lo hicieran de grado, para que le regalaran una pizca de afecto, para que algún día la hicieran sonreír.

Las tardes las dedicaba a los Cazalla, al Doctor y su madre. Doña Leonor de Vivero no perdía su alegría ni su don de gentes. Pasaba ratos con ella en su pequeño gabinete, callado, mirando a la pared, sin nada divertido que contarle, pero ella le recibía con su sonrisa dentona, su facundia, con el buen humor de siempre. Los primeros días se esforzaba en consolarle:

—Le encuentro triste, Salcedo. ¿La quiere mucho?

La respuesta de Cipriano era escueta y contundente:

—Era una costumbre en mi vida, doña Leonor.

—No se mortifique vuesa merced. Ante los muertos y los locos nos sentimos responsables muchas veces sin motivo.

Pero la noticia del enfrentamiento verbal en Aldea del Palo produjo tanto en ella como en el Doctor un profundo abatimiento. Vivían jornadas agónicas. Se sentían incapaces de controlar el grupo. Consideraban imprescindible frenar a Padilla, despojarle de la autoridad que se atribuía, impedir aquellos conventículos pueblerinos, abiertos e improvisados. El Doctor le envió un correo sin demora llamándole al orden, advirtiéndole que lo acaecido en Aldea del Palo no podía volver a repetirse. Escribió asimismo a don Juan de Acuña encareciéndole prudencia, haciéndole ver el riesgo de los excesos verbales ante la asechanza permanente del Santo Oficio. Pese a su rápida reacción, no logró controlar su progresivo decaimiento. Habló a Salcedo con el corazón, le nombró su hombre de confianza. Admitía que, pese a ser el miembro de más reciente incorporación, actuaba sin reservas, con entusiasmo y resolución. *Motu proprio* había alcanzado importantes objetivos y el Doctor esperaba que siguiera en su labor organizadora, tarea que circunstancialmente había interrumpido con motivo de la enfermedad de su esposa. A Salcedo le emocionaba el valimiento del Doctor, el hecho manifiesto de que le considerase el discípulo amado. Una tarde neblinosa, de crepúsculo prematuro, Cazalla le confesó que nunca habían pasado por el aislamiento que ahora sufrían, sin libros, apoyos, ni noticias de Alemania. Al morir Lutero, Melanchton se había encontrado con un difícil panorama. El Doctor ladeaba la cabeza como si fuese incapaz de soportar su peso; estaban solos. Cipriano se esforzaba por animarlo: eran horas infortunadas, de tribulación; algún día pasarían. Pero el Doctor, lejos de serenarse, mezclaba los problemas, los amontonaba. Olvidaba por un momento la soledad del grupo y volvía al caso Padilla. Era un correveidile, no contestaba a su carta, era como si no existiera o no reconociera la autoridad del Doctor. Un día, sugirió a Cipriano visitar a doña Ana Enríquez en La Confluencia, la casa de placer de su padre, en la conjunción del Duero y el Pisuerga, en un frondoso soto de olmos, tilos y castaños de Indias. Una hermosa casa, dijo el Doctor, de las muchas que había levantado la aristocracia a orillas de los ríos al advenimiento de la Corte. Sería oportuno que doña Ana que, pese a su juventud, era una mujer con carácter, instara a su criado Cristóbal de Padilla a entrar en vereda, a tomar todo aquel asunto de las reuniones de grupo con la debida seriedad. A Cipriano le agradó el encargo. La belleza de doña Ana, su perfil atrayente, le había quitado la devoción en el último conventículo, el de los sacramentos. Un perfil perfecto, sugerente, regular y voluntarioso, subrayado por la elegante sencillez de su indumento que dejaba al descubierto un largo cuello ornado con un collar de perlas. Pero lo más notable en el perfil de doña Ana era la toca de camino, larga y estrecha, que ella enrollaba hábilmente como un turbante en la parte alta de la cabeza. En el momento de su atenta contemplación no hubiese podido asegurar que ella se sintiera observada, aunque tampoco lo contrario, pero prefería pensar que no, que ella era así, espontánea y natural, tanto cuando escuchaba las homilías del Doctor, como cuando se recogía devotamente en el salmo inicial, o alzaba tímidamente una mano por encima de su cabeza para pedir la palabra durante los coloquios. La asistencia a los conventículos de doña Ana Enríquez era absolutamente relajada, con afán participativo.

Cuando el Doctor le encomendó visitarla con objeto de aclarar el silencio de Padilla, no lo demoró. Ella respondió a su nota urgente aprovechando el mismo correo: le esperaba dos días más tarde a las once de la mañana. En el camino de Medina, Salcedo recordó a su esposa, mas enseguida se concentró en el motivo de su viaje: Ana Enríquez, su voz cálida y empastada, de mucho volumen, su disponibilidad, su bien definida personalidad tratándose de una muchacha de apenas veinte años.

El arco de las piernas de Cipriano se iba adaptando a la cruz más reducida de *Pispás*, un caballo que se dejaba gobernar más por la presión de las rodillas del jinete que por las riendas. Era un pura sangre también, ligero como el viento, pero menos corpulento y prudente que *Relámpago*. Un día subiría al monte de Illera para visitar la tumba de éste, un homenaje obligado.

Rebasado Puente Duero, *Pispás* tomó un camino arenoso a la derecha, entre pinares, y, al final, cuando oyó el retumbo del agua, el violento choque entre los dos ríos, se detuvo. El camino concluía allí y, a mano izquierda entre la fronda, se alzaba la gran casa de dos plantas rodeada por un jardín con las veredas cubiertas de hojas secas y los arriates descuidados, con flores de otoño: caléndulas muy vivas aún y rosales oxidados, decadentes. Una criada de pocos años, con toca a la cabeza, le condujo ante Ana Enríquez, ataviada con una galera verde, de costura en el talle. Con naturalidad, sencillamente, sin que él apenas se percatase, se vio paseando a su lado por el jardín, observando cómo sus botines de tafilete arrastraban las hojas caídas, como en un juego. El Doctor no debía preocuparse por la demora de Cristóbal Padilla, dijo; era perezoso para tomar la pluma o tal vez estuviese enfermo. En cualquier caso, ella le enviaría una esquela conminándole a obedecer sus instrucciones. En la secta existía una jerarquía y había que evitar comprometerla con cenáculos insensatos.

Su verbosidad, cálida y suntuosa, bajo los nobles árboles centenarios, cautivaba a Cipriano. Ella, por su parte, iba cogiéndole gusto a la conversación y le habló sin reservas, de un modo tal vez imprudente, de don Carlos de Seso, a quien calificó de *gran embaucador*, de Beatriz Cazalla, *su pervertidora*, y de fray Domingo de Rojas, gran amigo de la familia, que la sosegó después de la conmoción inicial.

Antes de almorzar, Salcedo partió para Pedrosa y Toro bajo un cielo plomizo, ligeramente lluvioso. Beatriz Cazalla y su hermano Pedro habían incorporado al grupo a las tres vecinas que atendían la parroquia, en tanto don Carlos de Seso, en Toro, le dio una buena noticia para el Doctor: el famoso *Catecismo* de Bartolomé Carranza estaba entrando en España desde Flandes en cuadernillos sueltos, sin coser, y había empezado a difundirse por el norte. La marquesa de Alcañices había sido la primera en recibirlo y tanto ella como cuantos lo habían leído estaban acordes en su espíritu erasmista.

Durmió en Toro y regresó a Valladolid por Medina del Campo. Hacía casi un mes que no visitaba a su esposa y cada día le pesaba más el sentimiento de culpa. No había entendido a Teo pero tampoco se esforzó nunca por hacerlo. Le facilitó un bienestar y unas atenciones mínimas pero no compartió, ni comprendió siquiera, sus desazones, sus anhelos de maternidad. Pero este deseo se había desarrollado, había llegado a hacerse obsesivo y había acabado por devorarla. La encontró peor que cuatro semanas atrás, igualmente ausente pero más espiritada. Cuando la conoció le había sorprendido la superficie de su rostro, excesiva para el tamaño de sus facciones, pero, a medida que su cara adelgazaba, aquéllas se pronunciaban, crecían, y su nariz afilada, por ejemplo, se desplomaba sobre una barbilla pugnaz que nunca la distinguió. Asimismo, aquellos ojos vacíos, estáticos, que habían llenado la parte alta de su rostro, se hundían ahora en éste, circuidos por dos lívidas ojeras. La encontró paseando por el corredor, más bien arrastrada por los dos fuertes guardianes que la acompañaban. Con el cabello alborotado, la espalda vencida y sus pasitos laboriosos parecía una viejecita de mil años, un fantasma surgido del fondo oscuro del pasillo. Cipriano se detuvo ante ella y la observó con detenimiento. En sus ojos planos no advertía ni chispa de consciencia, parecían mirar hacia dentro, lejos. Sin embargo, cuando quiso tomarla del brazo y Teo hizo un brusco ademán como para desasirse, él creyó adivinar, en el fondo de su mirada, un atisbo de lucidez.

Al entrar en la habitación, Cipriano insistió en ayudarla, volvió a tomar su brazo descarnado y esta vez Teo no opuso resistencia. Se dejó acostar pasivamente y se quedó mirando el castillo que se divisaba por la ventana enrejada. Los loqueros y la comadre, tal vez esperando una compensación, se mostraron acordes en que había mejorado. Ingería sólidos, paseaba todos los días un ratito y en sus ojos delgados dejaba ver un algo que no había habido antes. Cipriano se sentó a su lado y le tomó una mano. La llamaba por su nombre, tiernamente, pero ella miraba indiferente, por encima de su hombro, las almenas del castillo. Hubo un momento, empero, en que recogió la mirada y la posó sobre él, tan fija e insistentemente que Cipriano no pudo resistirla y desvió la suya. Al centrarla de nuevo se encontró con que las pupilas de Teo seguían posadas en él, imperturbables, como si le escrutara el fondo del alma, pero la veía tan ajena, tan desamparada, que sus ojos se llenaron de lágrimas. Volvió a llamarla por su nombre, oprimiendo su mano entre las suyas y, de pronto, aconteció el portento: sus pupilas se avivaron, adquirieron el viejo y añorado color miel, su gruesa boca esbozó una sonrisa, sus dedos se animaron un instante y entonces musitó dos palabras perfectamente audibles: *La Manga*, dijo. Cipriano rompió en llanto, durante unos segundos sus miradas se cruzaron, se comprendieron, pero él, aunque intentó sujetar ese momento, no fue capaz de prolongarlo. Teo volvió a ausentarse, apartó sus ojos de los suyos y liberó su mano de sus manos. Había vuelto a convertirse en el ser pasivo y remoto que venía siendo desde ocho meses atrás.

Al anochecer, Cipriano pasó por Serrada y La Seca a galope tendido. Su encuentro con Teo le había dejado una huella dolorosa y se iba diciendo que su comportamiento con ella, el hecho de haberla arrancado de su medio para luego abandonarla, exigía una reparación. El sentimiento de culpa acrecía cuanto más pretendía alejarlo y pensaba que una larga vida de sacrificio no sería suficiente para excusar una responsabilidad de años. No encontraba consuelo y, tan pronto llegó a Valladolid, dejó a *Pispás* en manos de su criado y se dirigió a la iglesia de San Benito. El tamaño del templo, desierto, aumentaba la sensación de soledad, acrecentaba su silencio interior, aunque la llamita del sagrario, tan tenue y vacilante, comunicaba una pálida impresión de compañía. Salcedo buscó el rincón más oscuro de la iglesia, un escañil apartado, detrás de uno de los gruesos pilares y, una vez allí, sentado, recogido sobre sí mismo, las manos juntas, volvió a llorar implorando la presencia de Nuestro Señor para reconciliarse, para descargarse, una vez más, de sus pecados. Estaba tan ensimismado, sumido en tan alto grado de misticismo, tan concentrado y etéreo, que sintió muy viva la presencia de Cristo a su lado, sentado en el escañil. En la penumbra, desdibujado, entre las lágrimas, vislumbraba su rostro, su túnica blanca, resplandeciente, pero cada vez que pretendía mirarle franca, directamente, a los ojos, la figura de Cristo se desvanecía. Lo intentó varias veces sin éxito y, entonces, decidió conformarse con sentirle a su lado, el hombro contra su hombro, y entrever, al soslayo, su mirada aplaciente, la difusa mancha blanca del rostro enmarcada por los cabellos y su barba rabínica. Le abrumaba la conciencia de su pecado, la destrucción sistemática de su esposa, su feroz egoísmo. Se lo confesaba a Cristo, sumiso, tratándole de tú, con humildad confiada. Y, ante la imposibilidad de rehacer lo mal hecho, apeló a su viejo anhelo de reparación. Tenía la absoluta seguridad de que Nuestro Señor le escuchaba, le observaba con un remoto aire de complicidad. Entonces Cipriano Salcedo, humillado, en pleno éxtasis, le formuló las dos ofrendas que había venido madurando durante el camino: su sexualidad y su dinero. Íntimos compromisos de castidad y pobreza. Renuncia definitiva a todo contacto carnal y reparto de sus bienes con quienes le habían ayudado a crearlos. Nunca había sentido especial apego al dinero pero el firme propósito de desprenderse de él le produjo una adventicia sensación de poder.

Esa noche durmió mal, vestido, tendido sobre la cama, sin cubrirse y, muy de mañana, Crisanta, la doncella, le pasó un correo urgente de Medina del Campo. Era del director del hospital y le notificaba que su esposa, doña Teodomira Centeno, había fallecido a medianoche, horas después de su visita. Habían encontrado el cadáver en la cama, sonriente, como si a última hora la hubiese visitado Nuestro Señor. Esperaban sus instrucciones para el entierro.

XIV

Abatido, hundido el ánimo, Cipriano Salcedo partió para Pedrosa por el único camino que su padre, el viejo don Bernardo, poco dado a la aventura, había conocido treinta años atrás: Arroyo, Simancas, Tordesillas, flanqueando el Pisuerga y el Duero. Tres días antes habían dado tierra a su esposa en el atrio de la iglesia de Peñaflor de Hornija, junto a su padre, don Segundo Centeno, *el Perulero*, donde once años atrás habían contraído matrimonio. La decisión había sido tomada después de discutir con su tío Ignacio sobre el posible significado de las enigmáticas palabras de Teo en su última visita, en el único momento en que sus ojos se animaron: *La Manga*, había dicho. ¿En qué pensaba Teo al mencionar el lugar donde había pasado su juventud esquilando borregos? ¿Era tal vez por ser el único que recordaba con añoranza? ¿O quizá porque su breve noviazgo en el monte lo anteponía a cualquier otro momento de su vida? ¿O quería decir lisa y llanamente que su deseo era descansar allí, bajo la tierra fuerte y roja del Páramo, junto a su padre, *el Perulero*? Antes de determinarse, y de trasladar el cuerpo de su esposa a Valladolid, Cipriano había pasado unas horas en el Hospital de Medina, dialogando con aquellas personas que la asistieron en los últimos momentos. La comadre negó que la escena de la tarde, durante su visita, se hubiera repetido después, es más, la señora Teo quedó muy postrada después de sus palabras, decía, y, a la hora de darle el filonio romano para que durmiera, habían tenido que apalancarle las mandíbulas con los mangos de dos cucharas de plata para que abriera la boca, con tal violencia que le rompieron dos dientes. Cipriano se había horrorizado y preguntó si aquel procedimiento tan traumático era frecuente, y la comadre contestó que siempre que un enfermo se resistía a tomar algo que el doctor consideraba indispensable. También los dos loqueros le habían hablado con la misma crudeza y candidez. Doña Teodomira había muerto dormida, sin que las *visiones* de la tarde se repitieran y, sin embargo, lo había hecho sonriendo, cosa que no le habían visto hacer durante los meses que estuvieron atendiéndola. En cuanto a lo de las cucharas era el método habitual de alimentar a aquellos enfermos que se negaban a comer. Con doña Teodomira, que apretaba los dientes y únicamente abría la boca para beber agua, no hubo otro remedio que apelar a esta solución. Incluso hubo días, cuando aún estaba fuerte, en que su resistencia fue de tal monta que tuvieron que encadenarle las manos a la cabecera del lecho para poder dominarla. Para Cipriano aquello constituía una novedad dolorosa y habló sobre ella con el médico y el director. Ellos se sorprendieron de su sorpresa. De no haber utilizado las cucharas, la enferma no hubiera vivido ocho meses, claro, se hubiera muerto enseguida. Podía habérselo figurado. Las tomas de filonio romano, zumos de fruta o jugos de carnes, únicamente eran posibles forzando su resistencia. Ella se percataba enseguida de que no solamente era agua lo que le ofrecían y entonces cerraba la boca con tanta firmeza que únicamente apalancando podían abrírsela. Desde el primer día la enferma se había negado a tomar otra cosa que agua y, ante actitud tan negativa, a ellos no les quedaba otro recurso que la violencia. En el Hospital de Santa María del Castillo no sólo estaba prohibido el suicidio, sino cualquier ayuda al presunto suicida. El director afirmaba que la conducta de sus subordinados había sido correcta y, cuando Salcedo intentó hacerle ver que para someter a un enfermo a estos tratos vejatorios había que contar previamente con la familia, se echó a reír, que estaba en un error, que las cosas no eran así, que ellos tenían una moral hipocrática y la aplicaban a rajatabla gustase o no a los familiares del internado.

Temblando de ira, Cipriano bajó al sótano a ver el cadáver que, en efecto, estaba sereno y sonriente. Aquella sonrisa, de que tanto le habían hablado, era una sonrisa manifiesta, no sólo de paz sino incluso de bienestar. Fue el único consuelo de Cipriano Salcedo, una satisfacción que acabó imponiéndose al dolor que le atenazaba. Algo, en el último momento, le había inducido a Teo a sonreír. Unas horas antes había nombrado La Manga en un momento de lucidez, se decía, era lógico imaginar que ella soñaba o pensaba en La Manga cuando dibujó aquella sonrisa de despedida. El tío Ignacio era del mismo parecer y, después de prolongadas conversaciones, convinieron que, al mentar La Manga, Teodomira había mencionado el lugar donde aspiraba a descansar para siempre. *La Reina del Páramo* deseaba volver al Páramo y no había nada que objetar a su deseo.

Cipriano Salcedo se emocionó cuando los cuatro carruajes que acompañaban a la carreta fúnebre se detuvieron en la explanada de la iglesia de Peñaflor. Le acompañaban sus viejos amigos Gerardo Manrique, Fermín Gutiérrez, Estacio del Valle, hijo, y los nuevos, el Doctor Cazalla, su hermano Francisco y el joyero Juan García, aparte de su tío Ignacio. El cielo estaba anubarrado pero no llovía y, sin embargo, el grupo de braceros y pastores que esperaban el cadáver se guarecía en el porche de la iglesia, como uniformados, aquéllos con sus capotillos de dos haldas, de tela burda y sus calzones hasta media pierna mostrando sus pantorrillas peludas, y los pastores y los zagales con sus zamarros de piel de conejo y sus calzas abotonadas. Todos salieron de su refugio y rodearon el ataúd cuando don Honorino Verdejo, el párroco, rezó un responso a la puerta de la iglesia. Para los rudos castellanos, aquella mujer que ahora iban a enterrar constituía un símbolo, puesto que no sólo trabajó con las manos como ellos sino que lo hizo con más espíritu y más provecho que los hombres por lo que con justo motivo recibió el sobrenombre de *Reina del Páramo*. Era una esquiladora como nosotros, dijo un pastor viejo, con la voz trémula, para quien el trabajo manual borraba el pecado de su condición adinerada. Al margen de Manrique y Estacio del Valle, hijo, que en mayor o menor medida tenían alguna relación con los campesinos, el resto del acompañamiento los miraba con una mezcla de estupor y curiosidad, como si fueran seres de otra raza o habitantes de otro planeta. Pero la sorpresa se hizo general cuando al ahondar la huesa que había de albergar a *la Reina del Páramo,* el cadáver de su padre, *el Perulero,* apareció intacto en el fondo de la hoya con su pelo cano y el cuerpo desnudo, sin descomponer, el pene erecto y los ojos abiertos, inyectados y llenos de tierra. Hubo un bracero que afirmó que aquello era un prodigio, pero don Honorino, hombre probo y avisado, acalló el brote quimérico, dando de lado la incomprensible autonomía del miembro y aludiendo a las propiedades de algunas tierras para demorar la corrupción de los cuerpos. Concretamente en Gallosa, el pueblo donde nací, dijo, ningún cadáver se había descompuesto antes de los cuatro años de ser enterrado.

Más tarde, al abandonar Peñaflor, Cipriano le dijo a su tío, en el interior del coche, que guardaba hacia *el Perulero* un sentimiento de afecto y, el hecho de que su cuerpo permaneciese incorrupto y el sexo vivo, como si hubiese muerto con apetito, le había afectado mucho. Poco más adelante, al atravesar el monte de La Manga, cuando Cipriano divisó la atalaya grande y el camino rojo medio borrado por los bogales, las matas recortadas por los carboneros, y, al fondo, el tejado de pizarra de la casa, se inclinó hacia adelante y le rogó a su criado que moderara la marcha. Apoyó la frente en el cristal y durante unos minutos guardó silencio, los párpados entornados, evocando sus paseos con la difunta por los claros y recovecos de aquel sardón tan familiar.

Ahora, a la vista de Pedrosa, espoleó a *Pispás* en el último recodo del camino. Los rastrojos macilentos, la tierra negra recién arada, las rodadas del carril, le recordaron sus charlas itinerantes con Cazalla. Un apretado bando de perdices arrancó ruidosamente de la cuneta y espantó al caballo que piafó y caracoleó varias veces antes de serenarse de nuevo. Martín Martín, que le esperaba, le dijo al verle que la cosecha de uva había sido magnífica, y mezquina, en cambio, la de cereal. Sostenía el mismo criterio que su padre: el dinero estaba en la viña. Caballero en yegua trabada, el rentero le seguía a corta distancia por las diversas parcelas de la propiedad: los renuevos, los escatimosos majuelos tras las colinas, el pago de Villavendimio con la pinada floreciente. De vuelta a casa, Cipriano Salcedo notificó a Martín Martín que la señora Teodomira había fallecido. Entonces se repitió la escena que treinta y siete años antes había tenido lugar en aquel mismo escenario entre los padres de ambos. Martín Martín, al oír la mala nueva, se sacó el sombrero de la cabeza y se santiguó: Dios le dé salud a vuesa merced para encomendar su alma, dijo. Al cabo, comieron solos, atendidos por la anciana Lucrecia y su nuera, y Salcedo comunicó a su rentero que, con ocasión del fallecimiento de su esposa, había reflexionado y estaba dispuesto a compartir la propiedad con él; Martín la trabajaría y él correría con los gastos de explotación. Era una oferta tan inusitada y generosa que al rentero se le cayó la cuchara en el plato. No sé si acabo de entender..., balbuceó, pero Cipriano le interrumpió: lo que has entendido es lo que he dicho, la propiedad de las tierras la partiremos entre tú y yo, tú aportarás tu sudor y yo mi dinero. Los beneficios a partes iguales. Remató su breve discurso con una frase mendaz:

—Era voluntad de la difunta —dijo.

Martín Martín quería dar las gracias, pero no acertaba, mientras Cipriano le anticipaba que su tío, el oidor, formalizaría el nuevo contrato, pero que también era su deseo mejorar los salarios de la gañanía y que a cómo se pagaba la jornada en las viñas de Pedrosa. El rentero puso cara de circunstancias: bajos, los salarios eran bajos, un obrero podía cobrar cincuenta maravedíes pero un vendimiador no llegaba a la mitad. Había que subirlos, era apremiante mejorar las condiciones de vida en Pedrosa y él, Cipriano, como mayor terrateniente, tenía que dar ejemplo. Habló de doblar los salarios de los jornaleros, de los braceros ocasionales, pero el rentero se llevó las manos a la cabeza:

—Pero ¿ha pensado vuesa merced en lo que propone? El pequeño labrantín no podrá soportar tamaña competencia. Nadie querrá trabajar en Pedrosa por menos de lo que nosotros demos. El campo se hundiría.

Cipriano empezaba a intuir que la donación también constituía un problema, pero, al propio tiempo, no quería renunciar a su largueza. Había que estudiar las cosas despacio, con personas y abogados competentes. Se daba cuenta de que su decisión, de la manera simple en que la había concebido, se haría popular entre los asalariados pero impopular entre los terratenientes. Era preciso reflexionar y actuar sin apremios, con la cabeza fría.

Esa misma tarde, salió de paseo con Pedro Cazalla, quien elogió su decisión de hacer un nuevo contrato con Martín Martín. El campo estaba en situación crítica y los que vivían de él abocados a la miseria. Ganaban poco y el fisco y la Iglesia, con tributos y diezmos, acababan de arruinarlos. Todo lo que se hiciera en favor de los medios rurales sería insuficiente. El inconveniente que apuntaba Martín Martín era irrefutable, pero los oidores de la Chancillería, los altos letrados de la Corte, disponían de recursos sobrados para dar con la solución pertinente. Por su parte, él lo hablaría con don Carlos de Seso, que ahora, en su condición de corregidor, estaría al tanto de esas cosas. Ya en casa de Cazalla, Cipriano le hizo entrega de trescientos ducados para las necesidades más urgentes del pueblo, incluso apuntó, de pasada, a la pavimentación, pero Pedro Cazalla adujo que en eso no podía ni pensarse, ya que las caballerías resbalaban en los adoquines y se quebraban. Se hacía inevitable pensar en otra aplicación menos arriesgada.

Cipriano Salcedo entró en una fase de actividad enfebrecida. Le daba miedo la soledad. Le aterraba pensarse. No sabía estar solo ni ocioso y, aparte su quehacer habitual en el almacén y la sastrería, el resto del día necesitaba estar ocupado, solventando otros asuntos. El tío Ignacio, que aprobaba su buena disposición de ceder la mitad de su fortuna, le aseguró que se ocuparía del contrato con Martín Martín. Tal como estaba organizado el mundo, tratar de doblar el salario a braceros y temporeros constituía de entrada una provocación. Pero tenía que haber una solución y la encontraría. En la Chancillería había gente conspicua dispuesta a echarle una mano. En cambio, el tema de los negocios industriales llenó de gozo a su tío. Don Ignacio Salcedo, desde que se licenció, se había especializado en temas jurídicos y económicos. Leía mucho, con auténtica avidez, no sólo sentencias y actas de jurisprudencia, sino publicaciones y libros franceses y alemanes que le facilitaban sus amigos del centro de Europa. Así se informó de que la organización de la producción por gremios iba convirtiéndose poco a poco en una antigualla pasada de moda. En Francia y Alemania apuntaban formas de asociación que en España todavía se desconocían, en las que no sólo se asociaban los hombres sino también los capitales para incrementar su poder. Incorporar Valladolid a la modernidad era una de sus aspiraciones íntimas. Los gremios decaían y, cuando su sobrino le solicitó nuevas fórmulas para el comercio de la lana con Burgos y la fabricación de zamarros y ropillas aforradas, don Ignacio pensó que quizá unas comanditas pudieran servir para resolver ambas cuestiones.

Tanto Dionisio Manrique como Fermín Gutiérrez dejarían de ser empleados para pasar a ser socios, valorando su trabajo como capital. Es decir, ellos pondrían su cabeza donde él ponía su dinero. Crearían dos compañías mixtas en las que capital y trabajo obtendrían retribuciones análogas. Mas, también aquí, como en el campo, se presentaba una cuestión espinosa: ¿qué hacer con los pellejeros, tramperos, curtidores, acemileros y todos aquellos que ni en el taller ni en la fábrica desempeñaban un trabajo cualificado? Don Ignacio vio enseguida la solución: incorporar al personal no cualificado a los beneficios. La novedad constituía para él una auténtica revolución económica, especialmente, en Valladolid, de ahí que le pareciese aún más ecuánime y sugestiva. Manrique y Gutiérrez irían con él a partes iguales, pero a los asalariados, en lugar de subirles los jornales, cosa que pondría en pie de guerra a la competencia, se les darían, al cabo del ejercicio, unos ingresos extras provenientes del beneficio social. Estos dineros a repartir entre pellejeros, tramperos, cortadoras, arrieros y curtidores, podían proceder del porcentaje total de beneficios, o del correspondiente a Cipriano Salcedo, todo dependía del grado de desprendimiento de éste. En todo caso, ni el transporte de lanas a los Países Bajos, ni el negocio de los zamarros, planteaban cuestiones irresolubles.

Tío y sobrino pasaban tardes enteras conversando, de tal manera que, desde que Teo falleció, la cabeza de Cipriano no volvió a encontrar un momento de reposo. Resultaba curioso pero en los últimos años, en que la comunicación con Teo no había existido, a Cipriano le bastaba saberla allí, en casa, oír cómo se movía de una habitación a otra, para sentirse acompañado. Como le dijo en una ocasión a doña Leonor, Teo había llegado a ser para él una costumbre.

Conforme Cipriano delegaba en su tío la transformación de sus negocios, iba intensificándose su relación con la familia Cazalla. Doña Leonor lamentó su viudez con hermosas palabras de solidaridad y dijo que comprendía perfectamente a su esposa. Ella había parido diez hijos pero cada alumbramiento lo había celebrado como si fuera el primero. No obstante, comprendía también a Cipriano, ya que el círculo vital del hombre rebasaba con mucho el círculo familiar y su egoísmo era mayor que el de la mujer. Por su parte el Doctor le reafirmó una vez más su confianza. Se sentía débil y medroso y la colaboración de Cipriano le resultaba indispensable. Había concluido su fichero, pero la reducida comunidad castellana necesitaba constante atención. Los pequeños problemas asomaban por todas partes. Ana Enríquez había

378

asegurado que Cristóbal de Padilla quedaría sujeto a su autoridad, que no volvería a desmandarse, pero la realidad decía otra cosa. Antonia de Mella, esposa de Pedro Sotelo, comunicó al Doctor que Cristóbal la había visitado para leerle una carta, a su decir del maestro Ávila, muy peligrosa, y se prestó a dejársela para estudiarla. Pasados unos días, Padilla volvió con otra carta, al parecer también del maestro Ávila, y se la leyó esta vez a la mujer de Robledo. Trataba de la misericordia de Dios, y, al concluir de leerla, le dijo que advirtiera a su marido que abandonase sus penitencias porque Nuestro Señor ya la había hecho por todos. Otro día, convocó una junta de mujeres en casa de Sotelo y les ofreció un librito donde se estudiaban los artículos de la fe orientados hacia la doctrina de la justificación. Ante el escándalo de algunas, confesó que el librito estaba escrito por fray Domingo de Rojas, aunque a otros les dijo que él mismo era el autor de la obra. Cipriano tuvo que hacer dos viajes a Zamora para convencer a Pedro Sotelo de que no facilitase a Padilla lugares de reunión, ya que este hombre, como le había dicho el Doctor, cada día más amilanado, sembraba la discordia por donde quiera que iba. Momentáneamente, el Doctor quedó aplacado, pero cada día aportaba una novedad y una tarde informó a Cipriano de que el joyero Juan García tenía planteadas serias cuestiones familiares y debía ponerse cuanto antes en contacto con él. Cipriano pasó por el cubil donde Juan trabajaba y éste, sin levantar los ojos de la pulsera que reparaba, le anticipó que, al día siguiente, a las siete de la tarde, le visitaría en su casa pues en el taller no era aconsejable hablar. Una vez reunidos, Juan García rompió a lloriquear, que era de los más viejos adeptos de la secta, de los más convencidos, pero su mujer, Paula Rupérez, fanática católica, recelosa de sus escapadas nocturnas, le había seguido una noche de conventículo por las calles en tinieblas. Afortunadamente él se dio cuenta a tiempo y se ocultó en el hueco de un comercio por donde la vio pasar. Entonces se convirtió de perseguido en perseguidor y durante una hora estuvieron dando vueltas por las viejas rúas del barrio de San Pablo, él en guardia, ella desorientada. Al día siguiente Paula le preguntó dónde había andado a tan altas horas de la noche y él reconoció que había sufrido uno de sus frecuentes accesos de escotoma y había salido a airear la cabeza. Poco a poco Juan García se había ido serenando pero advirtió que su mujer había informado de sus sospechas al confesor y había razones fundadas para temer que éste, si llegaba a tener un solo indicio, les denunciaría sin demora a la Inquisición.

Cipriano trató de tranquilizar al joyero, le dijo que de momento no volviera por los conventículos y que, cada mes, al día siguiente de celebrarse éste, pasara por su casa donde él le facilitaría un resumen de lo tratado a fin de que no quedase descolgado. Para mayor seguridad, debía acompañar a su mujer a sus prácticas religiosas y hacer lo que viese que ella hacía. El joyero volvió a llorar; le repugnaba caer en el *nicodemismo*, fingir creer en lo que no creía, pero Cipriano Salcedo le dijo que todos, en mayor o menor medida, lo practicaban, que él mismo asistía a misa los días festivos, porque, en tiempos de persecución, la mejor defensa era el disimulo, cuando no la doblez.

Siete días antes de Navidad, súbitamente, falleció doña Leonor. Por la mañana había sentido un vago tremor de corazón y, después de comer, quedó muerta en la mecedora sin que nadie lo advirtiera. El Doctor la encontró todavía caliente y el balancín con un leve movimiento de vaivén. Su deceso fue la culminación de un *annus horribilis*, como lo calificó el Doctor Cazalla. Se hizo preciso preparar las honras fúnebres con la pompa que exigían la fama del Doctor y el hecho de que la difunta tuviera tres hijos religiosos. El entierro se verificó en la capilla de los Fuensaldaña, en el Monasterio de San Benito. Diez doncellas, casi niñas, acompañaron el ataúd portando cintas azules y el coro del Colegio de los Doctrinos, fundado pocos años antes en la ciudad, entonó las letanías habituales. Cipriano Salcedo creía ver en aquellos muchachos a los antiguos Expósitos, sus compañeros de infancia, y respondía a las apelaciones al santoral con devoción y respeto: *ora pro nobis, ora pro nobis, ora pro nobis*, decía para sí, y en el *Dies irae* de la epístola se prosternó sobre las losas del templo y repitió la letra en voz baja, profundamente conmovido: *Solvet saeclum in favilla: teste David cum Sibylla*.

La ciudad acudió en masa al sepelio de doña Leonor. La reputación del Doctor, el hecho de que tres de los hijos de la difunta participasen en la misa funeral, removieron el sentimiento religioso del pueblo. Y, a pesar de sus grandes dimensiones, el templo no pudo dar acogida a todos los asistentes, muchos de los cuales quedaron a la puerta, en la explanada de acceso, devotamente, en silencio. Las voces de los doctrinos resonaban en la placita de la Rinconada y los transeúntes se santiguaban devotamente al pasar frente a la iglesia. Terminada la ceremonia, el acompañamiento se reunió en el atrio para las condolencias pero, en el momento de mayor recogimiento y emoción, una voz varonil, bien timbrada y poderosa, estalló sobre el rumor del gentío:

—¡Doña Leonor de Vivero a la hoguera!

Se oyeron siseos imponiendo silencio y la afrenta no volvió a repetirse. La ceremonia continuó al mismo ritmo, la multitud desfilaba ante los hermanos Cazalla y algunos, más allegados o más decididos, se aproximaban a ellos y les daban la paz en el rostro.

Para el Doctor, la muerte de su madre significó la culminación de su abatimiento. Doña Leonor había representado en vida la autoridad, la ponderación, el orden, la obligada referencia. Y, pese a haber dejado dos hijas, Constanza y Beatriz, el sólido matriarcado acababa de quebrarse. El semblante del Doctor se deterioró aún más, adelgazaba, se arrugaba, perdía pelo. También la voz se le desteñía y ponía en evidencia el gran sufrimiento moral que pesaba sobre él. En las tertulias de pésame, donde acudieron numerosos admiradores, apenas hablaba, la gente salía de la casa desorientada: el Doctor no va a superar la desgracia, decían. Y, por las noches, cuando las visitas marchaban, se refugiaba con Cipriano en el pequeño gabinete de su madre y hablaban de ella, reconstruían su pasado y su significación en la familia y la secta. Su hija Constanza había tomado el mando pero nada era igual. La pobre Constanza no pasa de ser una sencilla aprendiza, decía desmoralizado el Doctor. Y, a falta de un confortamiento más directo, la amistad entre los dos hombres se afirmó en el trance:

—Vuesa merced lo oyó —le dijo una noche el Doctor—. Y puede ayudarme a identificar esa voz.

El grito pidiendo la hoguera para su madre le reconcomía, no le permitía reposar. Detrás veía a la ciudad entera, al mundo entero. Y hablaran de lo que hablaran, la conversación siempre terminaba por recaer en el mismo tema: la voz viril y retumbante exigiendo la quema de la difunta. Cipriano se esforzaba en tranquilizarle: un loco, reverencia, nunca falta un loco en una aglomeración de estas proporciones. Mas Cazalla porfiaba que no se trataba de un loco, la voz era firme, culta y educada, su tono no era vil. Cipriano, deseoso de complacerle, habló en la sastrería con Fermín Gutiérrez, viejo admirador del Doctor. Sí, también había oído la voz y, en su opinión y en la de sus amigos, había partido de la esquina donde se congregaba un grupo de oficiales de la Guardia Real. El Doctor denegó enérgicamente con la cabeza: la voz de mando de un soldado podía identificarse a diez leguas de distancia, dijo. Había que pensar en alguien más distinguido, conocedor de las interioridades de la familia Cazalla, sórdido en el fondo pero cortés en las maneras.

Después de dos semanas de presunciones y conjeturas en torno a la misteriosa voz, sin avanzar un paso, el Doctor se derrumbó una tarde, se sinceró con él. Le hizo objeto de una confidencia que era obligado tener en cuenta a lo largo de la investigación. Le habló de una mujer extraña, que de una manera igualmente extraña, se había cruzado en su vida y se había enfrentado violentamente con él. Se refería a doña Catalina de Cardona, conocida con el sobrenombre de *la Buena Mujer*, que en su juventud había

383

sido aya de don Juan de Austria. Gozaba fama de santa en las altas esferas y había recalado en Valladolid de la mano de la princesa de Salerno, de la que era dama de honor, cuyo marido, don Fernando San Severino, vino a la Corte a reclamar los bienes que se le habían confiscado por su presunta participación en una conjura contra españoles.

La estancia en la villa de la princesa de Salerno le permitió conocer al Doctor y establecer con él una relación amistosa. Pero a Catalina, *la Buena Mujer*, nunca le agradó la amistad de su señora con el Doctor, ya que la manera de hablar de éste de la misericordia de Dios y de los méritos de Cristo se le antojaba equívoca y sospechosa. Catalina de Cardona, de suyo entrometida, decidió erigirse en ángel tutelar de la princesa y, sobre ponerle malas caras al Doctor, en las tertulias vespertinas le contradecía y zahería sin descanso. Por su boca habla Satanás, excelencia, llegó a decirle a la princesa un día. El Doctor, entonces, resolvió dar una lección a la marisabidilla, y en el famoso sermón de las Tres Marías, el día de la Resurrección, ridiculizó la impertinencia de ciertas mujeres que disputaban con los teólogos, sabihondas de tres al cuarto, dijo, que estarían mejor entre pucheros, pero *la Buena Mujer* aguardó la visita del cura, y cuando éste se presentó delante de su señora, le dijo que había visto salir de su boca borbollones de fuego envueltos en humo y olores de piedra de azufre. La campanada de *la Buena Mujer* creó un clima tenso en la reunión, de una violencia inhabitual, de tal manera que la princesa de Salerno se vio obligada a intervenir e impuso silencio a las dos partes cuando la réplica correspondía a Cazalla, y entonces éste se levantó dignamente y se marchó de la casa ofendido.

—Nunca volví a poner el pie en el palacio de la princesa, aclaró Cazalla a Cipriano, pero cabe que la voz pidiendo la hoguera para mi madre se fraguara ahí, en sus salones a causa de mis homilías. Cipriano quedó pensativo. Ignoraba que el Doctor tuviera enemigos de tan alto rango pero, una vez informado, dio por bueno que la afrenta a doña Leonor hubiera surgido de ese grupo o de otro semejante.

Dos días más tarde, Cipriano encontró los bajos de la casa del Doctor embadurnados por un sucio cartelón: DOÑA LEONOR A LA HOGUERA, decía simplemente. Aquel letrero abyecto, escrito con pintura roja, acabó de desequilibrar al Doctor. Convocó una reunión, en pleno día, en el oratorio de su casa. No podemos seguir viviendo en este *ensimismado aislamiento*, dijo. Nos conocen hasta las piedras, nos vigilan, nos odian, todas las precauciones que adoptemos en lo sucesivo serán pocas. Se le veía asustado, acorralado, nervioso. Muerta su madre, de la que tanto había dependido y que representaba el coraje, llegaba esta venganza ruin de la alta sociedad vallisoletana. Tenemos que admitir que no somos libres, añadió, que nos enfrentamos con enemigos que no dan la cara, seamos prudentes. A partir de ese momento quedaron suprimidos provisionalmente los conventículos y el Doctor decidió que se sustituyeran por visitas a domicilio, donde personalmente los sectarios serían informados de las novedades. Salcedo, por indicación del Doctor, viajó a Toro, Zamora y Logroño para poner sobre aviso a los adeptos.

A su regreso, Cipriano encontró al Doctor aún más sumido y cogitabundo. El hecho de que la realidad del grupo fuese conocida, o, al menos, se sospechase su existencia, le desquiciaba. Se sentía literalmente arrinconado. Cipriano permanecía con él hasta altas horas de la madrugada. El insomnio le acechaba y los julepes y el filonio romano apenas le hacían efecto. Su medrosidad le llevaba a extremos exagerados, a una pusilanimidad morbosa. Las sensaciones de persecución y aislamiento prevalecían sobre todas las demás. Una noche emborronaron con pintura el letrero rojo de la fachada y el Doctor subió a casa más entonado, como si hubiese borrado con él los malos pensamientos de la conciencia del responsable. Con Cipriano se desahogaba, era su paño de lágrimas: el Reformador al menos sabía de nuestra existencia, nos animaba, decía. Muerto Lutero, desconectados del foco sevillano, el Doctor no veía futuro para la causa. Mas Cipriano iba advirtiendo que un día pensaba una cosa y mañana la contraria, se mostraba irresoluto, mudadizo, como atollado. En una ocasión organizaron un viaje a Sevilla pero ocho días antes el Doctor desistió de él. ¿Qué iban a hacer en Sevilla? ¿Acaso estaban mejor informados los andaluces que ellos? Procedía ir más allá, más lejos, a la madre. ¿Sería capaz Cipriano de viajar a Alemania por el grupo? A Salcedo no le sorprendió la pregunta, llevaba meses esperándola. Estaba convencido de que únicamente entrevistándose con Melanchton y sus colaboradores, aportando información directa, libros y publicaciones, y la promesa de una ayuda quimérica llegado el caso, conseguiría animar al Doctor. Iría, pues, a Alemania, le dijo, pasaría allí el tiempo que hiciera falta, conectaría con el cerebro de la organización y recibiría instrucciones. La sola idea de que Cipriano iba a viajar a Alemania ya levantó el ánimo del Doctor. Le indicaba itinerarios en el mapa, ciudades, caminos, le facilitaba nombres y direcciones, contactos obligados, centros de visita inexcusable. Era como si su cerebro atascado se hubiera puesto de repente en movimiento. Una tarde le dio las señas de Berger, Heinrich Berger, marino de profesión, apóstol del nuevo cristianismo, con quien tal vez pudiera regresar a España por los puertos del norte. Al recordar su estancia en Alemania, los lugares que había visitado con el Emperador, los viejos amigos, los contactos iniciales, el rostro del Doctor resplandecía. Entre los dos iban urdiendo planes: saldría por el Pirineo y regresaría por mar o a la inversa. El zamarro de Cipriano y las ropillas aforradas, llegado el caso, podían servir de tapadera, pero de momento el proyecto debería permanecer en secreto. ¿Había oído hablar de Pablo Echarren, vecino de Cilveti, un pueblecito al norte de Navarra? No, claro, Salcedo no había oído hablar de Echarren, ni sabía de la existencia de Cilveti. Su viaje más largo por el norte había sido a Miranda de Ebro, ni siquiera había viajado hasta Bilbao. El Doctor le informó entonces de que Echarren llevaba gente hasta la raya con Francia, fugados, refugiados, exiliados, contrabandistas. Era su hombre pero convenía entrarle con cautela. Lo más oportuno sería hablarle de don Carlos. Seso le conocía desde su estancia en Logroño y había utilizado varias veces sus servicios. Cipriano debía decirle que don Carlos de Seso era su amigo, incluso su compariente. No, desde luego, no tenía honorarios fijos, era voluble, dependía del momento, del riesgo que corriera en cada desplazamiento, de sus necesidades, pero sus emolumentos —dijo— no era fácil que bajasen de veinticinco ducados ni superasen los cuarenta. Una vez en casa de Echarren, Vicente, el criado de Cipriano, podía regresar a Valladolid con los caballos, puesto que Echarren disponía de acémilas propias que conocían el camino, eran silenciosas y le comprometían menos. El Doctor le facilitó la dirección de Pablo Echarren en Cilveti. Todavía, antes de partir, Cipriano Salcedo hizo una escapada con *Pispás* hasta Toro, donde don Carlos de Seso le puntualizó las informaciones del Doctor y le advirtió que los modales de Echarren eran un poco bruscos y su carácter desigual pero que confiase en él, que cumpliría su palabra. Le dio una esquela de presentación para el navarro y, de vuelta a Valladolid, pasó por Pedrosa para entregar a Martín Martín la copia del nuevo contrato de propiedad que había redactado su tío Ignacio en la Chancillería. A Domingo Manrique y Fermín Gutiérrez les había facilitado ya un borrador de los acuerdos sobre las nuevas comanditas. Una vez rematadas las obligaciones que le retenían en Valladolid y conforme con el Doctor, fijaron la fecha del 25 de abril para la partida. Vicente había preparado las cosas con su acostumbrada meticulosidad: don Cipriano iría con *Pispás* y él con *Arrugado,* el duro penco auxiliar, mientras la mula *Sola* acarrearía los equipajes. No había prisa. Teniendo en cuenta el paso tardo de la acémila podían recorrer diez leguas diarias y ponerse en Cilveti hacia el 29 o 30 de abril. Respecto a los descansos nocturnos, Vicente determinó como posibles, de no producirse algún imprevisto, las ventas de Villamanco, Zalduendo, Belorado, Logroño y Pamplona. Tras tanto preparativo, Cipriano salió de Valladolid en las primeras horas de la mañana del día 25. Su leve equipaje lo constituían dos fardos, que portaba la mula *Sola* a modo de albardas, y el dinero, los papeles y las cartas de presentación los llevaba repartidos por los diversos bolsillos de su indumenta. Era un día soleado, de suave temperatura y nubes blancas, aborregadas, y Cipriano pensó en Diego Bernal. Siempre que viajaba con dinero o algo valioso, Salcedo recordaba al viejo salteador, pero Vicente le tranquilizó, Bernal ya estaba pensando en el retiro —dijo—. Hace más de medio año que no se sabe de él.

Se ajustaron a lo previsto con exacta precisión los dos primeros días. La lluvia les sorprendió el tercero y llegaron a Belorado con el agua escurriéndoles por las calzas. El temporal estaba asentado sobre Castilla y esperaron un día para reanudar la marcha. El 30, al caer la tarde, después de enviar a Echarren un correo urgente, entraban en Cilveti, una aldea de montaña, con casas de piedra y escasos habitantes. Cipriano descargó los fardillos en el zaguán de Pablo Echarren, y Vicente, montando a *Arrugado* y con *Pispás* y *Sola* en retaguardia, regresó a Urtasun sin hacer noche. No había razón para llamar la atención de nadie. Por su parte Cipriano encontró a un Pablo Echarren menos atrabiliario de lo que don Carlos había sugerido. Hablaba poco pero no por desabrimiento sino por no malgastar palabras:

—Vuesa merced ya sabe que los tiempos están difíciles. Hoy no puedo subirle al alto por menos de cincuenta ducados —le advirtió.

Cuando partieron aún no había amanecido y, conforme se hacía la luz, la línea oscura de la sierra, coronada de nubes, iba recortándose contra el horizonte. La mula de Echarren, cubierta con una manta, abría camino a la de Cipriano y a *Luminosa* que portaba el equipaje. Franqueaban un sardón de quejigo con hoja de invierno, sin seguir un sendero visible, y, en lo más espeso del monte, volaron atolondradamente dos pájaros:

—Becadas —dijo Echarren escuetamente.

—En Castilla las becadas entran en noviembre —apuntó Cipriano recordando los tiempos de La Manga.

—Todavía andan de contrapasa —aclaró el guía—. En todo caso, éstas anidan aquí.

Se detuvieron al empinarse la cuesta. Un bosquecillo de hayas, con hojas recientes, se alzaba a mano derecha, tras una junquera, y, a su izquierda, una gran masa de abetos. Echarren sacó de las alforjas un pan con queso y salchichas y una bota de vino. Bebió antes de empezar a comer levantando la cabeza, largamente, sin derramar una gota:

—Hay que desatrancar el tubo —dijo justificándose.

Iniciadas las turbulencias de mediodía, una pareja de quebrantahuesos se sostenía en el aire sin aletear. Cuando reanudaron la marcha, las acémilas avanzaban penosamente, con lentitud. La pendiente se acentuaba al entrar en el hayedo, un bosque de árboles prietos y misteriosos. De cuando en cuando, Echarren detenía la mula y escuchaba después de exigir silencio a Cipriano. En las alturas, a pesar de las horas de insolación y la fuerza del sol, el ambiente era más fresco. Trepaban ahora entre abetos, un mar de ellos, y arriba, en la cumbre de la montaña, se divisaban tolmos desnudos, pequeñas conchestas refulgentes, escorrentías procedentes del deshielo. Hubo un momento, tras una parada de Echarren, en que éste, con ademanes apremiantes, le instó a refugiarse en un pequeño rodal cercado por altos árboles. Echarren imponía silencio, cruzando los labios con su dedo índice. Se oía rumor de conversaciones a poca distancia. El navarro se apeó y miró a través del follaje. Debió de distinguir el atuendo de los viajeros o, tal vez, el pelaje de las caballerías, porque se volvió hacia Cipriano y susurró:

—Contrabandistas.

Salcedo, encaramado en su mula, miraba en vano hacia la dirección indicada por el guía. Oyó la conversación muy cerca pero no los vio. Luego se alejaron paulatinamente y sus voces se convirtieron en un apagado rumor. Cuando éste se extinguió, Echarren montó en su mula y añadió:

—Es Marcos Duro, el mejor guía de estos contornos.

—Y ¿qué llevan?

—Posiblemente ámbar, cremas de belleza, perfumes y ungüentos aromáticos. El lujo viene de Francia.

La montaña se empinaba cuando salieron del área forestal y la vegetación empezó a ralear: matorrales rastreros, brezos, tojos, arándanos. Echarren procuraba ceñir su paso a las formas de las rocas para hacerse menos visible desde los bajos. En una ocasión, al salir de una curva, vieron huir un sarrio brincando de piedra en piedra. Se enredaron en una topografía escabrosa, de altos peñascos, difícil de franquear, pero, al fondo del congosto, sobre el abismo, al abrigo de una pequeña oquedad, apareció un hom-

bre, ataviado con sayuelo y zaragüelles, con dos caballerías apersogadas. Echarren se volvió a Cipriano:

—Pierre nunca me hizo esperar —dijo sonriendo.

Y emitió un silbido modulado que el eco repitió,
cada vez más suave, desde las barrancas del lado
francés.

Libro III

EL AUTO DE FE

XV

A instancias de Cipriano, el Doctor se avino a que Beatriz Cazalla sustituyera a su hermana Constanza en las lecturas de los conventículos. Hacía siete meses que Salcedo había regresado de Alemania y esta noche, apenas iniciado el mes de mayo, Beatriz había leído unas páginas de *La libertad del cristiano*, con la misma sonrisa dentona, la misma entonación y el discreto ceceo que acompañaban a las comunicaciones de doña Leonor. Había sido como resucitar a ésta. En las pausas, Cipriano admiraba el hermoso perfil de Ana Enríquez, tan luminoso y atractivo bajo el rojo turbante que achicaba su cabeza, sus manos largas y enjoyadas sobre el larguero del banco. Acto seguido el Doctor glosó las páginas leídas por su hermana Beatriz, con fervor, con la misma convicción que cuando su madre le acompañaba. Desde el regreso de Cipriano, con libros, informes y buenas noticias, don Agustín Cazalla parecía otro. Su posición religiosa se había afirmado y había recuperado su entusiasmo proselitista. Pero, apenas acababa de abrir el coloquio final, cuando en la calle se oyeron los zapatazos de un caballo en plena carrera, los cascos percutiendo en el empedrado, cada vez más próximos. Era tal el silencio de la sala que, cuando el caballo se detuvo, se oyó al jinete apearse y dar tres pasos hacia la puerta de la casa. Sonaron dos secos aldabonazos y, cuando Juan Sánchez se apresuró hacia las escaleras, el silencio del cenáculo se había hecho de hielo. Unos segundos después, don Carlos de Seso, con improvisado atuendo de caballista, desmelenado, la gorra en la mano, penetró presuroso en el oratorio, se encaramó de un salto en la tarima del Doctor, cuchicheó nerviosamente con éste y, una vez obtenida su anuencia, se dirigió hacia el auditorio con un deje de alarma:

—Cristóbal de Padilla —dijo— ha sido detenido anteayer en Zamora. Pedro Sotelo y su esposa Antonia de Melo lo han denunciado al Santo Oficio con motivo del *edicto anual*. Está preso en la cárcel secreta de la Inquisición y no es fácil que se produzcan otras detenciones en tanto Padilla no sea interrogado. No obstante, me considero en la obligación de comunicarlo a vuesas mercedes para que tomen las medidas oportunas, se deshagan de documentos comprometedores y huyan si consideran su vida en peligro. Nuestro Señor nos acompañe.

Se produjo la estampida. Todos querían ser los primeros en abandonar la casa del Doctor y Juan Sánchez encontraba serias dificultades para que los asistentes se avinieran a hacerlo ordenadamente, de dos en dos, con breves pausas de un minuto, como venían haciéndolo. Se oían los pasos apresurados de los que marchaban sin las precauciones habituales. Daba la impresión de que el hecho de alejarse de la casa madre les alejaba asimismo de los riesgos de su detención. Cipriano vio salir a Ana Enríquez y se dirigió al Doctor y a don Carlos quienes, desde el estrado, se consideraban en el deber de organizar la evacuación. Don Agustín había empalidecido y con sus manos blancas y finas tamborileaba mecánicamente sobre el tablero de la mesa. Había perdido el dominio de sí mismo. Estos cambios de ánimo súbitos, justificados o no, eran habituales en el Doctor. Intentó hablar con Cipriano Salcedo pero las palabras se le amontonaban en los labios y no acertaba a ordenarlas. Fue don Carlos de Seso quien le dio las oportunas instrucciones:

—Vuesa merced debe huir inmediatamente —le dijo—. El Emperador, desde Yuste, ha instado al inquisidor Valdés para un *pronto y terrible escarmiento*. Huya. Vuesa merced ha sido un miembro destacado en la secta desde su ingreso y su reciente viaje a Alemania y su entrevista con Melanchton le hacen especialmente vulnerable en esta hora. Ponga tierra por medio. El camino de Pamplona ya lo conoce. También conoce Cilveti y la casa de Pablo Echarren. Póngase en sus manos y en unos días estará fuera de España.

Las lágrimas asomaron a los ojos del Doctor cuando estrechó su mano. Cipriano, en cambio, se sentía resuelto y decidido, capaz de todo. No notaba cansancio y, al llegar a su casa, se encerró en el despacho y abrió la gran librería. Parecía imposible que en apenas tres años hubiera podido almacenar aquella cantidad de papeles: fichas, avisos, resúmenes, consejos, pequeñas esquelas, anuncios de conventículos, correspondencia variada con el Doctor, Pedro Cazalla, Carlos de Seso, Domingo de Rojas, Beatriz Cazalla y Ana Enríquez. Carpetas llenas de proyectos. Fascículos y opúsculos de su paso por Francia y Alemania. Mapas e itinerarios. Direcciones de personas y centros en el extranjero y libros, muchos libros, entre ellos los diecisiete ejemplares de *El beneficio de Cristo*, restos de la edición de Agustín Becerril que aún conservaba. Amontonó leña en la chimenea y le prendió fuego. Primero se deshizo de los papeles que se consumían rápidamente, después de caracolear unos segundos entre las llamas; luego de los opúsculos, de los papeles de mayor entidad y, finalmente, de las carpetas y de los libros, uno a uno, pacientemente, sin prisas. Algunos tenían encuadernaciones duras, de piel o de tela, con cantoneras para darles firmeza, y los restos tardaban en arder. A medida que iban desapareciendo las pilas de papeles y las hileras de libros de los estantes, Cipriano se sentía liberado de un peso como después de una confesión. A las cuatro de la madrugada, se acostó. No sólo había quemado todo lo que pudiera comprometerle a él y al grupo, sino que se había deshecho de las cenizas del hogar. A las ocho se incorporó, desayunó frugalmente y ordenó a Vicente que aparejase a *Pispás* lo más rápidamente posible. Una hora más tarde, vestido ya de campo y con un mínimo equipaje, se disponía a partir, cuando Constanza le anunció la visita de Ana Enríquez. Cipriano se dijo que ella era lo único que echaba en falta en esos momentos. Ana acababa de llegar de La Confluencia y venía a pedir disculpas por la defección de su criado, por su negativa a adoptar las normas de prudencia que tan insistentemente se le habían recomendado. Otro criado, recién llegado de Toro, no creía que la gran redada fuera inminente. A juicio de los inquisidores, Cristóbal de Padilla, con sus conciliábulos y los contactos y visitas en la prisión, había *espantado la caza*. Había que darse prisa, le dijo doña Ana, cogiéndole de las manos y sentándose a su lado en el sofá del salón. Cipriano se sentía conmovido por la solicitud de la muchacha, por su celo para ponerle a salvo. Su padre, el marqués, le imploraba que pasara a Francia. Él no se consideraba comprometido y la posición de la marquesa en la Corte operaría en su favor. Pero Cipriano debía huir, insistía doña Ana. Le entregaba una nota con una dirección en Montpellier: Madame Barbouse le atenderá como si fuera yo misma, le dijo. Volvía a oprimir su pequeña mano peluda entre las suyas impacientes. Barbouse, no lo olvide. Pero a Cipriano le atenazaba una preocupación: ¿Y ella? ¿Qué iba a ser de ella en tan difíciles circunstancias? Ana Enríquez sonreía con sus labios carnosos, se le formaban dos hoyuelos en las mejillas. En estas situaciones las mujeres nos defendemos mejor que los hombres —dijo—. Un hombre, aunque tenga faldas, se compadece de una mujer; los tribunales de hombres con mayor motivo, puesto que los unos hacen fuerza sobre los otros. ¿Cómo admitir que el Santo Oficio pueda dictar una sentencia rigurosa contra las monjitas del convento de Belén? Se miraban a los ojos, se quitaban la palabra de la boca, sus rostros casi se rozaban. Vuesa merced sí está en peligro, añadía. Ha echado últimamente sobre sí todas las responsabilidades del grupo, ha viajado a Alemania en su nombre, ¿cómo justificar esta actitud? Felipe II no será menos inflexible que Carlos V. Valdés ha pedido mayores atribuciones al Papa y Pablo IV no ha vacilado en concedérselas. Se prepara un gran escarmiento, créame. Cipriano se dio cuenta de que estaba dejándose convencer de algo de lo que ya estaba convencido. Pero le agradaba la insistencia de Ana, verla inquieta por su suerte, su empeño por ponerle a salvo. ¿Es que significaba algo para ella? Pero cuando la muchacha se levantó, le tomó de las manos y tiró de él hacia arriba, obligándole a incorporarse, Cipriano reconoció que estaba dispuesto a marcharse. Al oírlo, Ana, súbitamente, sin nada que lo anunciara, se inclinó hacia él y le besó suavemente en la mejilla. Huya, dijo con un hilo de voz. No pierda un minuto más y que Nuestro Señor le acompañe.

Camino de Burgos, Cipriano pensaba en ella mientras espoleaba a *Pispás*. Viajaría el tiempo que pudiera a *caballo reventado* y, cuando fuera necesario, cambiaría de montura. Lo haría furtivamente en las casas de postas y dejaría unas monedas como compensación cuando considerase haber ganado en el trueque. Pretendía reposar de día y cabalgar de noche. Nadie podría decirle ya si Padilla había cantado o permanecía en silencio, pero parecía obvio que la Inquisición se decidiría a emplazar patrullas en los caminos en cualquier momento. Se llevó la mano a la mejilla izquierda. El dulce tacto de los labios de Ana Enríquez permanecía allí, con su discreto perfume. ¿Era posible que aquella bella muchacha hubiera llegado a interesarse por él? Recordó sus votos de unos meses antes, su decisión libre de repartir sus bienes y vivir en castidad. Al Doctor se lo había confiado una tarde, a su regreso de Alemania, en el gabinete de doña Leonor. No se precipite; vuesa merced está todavía bajo la impresión del fallecimiento de su esposa; aún se siente responsable. Cipriano le preguntó si creía que aquel sentimiento de culpa se desvanecería algún día y el Doctor no dudó que, con el tiempo, así ocurriría y entonces se vería en la dura disyuntiva de ser fiel a su palabra o amar a una mujer. Salcedo le hizo ver que su decisión había sido espontánea y meditada, anterior a la muerte de su esposa, que más de la mitad de sus bienes ya no le pertenecían, y que Nuestro Señor había sonreído al aceptarlo. Se apresuró a añadir que ya sabía que las obras no eran indispensables para salvarse y aclaró que, con su gesto, no buscaba la salvación sino una manera de resarcir a Teo de su desapego. El Doctor le escuchaba impasible, con la cabeza ladeada, como si el cuello fuera incapaz de sostener su peso. Hablaron un rato y Cipriano confesó ingenuamente que Nuestro Señor había bajado a su lado, complacido de su desprendimiento. El Doctor sonreía. La quimera era indicio de debilidad mental, le advirtió; la hora de los portentos había pasado. Cipriano volvía a disfrutar de la palabra del Doctor, un hombre lúcido, inteligente, que había logrado superar la muerte de su madre. A su regreso de Alemania, le había encontrado distinto, en realidad, había encontrado a un Doctor que nunca había conocido, consciente de su primacía intelectual, de la importancia de su jerarquía en el grupo. Aquella astenia, un poco femenina, que mostró unos meses antes, parecía no haber existido nunca. Cipriano Salcedo le había alentado. No mintió respecto a los pormenores de su viaje, pero sí exageró algunos pasajes, los adornó. Melanchton sabía de él —le dijo—; varios españoles emigrados le habían hablado de su persona y del foco luterano que encabezaba en Valladolid. Al Doctor, estos informes le enardecían, le imbuían seguridad. Cipriano Salcedo no reparaba en cuánto había también de fatuo en esta actitud. En realidad, el cambio del Doctor se había operado antes de que Cipriano iniciara su viaje. Fue como si una extraña presión le impidiera respirar y, de repente, con su decisión, alguien le hubiera quitado el obstáculo de encima. Los meses de ausencia de Salcedo no dejó de pensar en él. Y los dos largos correos que le envió desde Alemania le exaltaron hasta límites increíbles, según comunicó a Cipriano a su regreso. A raíz de ellos el Doctor terminó de olvidar las zozobras sufridas tras el entierro de su madre, se creció, volvió a la antigua actividad en la secta, a sus sermones ambiguos, a los conventículos. A Cipriano le estimulaba escucharle. De nuevo se hallaban en el buen camino. El Doctor se interesaba por la vida de Cipriano, le desconcertaba su desprendimiento pecuniario, su largueza. Habían hablado mucho durante los últimos meses, tanto que Cipriano empezó a descubrir en Cazalla un hombre nuevo, sobrio y santo sí, pero con una sombra de presunción en sus móviles. El Doctor se vanagloriaba de lo que era y de lo que representaba. Si sus actos hubieran sido secretos tal vez su comportamiento hubiera sido distinto. Y no es que Cipriano atribuyera doblez al Doctor, no creía que actuara buscando el aplauso, pero tampoco que fuese indiferente al elogio y la admiración.

Se desvió del camino en Quintana del Puente. Al fondo, a la izquierda, en la falda de la colina, se iniciaba la moheda y, en los bajos, un mar de cereal, todavía fresco, cabeceaba suavemente con la brisa. En algunos puntos clareaban las cebadas y, al pie del ce-

402

rro, antes de alcanzar el monte, divisó una pequeña braña, fresca, de un verde tierno. El agua transparente manaba en abundancia del venero y se derramaba por el prado. Acercó a *Pispás* y le dejó beber hasta saciarse. El agua iba borrando las espumas blancas de sus belfos mientras su lomo dejaba de temblar. Cuando le vio satisfecho se internó con él en la espesura. Los gazapillos de las camadas de primavera correteaban alarmados en todas direcciones y desaparecían en los vivares. A media ladera, Cipriano descabalgó, quitó la silla a *Pispás* y lo dejó pastando libre, en el claro. Su criado Vicente adiestraba bien a los caballos. Tanto *Relámpago* como ahora *Pispás* tenían un comportamiento más propio de perros que de équidos. Jamás perdían de vista al amo aunque se alejasen y acudían a su encuentro en cuanto le oían silbar. Esto daba al animal una gran libertad de movimientos e infundía tranquilidad al jinete. Cipriano sacó del fardillo una enorme hogaza abierta, con carne y salchichas en su interior y una botija de vino. Desde su posición dominaba la gran nava, donde ondulaba el cereal, hasta las colinas grises de enfrente, las aguas del Arlanzón fluyendo hacia Quintana y el camino, paralelo al río. El tiempo estaba quedo. Buscó un abrigo a la solisombra de una carrasca, se tendió y en pocos minutos quedó dormido.

Cuando despertó, ya puesto el sol, lo primero que vio fue la cabeza de *Pispás*, alarmado, a dos pasos de donde estaba, mirándole. Relinchó alegremente al verle levantarse y se dejó ensillar dócilmente. Cipriano bajó al camino de Burgos entre dos luces, picó espuelas y reanudó el viaje. La oscuridad le iba envolviendo sin advertirlo, sin lograr apagar del todo la leve fosforescencia de la carrera. De este modo sus ojos se iban habituando a la oscuridad y podía correr sin riesgo. Algún arriero se apartaba al sentir el galope de *Pispás*, pero de ordinario el camino estaba desierto. Como una exhalación, Cipriano franqueó la ciudad de Burgos y cogió el camino de Logroño, un poco más angosto, de tierra rosada. Llevaba la mente concentrada en la carrera, pensando en los obstáculos que podrían aparecer, y únicamente, de vez en cuando, pensaba en Cristóbal de Padilla, si habría sido interrogado, si los habría delatado ya. A cada minuto que transcurría se sentía más seguro, más alejado de las fuerzas de la Inquisición que se pondrían en movimiento tan pronto el detenido hablase. Antes de Santo Domingo de la Calzada, Cipriano Salcedo determinó cambiar de caballo. Las espumas del belfo de *Pispás* fosforecían en las tinieblas y de cuando en cuando le agarraba en las ancas un agitado temblor. El animal se hallaba extenuado. Cipriano había pensado hacer con él veinticuatro leguas y había hecho más de veintisiete. Entró en Santo Domingo al trote cochinero. A orilla de la carrera divisó la Casa de Postas y se detuvo frente a ella. La lucecita de una candela brillaba en la segunda ventana y temió que alguien velase a aquella hora. Se apeó de *Pispás* y rodeó la casa de postas por el acceso embarrado. Al fondo estaba el establo y, en el patio anterior, pernoctaban dos caballerías. Avanzaba pegado al edificio, la espalda contra él, para evitar ser visto si alguien se asomaba. Medio a ciegas eligió el caballo y lo sacó hasta el patio, lo observó con mayor detenimiento. Era un jamelgo de cabeza grande pero parecía fuerte y descansado. Cambió la silla y encerró a *Pispás* en el establo con una bolsita con dos ducados al cuello y una nota en la que decía: «No le pago el caballo sino el favor». Le pareció oír ruido en una de las ventanas que se abría al camino y se aplastó contra el muro. Era el miedo el causante, la casa dormía. Propinó al caballo unas afectuosas palmadas en el cuello y lo montó. En las medias tinieblas parecía un bicho ruano de cabeza moruna y largas crines. Poco obediente a las espuelas, partió hacia Logroño a un galope regular. Cipriano recorrió otras ocho leguas antes de amanecer pero no a *caballo reventado,* como había hecho con *Pispás,* sino al ritmo uniforme que *Cansino* marcaba, ajeno por completo a sus estímulos. Ya con el sol en el cielo, rodeado de viñas con hojas tiernas, Cipriano tomó una senda a la derecha hasta alcanzar el soto del río Iregua. Ahí se apeó, ató las manos al caballo, almorzó y se tumbó al sol cálido de la mañana. Despertó a media tarde, volvió a comer y echó una ojeada a *Cansino,* tumbado unos metros más allá, mordisqueando las hierbas a su alcance. Ahora se daba cuenta de la falta de clase de la cabalgadura. Únicamente había visto en su vida un penco más desangelado que aquél: el *Obstinado* de Teo, su mujer, el vergonzoso acompañante de su tornaboda. Esperó al lubricán para salir de nuevo al camino. *Cansino* adoptó el paso uniforme de la víspera y lo sostuvo a lo largo de toda la noche. Era su forma de galopar, había que resignarse. En la posta de El Aldea, entre Logroño y Pamplona, lo cambió por otro. En esta ocasión, Cipriano depositó cinco ducados en la bolsita y pedía disculpas por el cambio. El nuevo caballo era un bridón con estilo, cuya arrogancia se mostraba especialmente en el galope. No era desde luego *Pispás* pero tampoco *Cansino*; esta vez había ganado en el cambio. Cabalgó toda la noche y al amanecer se internó en un sardón de roble a un par de leguas de Pamplona. El fin de su viaje estaba a la vista y pensó que, al día siguiente, tendría que esperar al crepúsculo para entrar en Cilveti y entrevistarse con Echarren.

Cuando le asaltó el pensamiento de sus hermanos en Valladolid tuvo clara conciencia de que Padilla había hablado. Cipriano, tras varias experiencias al respecto, creía en la transmisión de pensamiento. La redada ha comenzado, se dijo. Trató de imaginar quiénes habrían intentado escapar y, al momento, pensó en don Carlos de Seso como seguro. Don Carlos podía estar ya en Francia, pero ¿quién más? Del cura Alonso Pérez presumía que no y tampoco de los Cazalla: don Agustín estaba demasiado entregado y a Pedro le consideraba incapaz de correr una aventura semejante. ¿Quién, entonces? Desconocía los arrestos de los Rojas, fray Domingo y su sobrino Luis, y descartaba al joyero Juan García, excesivamente pusilánime. ¿Pedro Sarmiento tal vez? ¿El bachiller Herrezuelo? De nuevo le vino a la cabeza la figura de Ana Enríquez. Podría haber huido con él. Quizá en ese momento el alguacil de la Inquisición estuviera deteniéndola en la finca de La Confluencia. Ana no era una mujer para ingresar en la cárcel secreta de Pedro Barrueco, aquel caseretón destartalado y lóbrego que imponía con sólo mirarlo. En cualquier caso, la cárcel secreta resultaría insuficiente para albergar a los presuntos sesenta herejes de la villa. La ley imponía el aislamiento de los reos, pero la cárcel de la calle Pedro Barrueco no disponía de sesenta celdas individuales. ¿Qué determinación tomaría el Santo Oficio? Hacía tiempo había comenzado la construcción de una nueva Casa de la Inquisición frente a la iglesia de San Pedro, pero por mucho que se acelerasen las obras no podrían terminar antes de un año. Posiblemente los encerrasen por parejas o por grupos poco afines. Las autoridades inquisitoriales, por grande que fuese su poder, no conseguirían esta vez la total incomunicación de los presos. El recuerdo de Ana Enríquez le indujo a acariciarse la mejilla izquierda. Después de tres días de viaje su barba había crecido pero aún creía notar la huella de sus labios. ¿Qué había querido decirle al darle la paz en el rostro? ¿Tal vez que le esperaba? ¿Manifestarle su alegría ante su decisión de huir? ¿Una simple prueba de fraternidad? Dio media vuelta entre la hojarasca y vio al caballo saltar con las manos trincadas. No le venía el sueño como los días anteriores pero cerró los ojos e intentó reconciliarse con Nuestro Señor. Pensaba mucho en Ana Enríquez, en el fondo admiraba su belleza y su coraje, pero su decisión de conservarse puro estaba por encima de estas debilidades. Se hallaba solo, el silencio del campo, salvo el lejano graznar de los cuervos, era total, ¿por qué no bajaba a su lado Nuestro Señor? ¿Tal vez la luz era excesiva? ¿Reservaba sus comparecencias para los templos? ¿Tendría razón el Doctor cuando afirmaba que la quimera era indicio de debilidad mental? ¿Padecería alucinaciones? Caía el sol cuando despertó. El caballo, de salto en salto, había puesto distancia por medio. Lo encontró bebiendo agua en el cangilón de una noria, al borde del arcabuco. Lo ensilló y buscó el camino, ya anochecido.

No tenía prisa pero, al día siguiente, hizo un alto en Larrasoaña, su última comida y su última siesta. Deliberadamente aguardó a que se hiciera noche cerrada para entrar en Cilveti. El pueblo parecía desierto y, sin embargo, la puerta de Echarren, la de su casa, se encontraba abierta. También la trasera. Le llamó la atención el número de mulas que se juntaban en el patio pero no sospechó nada. Se sentía lejos de cualquier asechanza. ¿Cómo podían imaginar los alguaciles de la Inquisición que uno de los hombres que buscaban se encontraba en este momento en Cilveti? Ató el caballo a la puerta y subió a tientas. La mujer de Echarren, con un candil en la mano, le acompañó en silencio a la sala que ya conocía. Oyó rumores de conversaciones, de cuchicheos en la habitación vecina y, de improviso, entró un hombre con el blasón de la Orden de Santo Domingo en el pecho, sobre el sayo, y dos arcabuceros detrás, apuntándole con sus armas. Cipriano se incorporó, retrocedió sorprendido:

—En nombre de la Inquisición, daos preso —dijo el alguacil.

No ofreció resistencia. Acató la orden de sentarse ante el oficial, los dos arcabuceros tras él. Luego entró Pablo Echarren, con el cabello alborotado, en jubón, en compañía del secretario, que se sentó junto al alguacil con unos papeles blancos sobre la mesa. El oficial miró a Echarren, a su lado, de pie:

—¿Éste es el hombre?

—Él es, sí señor.

Desde el otro lado de la mesa, el alguacil miraba la cabeza reducida y proporcionada, las manitas peludas de Cipriano:

—Lo recordaba usted bien —dijo como para sí, sonriendo levemente.

Tenía las melenas lacias y sucias y bizqueaba ligeramente al fijar los ojos en él. Le sometió a un interrogatorio de urgencia. Cipriano venía de Valladolild, ¿no era así? Cipriano asintió. Meses atrás, en abril de 1557 había pasado a Francia por los Pirineos acompañado de Pablo Echarren ¿estaba bien informado? El alguacil bizqueó de satisfacción cuando Cipriano reconoció que así era, pero se desconcertó cuando añadió que había viajado varias veces al extranjero por exigencias de sus negocios. ¿Negocios? ¿Qué negocios? El alguacil no conocía su profesión y el secretario, a su lado, tomaba nota. Le preguntó por sus negocios, si no era impertinencia, y Cipriano, a su pesar, se vio obligado a mencionar el zamarro y las ropillas aforradas. Del zamarro había oído hablar el alguacil, claro, todo el mundo conocía la gran revolución del zamarro, el zamarro de Cipriano, ¿no es así?

—Cipriano soy yo —dijo Salcedo.

El alguacil acogió con interés la revelación del detenido. El presumible dinero del preso suavizó el interrogatorio. El secretario anotaba sus declaraciones. Cipriano tenía relación comercial con Flandes y los Países Bajos. Los mercaderes de Anvers eran los distribuidores de zamarros y ropillas en el norte y centro de Europa. Ahora era el bizco el que asentía satisfecho y complacido. Pero su contacto más importante había sido con el celebérrimo Bonterfoesen, el comerciante más acreditado del siglo. El alguacil prosiguió la instrucción en otro tono. Había salido de Valladolid hacía tres días y medio. ¿Estaba enterado de la detención de Cristóbal de Padilla? Y ¿de la de todo el grupo luterano de Valladolid? Cipriano lo ignoraba. Esto debía haber ocurrido después de su partida, dijo. El secretario escribía y escribía. De pronto, Cipriano cerró la boca, empezó a responder con evasivas. ¿Conoce al Doctor Cazalla? Prefiero no contestar a esa pregunta, dijo. El alguacil prolongó el interrogatorio unos minutos más. Señaló a Pablo Echarren: y ¿a este hombre? Naturalmente Cipriano le conocía, sabía de su destreza, de su sentido de la orientación. ¿Quién se lo recomendó? Salcedo miró a Echarren y advirtió que estaba esposado. Para un comerciante que viaja a Europa con frecuencia, el señor Echarren no necesitaba presentación, dijo. Le maniataron también al acabar. Luego se oyó ruido de gente en el patio y, cuando salió, le introdujeron con Echarren y dos arcabuceros en un carruaje de dos caballos. Detrás, dándoles escolta, el alguacil y el secretario, montados en sendas mulas, y dos familiares de la Inquisición.

Llegaron a Pamplona a altas horas de la noche y Vidal, el interrogador, entregó los presos al encargado de la cárcel santa. Se hallaba casi vacía. Fueron introducidos en dos celdas y, una vez tendido en su camastro, Cipriano trató de serenarse. Le habían detenido. Todo había sido demasiado rápido e imprevisto. Su celda era pequeña, apenas el petate, una mesa, una silla y un gigantesco orinal con tapadera en un rincón. Oía pasos en el piso alto, pasos marciales, firmes, como de soldados. Transcurrieron así dos días con dos noches. Al tercer día, al anochecer, se oyó arriba ruido como de carreras. A través del guardián que le traía la comida y por Genaro, que limpiaba a diario los orinales, supo Cipriano que había otros dos detenidos: don Carlos de Seso y fray Domingo de Rojas. Los habían prendido, según el guardián, en la frontera navarra y Seso había dicho que lo suyo no era una fuga, que no tenía intención de huir, sino que iba a Italia, a Verona, donde acababan de morir su madre y su hermano. Por su parte, fray Domingo de Rojas admitió que se dirigía a encontrarse con el arzobispo Carranza, que en Castilla se encontraba incómodo y que, sobre todo, pretendía evitar la deshonra que su posible detención acarrearía sobre la Orden. Habían estado presos tres días en la casa del comisario de la Inquisición, hasta que el obispo de Pamplona, don Álvaro de Moscoso, ordenó su traslado a la cárcel secreta. A don Álvaro le chocó el atuendo del fraile, un vestido de raso verde con sombrero de plumas y cadena de oro al cuello. Otro hábito es éste que el que llevó vuestra paternidad al Concilio, le dijo irónicamente el obispo, a lo que fray Domingo de Rojas respondió: reverencia, mi hábito lo llevo en el corazón. Luego aludió Rojas a la actitud de Carranza, el arzobispo de Toledo, en cuya busca iba, pero don Álvaro de Moscoso le advirtió que olvidase ese nombre, que el arzobispo nada tenía que ver en este pleito. Fray Domingo aclaró que el virrey de Navarra les había facilitado salvoconductos para pasar a Bearne pues llevaban cartas de recomendación para la Princesa y que la intromisión del Santo Oficio había sido injustificada. Andaba con ellos un señor grueso, al que llamaban Herrera, alcalde de Sacas de Logroño, también preso, quien les había dado favor para que emigraran a Francia. Admitió la acusación pero hizo constar que nada sabía de que la Inquisición tuviera cargos contra los dos detenidos.

Don Carlos de Seso conservaba su apostura y dignidad. Cipriano le vio pasar hacia los calabozos por la mirilla con su gallardía habitual, ropas sueltas, vigorosos ademanes, rostro arrogante y altivo. Encerrado en la celda contigua, Salcedo le oía pasear, cuatro pasos a un lado y cuatro a otro. De ordinario el carcelero no les visitaba y tanto el intendente como Genaro, el encargado de la limpieza, aparecían de tarde en tarde y a horas fijas y, fuera de ellas, transitaban por el pasillo tan sólo ocasionalmente. Al segundo día del encierro de Seso y Rojas y aprovechando el eco del sótano, Cipriano llamó por el buco de la puerta al primero. Don Carlos no tardó en oírle y se sorprendió de tenerlo tan cerca. Sí, el virrey le había comunicado que en Valladolid había habido una gran redada de presos, que no cabían en la cárcel secreta, que habían empezado los procesos y que el Doctor era el centro de ellos. Por su parte, Cipriano le contó su fuga, cabalgando de noche y descansando de día, hasta su prendimiento en Cilveti en casa de su recomendado Pablo Echarren, detenido también. Don Carlos le advirtió que no iniciarían el traslado a Valladolid hasta que detuvieran a Juan Sánchez, criado de los Cazalla, el único de los fugados que había logrado refugiarse en Francia.

Juan Sánchez llegó a la cárcel secreta de Pamplona cuatro días más tarde y, al siguiente, viernes, la comitiva se puso en camino hacia Valladolid. Abrían marcha, a caballo, el bizco Vidal y los otros tres alguaciles enviados a prenderlos; detrás iba el grupo de presos a pie, maniatados, fray Domingo de Rojas con su sombrero de plumas en la cabeza, flanqueados por familiares de la Inquisición y, velando la retaguardia, doce arcabuceros curiosamente uniformados, con ropillas, calzas-bragas, sombreros de visera y zapatos picados. Era un grupo heterogéneo y extravagante, de poco más de dos docenas de personas, acogido en los pueblos y aldeas que atravesaban con denuestos y amenazas. Vidal, el alguacil que prendió a Cipriano en Cilveti, parecía comandar el destacamento. El plan era recorrer cinco o seis leguas diarias, almorzar en el campo y dormir en casas o pajares previamente apalabrados por emisarios de la Inquisición. En principio, Cipriano acogió la luz del sol con agrado, el paisaje, la actividad, pero, poco habituado al ejercicio, la primera noche llegó a Puente la Reina fatigado. Al día siguiente, a las siete de la mañana, después de comer un mendrugo con queso, ya estaban de nuevo en camino. Con un concepto primario del orden, Vidal, el alguacil bizco, los distribuyó en dos parejas, Juan Sánchez y él, que eran los de menor estatura, primero, y el dominico y don Carlos de Seso detrás. La norma de silencio, que se respetaba durante la primera hora de marcha, se relajaba después, cuando los arcabuceros empezaban con sus cuentos y chascarrillos, momento que aprovechaba Juan Sánchez para hacer partícipe a Cipriano Salcedo de pormenores de su vida y de su aventura desde la salida de Valladolid hasta su prendimiento en Turlinger. El sol apretaba de firme y, a mediodía, los emisarios les esperaban en algún sombrajo próximo al camino, generalmente en el soto de los ríos, en cuyas aguas, los miembros de la escolta se bañaban desnudos, turnándose en la vigilancia de los presos, mientras éstos sumergían sus pies en la corriente con gran alivio del dominico. Luego almorzaban, los reos con las manos

413

atadas, en grupo aparte, a la vista de los guardianes, y terminada la comida, sesteaban, mientras el fuego del sol arrasaba los campos y los cuatro detenidos podían cambiar impresiones o leer papeles comprometidos. A las dos, cuando mayor era el bochorno, reanudaban la marcha en la misma disposición: los cuatro alguaciles a caballo, abriendo marcha, los presos, flanqueados por familiares detrás y, en retaguardia, los doce arcabuceros armados. Al discurrir por los pueblos, las mujeres y los mozos les insultaban y, a veces, les tiraban cubos de agua desde las ventanas. Un día, ya en tierras de La Rioja, los campesinos que andaban excavando las viñas interrumpieron la faena para quemar dos muñecos de sarmientos a la orilla del camino, mientras les llamaban herejes y apestados. El campo allí se arrugaba en unas lomillas de tonos rosados y el verde suave de las cepas les imprimía una atractiva plasticidad. Sobre las siete concluían la etapa diaria, cenaban en el pueblo escogido por los emisarios y pernoctaban en casas de la Inquisición o en los pajares de las afueras, olvidando por unas horas los ardores del sol y el escozor de sus pies lastimados.

El emparejamiento con Juan Sánchez dio ocasión a Cipriano de conocer superficialmente al criado de los Cazalla. Le hablaba de Astudillo, el pueblo de Palencia donde había nacido, de don Andrés Ibáñez, el cura a quien hacía de monaguillo, de sus trabajos en el pastoreo y la siega. Ya de mozo, sirvió de fámulo al comendador griego Hernán Núñez, quien le enseñó a leer y escribir, y dos años más tarde sintió la llamada de Dios. Quiso hacerse fraile pero fray Juan de Villagarcía, su confesor, le sacó la idea de la cabeza.

Después marchó a Valladolid donde sirvió a los Cazalla y otros amos y asumió la doctrina luterana. Otros días, Juan Sánchez le hablaba de su huida a Castro Urdiales *a caballo reventado* tan pronto se conoció la detención de Padilla. En las postas robaba monturas sin preocuparse de gratificar a los venteros. Ya en la costa entró en contacto con un holandés, mercader de una *zabra,* que le llevó a Flandes por diez ducados. Cuando los sabuesos de la Inquisición llegaron al puerto, Juan Sánchez llevaba treinta y ocho horas navegando en alta mar. En el barco escribió a una devota suya, doña Catalina de Ortega, luterana también y a cuyo servicio había estado, contándole su peripecia, y a Beatriz Cazalla, de la que siempre estuvo enamorado, y a la que daba cuenta de la furiosa tempestad que estuvo a punto de hacer zozobrar a la *zabra* pero que él soportó todo encomendándose a Nuestro Señor, «porque estaba aparejado a vivir y morir como cristiano». Al concluir le declaraba su amor que había ocultado durante seis años.

Fray Domingo de Rojas, que había escuchado palabras sueltas del relato de Sánchez, le preguntó intempestivamente durante la siesta cómo se había dejado prender una vez en el extranjero, que eso no le habría ocurrido a él ni a nadie con dos dedos de frente.

—El alcalde de corte de Turlinger ordenó detenerme y me entregó al capitán Pedro Menéndez que había salido en mi busca —respondió Juan humildemente.

De pronto, el dominico se enzarzó con el criado, echándole en cara sus insensatas prédicas que habían perdido al grupo. Le culpó de haber engañado a las monjas de Santa Catalina y a su hermana María y, ante tamaña acusación, Juan Sánchez perdió los estribos y empezó a despotricar y a dar tan grandes voces que tuvieron que venir dos oficiales del Santo Oficio para poner orden. Cuando reanudaron el viaje, Juan confió a Cipriano que el cura le odiaba porque tenía pujos aristocráticos y nunca se fió de la eficacia misionera de la plebe.

Pero, de ordinario, caminaban en silencio. Sánchez y Salcedo oían, detrás de ellos, el arrastrar de pies de fray Domingo y los pasos firmes de don Carlos de Seso, que muy raramente cambiaban una palabra entre ellos. El dominico estaba convencido de que únicamente ahorrando hasta la última gota de saliva podría llegar vivo a Valladolid. Era de complexión fuerte, pero blando, se quejaba de los juanetes y, cada vez que la cuerda se detenía, se manoseaba impúdicamente los pies. Molestias aparte, su gran preocupación, como la de sus compañeros, era el porvenir. ¿Qué les aguardaba? Sin duda un proceso y, tras él, un castigo. Pero ¿qué clase de castigo? Don Carlos de Seso conocía la carta del inquisidor Valdés a Carlos V, retirado en Yuste, en la que rogaba que *se atajase tan gran mal y que los culpados fueran punidos y castigados con el mayor rigor sin excepción de ninguna clase.* Seso interpretaba esto en el sentido de que se preparaba un escarmiento ejemplar, sin precedentes en España. El corregidor de Toro disponía de una gran habilidad para hacer amigos y hablaba con unos y otros sin distinción, tanto con los oficiales como con los soldados y, si se terciaba, con los familiares de la Inquisición. Estaba al día de todo. Sabía todo. Temía tanto a Felipe II como a Carlos V, y tenía el convencimiento de que antes de 1558 los castigos hubieran sido más leves, pero hoy Pablo IV no cejaba, decía. En los descansos de la tarde les informaba de estos asuntos, de la carta del inquisidor Valdés al Emperador, de las de éste a su hija, la gobernadora en ausencia de su hermano, y a Felipe II, pidiendo *prisa, rigor y recio castigo*. Muchos no saldremos de ésta, decía y llegó a tramar un plan para fugarse pero no encontró ocasión de llevarlo a cabo.

En general era lo inesperado, los incidentes de cada día, lo que daba contenido a sus preocupaciones y a sus breves charlas de sobremesa. Un día, todavía en Navarra, un pueblo bien organizado atacó con piedras a los presos. Eran hombres y mozos armados con hondas que surgían de las bocacalles y los apedreaban, sin compasión. Los cuatro oficiales los perseguían a caballo, pero, tan pronto desaparecían, otro grupo surgía en la encrucijada siguiente con nuevos bríos y pedruscos de mayor tamaño. Un soldado fue herido en la frente y cayó desvanecido y, entonces, sus compañeros dispararon sus arcabuces *tirando a las piernas*, como voceaba el bizco Vidal desde su caballo. Las hostilidades se endurecían por momentos. Las mujeres arrojaban desde los balcones herradas de agua hirviendo y llamaban cabrones, herejes hijos de puta a los presos. Cipriano, en un movimiento instintivo, había arrastrado a Juan Sánchez contra un muro de piedra y ahora veían caer ante ellos cortinas de agua humeante. Entonces el vecindario empezó a vocear: ¡Quemarlos aquí! ¡Quemarlos aquí!, cercándoles en la plaza de tal modo que los soldados tuvieron que disparar de nuevo sus arcabuces. Cayó un mozo herido en el muslo y, al ver la sangre, el pueblo se en-

417

corajinó todavía más y atacó con mayor denuedo al piquete. Un segundo herido les convenció, segundos después, de la inutilidad de sus esfuerzos y la carga de los caballos de los oficiales, por último, acabó dispersándolos.

En otra ocasión, próximos a Saldaña de Burgos, los mozos prendieron fuego al pajar donde dormían. Un arcabucero dio la voz de alarma y gracias a él pudieron salir indemnes. Pero, en derredor, y a lo largo del camino, se quemaban peleles de paja y, a la luz de las pacas incendiadas, penduleaban los espantajos colgados de las ramas de los olmos. El pueblo enardecido exigía el auto de fe, los calificaba de luteranos, leprosos, hijos de Satanás y algunos, en plena exaltación patriótica, gritaban ¡Viva el rey! Tuvieron que salir del pueblo a las tres de la madrugada y el amanecer les sorprendió en el campo. En Revilla Vallejera, cuadrillas de braceros, con sus asnos y sus botijos, segaban ya las cebadas que blanqueaban entre el amarillo tostado de los trigos. Era una estampa bucólica que contrastaba con el ruido y la furia de los campesinos. El bizco Vidal ordenó hacer a las once el alto de mediodía y el destacamento acampó bajo una arboleda, a orillas del Arlanzón. En un gesto de humanidad, el bizco Vidal autorizó a bañarse a los presos «sin apartarse de la orilla pues con las manos atadas podrían ahogarse». Fray Domingo no se bañó. Se sentó a la orilla del río y dejó que la corriente acariciase sus lastimados pies, tan blancos, que las bogas acudían en pequeños bancos a mordisquear las yemas de sus dedos creyéndolos comestibles. Para Cipriano, el baño, el hecho de sentir las aguas tibias sobre la piel, fue como despojarse del viejo cuerpo cansado, como si la fatiga, los piojos, el calor y los nervios del camino no hubieran existido nunca. Después de cinco semanas sin bañarse, aquello era como una resurrección. Nadaba de espaldas, impulsándose con los pies, como una rana, iba y venía, preocupado únicamente de sus guardianes, de no alejarse y provocar una reacción contra él.

A partir de Burgos, a medida que se iban aproximando a Valladolid, el recibimiento de los pueblos era cada vez más hostil. Grandes hogueras, como anticipo de su suerte, humeaban al atardecer en las parcelas segadas aprovechando las morenas y la paja seca de los rastrojos. Los campesinos mostraban una animosidad despiadada, les insultaban, les arrojaban hortalizas y huevos. Cipriano, empero, cada vez que dejaba atrás un pueblo se reconciliaba con la situación, recreaba sus ojos en los extensos campos de trigo mecidos por la brisa, reconocía el camino recorrido en su fuga con *Pispás*, los pequeños accidentes del paisaje, la jugosa braña donde el primer día dio de beber al caballo. Era ya terreno familiar el que pisaba y, a la altura de Magaz, cuando se desató el furioso nublado de agua y granizo, apersogó a los caballos e hizo tender a todos en el barro para conjurar el riesgo de las exhalaciones.

La última noche la pasaron en una amplia casa de Cohorcos, lejos del pueblo, a orillas del Pisuerga, a cuatro leguas de la villa. Por la tarde llegó un enviado de la Inquisición ordenándoles que no entraran en Valladolid hasta pasada la medianoche. Las turbas andaban alborotadas y temían un linchamiento. Retrasaron la hora de partida y sobre las cinco de la tarde acamparon en el Cabildo, a media legua de Valladolid, junto al río. Había que esperar otras ocho horas. Fray Domingo de Rojas murmuraba que, a pesar de todo, le matarían. Temía a su familia, a los miembros más exaltados de ella. No sólo le reprochaban su condición de renegado sino el haber pervertido a su sobrino Luis, marqués de Poza, que desde muy joven se había incorporado a la secta. A medianoche, después de ordenar a los reos que se lavasen y acicalasen, el bizco Vidal dio la orden de partida. Los alguaciles habían enjaezado a sus caballos y los doce arcabuceros se esforzaron por uniformar sus harapos. Al atravesar el Puente Mayor, lo único que se oía era el golpear de los cascos de los caballos sobre el empedrado. Había media luna y se veían las calles desiertas. La torre de Santa María de la Antigua, bajo el resplandor violáceo, semejaba una aparición. Tras ella, las eternas obras de la iglesia Mayor, que nunca se terminaban. Los caballos abocaron a la calle de Pedro Barrueco, donde se alzaba la cárcel secreta. La idea del regreso, la proximidad de los miembros del grupo, de doña Ana Enríquez, se imponían ahora a la fatiga de Cipriano. Pensó un momento en el fracaso de su fuga, en que su situación era ahora pareja o peor que la de los que se habían quedado, en la inutilidad de tantas penalidades padecidas. El bizco Vidal dio la voz de alto ante el viejo caserón. A su aldabonazo respondió un soldado, Vidal preguntaba por el alcaide. Cuando éste salió, con su capotillo de dos haldas, los ojos cargados de sueño, el bizco Vidal le hizo entrega de los cuatro reos en nombre del Santo Oficio: fray Domingo de Rojas, don Carlos de Seso, don Cipriano Salcedo y Juan Sánchez, nombres que el alcaide anotó en un cuaderno a la luz de un candil, y luego firmó.

XVI

A Cipriano Salcedo le correspondió compartir celda con fray Domingo de Rojas. Hubiera preferido un compañero menos adusto, más abierto, pero nadie le dio a elegir. Fray Domingo continuaba con su grotesco vestido de lego y lo único que había suprimido de su disfraz era el estrambótico sombrero de plumas. Paulatinamente, Cipriano fue informándose de la situación del resto de los presos. Don Carlos de Seso había sido emparejado con Juan Sánchez, enfrente se hallaba la cija del Doctor, más al fondo, en una celda grande, convivían cinco de las monjas del convento de Belén, y Ana Enríquez compartía calabozo con la sexta, Catalina de Reinoso. Como Salcedo había presagiado, los emparejamientos fueron inevitables. La cárcel secreta de Pedro Barrueco, suficiente para una situación normal, para una esporádica redada de judaizantes o moriscos, se quedó pequeña para la afluencia de luteranos en la primavera de 1558. Las detenciones, el alto número de éstas, habían sorprendido al Santo Oficio con un penal de no más de veinticinco celdas disponibles y el edificio en construcción del barrio de San Pedro, apenas con los cimientos. Valdés no tuvo otro recurso que olvidarse de la incomunicación, encerrar a los reos de dos en dos, de tres en tres y, en el caso de las religiosas de Belén, hasta cinco en una misma celda. Sin embargo Valdés, siempre perspicaz, exigió que en los emparejamientos se tuvieran en cuenta el diverso rango social e intelectual de los encerrados y el grado de su relación anterior. Éstos eran los casos, por ejemplo, de don Carlos de Seso con Juan Sánchez y el de Salcedo con fray Domingo de Rojas.

Afinada su capacidad de adaptación, Salcedo no tardó en acomodarse a las condiciones del nuevo cautiverio. La celda, doble que la de Pamplona, tenía solamente dos huecos en sus muros de piedra: un ventano enrejado a tres varas del suelo, que se abría a un corral interior, y el de la puerta, una pieza maciza de roble, de un palmo de ancha, cuyos cerrojos y cerraduras chirriaban agudamente cada vez que se abrían o se cerraban. Los catres se extendían paralelos a ambos lados de la celda, el del dominico bajo el ventano y, en el ángulo opuesto, en la penumbra, el de Cipriano. Con los petates, en un suelo de frías losas de piedra, apenas había una pequeña mesa de pino con dos banquetas, el aguamanil con un jarro de agua para el aseo y dos cubetas cubiertas para los excrementos. La medida del tiempo se la facilitaba a Cipriano el ritmo de las visitas obligadas: la del ayudante de carcelero Mamerto a horas fijas, para las comidas, y la del otro ayudante, Dato de nombre, de sucia melena albina y calzones hasta la rodilla, que, al atardecer, vaciaba los recipientes de inmundicias y baldeaba sucintamente la estancia las tardes de los sábados.

Mamerto era un muchacho desabrido, impertur-

422

bable que, tres veces cada día, depositaba sobre la mesa las escasas raciones en sendas bandejas de hierro que recogía vacías en la visita siguiente. Dada la época del año, vestía únicamente jubón, calzas abotonadas de tela ligera y calzado de cuerda. Nunca daba los buenos días ni las buenas noches pero no podía decirse que su trato fuera duro. Simplemente traía o se llevaba las bandejas sin hacer comentarios sobre el buen o mal apetito de los reclusos. Por su parte, Dato no se sometía a las normas carcelarias con la misma rigidez. Cada vez que sacaba las letrinas o las devolvía a su sitio, lo hacía tarareando una canción frívola como si, en lugar de heces, transportase ramos de flores. Su boca se abría en una boba sonrisa desdentada, inalterable, que no se borraba de su rostro ni las tardes de los sábados durante el baldeo. Aunque la Regla prohibía cambiar impresiones con los reclusos, a Salcedo, más accesible que su compañero, le daba las buenas tardes y le llevaba noticias o informes vagos que no le servían al prisionero de gran cosa. Menos atildado que Mamerto, vestía un capotillo de dos haldas, de cordilla, del que únicamente se despojaba los sábados para baldear la celda. Quedaba, entonces, en jubón y calzones, descalzo, sin que el hecho de aligerar su abrigo se tradujera en una mayor laboriosidad.

Fray Domingo soportaba mal las confianzas de Dato, aceptaba el ir y venir lacónico de Mamerto, pero la oficiosidad del otro, su sonrisa boba y desdentada, sus greñas de pelo albino cayéndole por los hombros, le sacaban de quicio. Cipriano, en cambio, le trataba con paciencia y dilección, le sonsacaba, pues siempre esperaba conseguir alguna noticia de la estolidez del funcionario. Le preguntaba por los ocupantes de las celdas contiguas y, a pesar de las señas imprecisas que Dato facilitaba, llegó a la conclusión de que, a su izquierda, estaban instalados Pedro Cazalla y el bachiller Herrezuelo, a su derecha, Juan García, el joyero, y Cristóbal de Padilla, el causante de sus males, y, enfrente, como le habían indicado, en una cija sin compañía, el Doctor. Los muros y tabiques de la cárcel eran tan gruesos que, a través de ellos, no se filtraba el menor signo de vida de las celdas colindantes.

Corpulento, papudo, envuelto en sus ropajes verdes y una estrafalaria loba doctoral, tumbado en el catre, bajo el ventano enrejado, el dominico leía. Al día siguiente de llegar pidió libros, pluma y papel. Ese mismo día, por la tarde, le trajeron varias vidas de santos, el *Tratado de las letras* de Gaspar de Tejada, un tomito de Virgilio, un tintero y dos plumas. Fray Domingo conocía los derechos del reo y los ejercitaba con normalidad. El contenido de los libros no parecía importarle demasiado. Leía compulsivamente, con la misma concentración, un libro de caballería que a San Juan Clímaco, como si fuera una pura fascinación mecánica lo que las letras ejercían sobre él.

Conocedor de los entresijos de la Inquisición, su organización y métodos, cada tarde, al despertar de la siesta, aleccionaba a Cipriano sobre el particular, le informaba sobre sus posibilidades de futuro. Había penas y penas. No había que confundir al reo relajado, con el relapso o el reconciliado. El primero y el último solían ser entregados al brazo secular para morir en garrote antes de que sus cuerpos fueran entregados a las llamas. Los relapsos, reincidentes o

424

pertinaces, por el contrario, eran quemados vivos en el palo. Esta última pena había sido rara en España hasta el día, pero el fraile sospechaba que, a partir de este momento, se haría habitual. Le hablaba de los sambenitos, de llamas y diablos para los relapsos y con las aspas de San Andrés para los reconciliados. Las penas tenían distintos grados y matices pero las sentencias solían mostrarse muy precisas. Entre ellas había que distinguir la de cárcel perpetua, la confiscación de bienes, el destierro, la privación de hábitos o de los honores de caballero, muchas de las cuales eran complementarias de otras penas más severas.

Fray Domingo le ilustraba igualmente sobre la estructura y funcionamiento del aparato inquisitorial o de los derechos de los reclusos. Se comunicaban de catre a catre, el fraile con su habitual voz henchida, elaborada en la laringe, Cipriano, con su humilde tono inquisitivo, el mismo que empleara en tiempos con el ayo don Álvaro Cabeza de Vaca con tan pobres resultados. Estas tertulias se habían hecho imprescindibles, pero, fuera de ellas, uno y otro hacían vidas separadas, se ignoraban, pues la compañía obligada podía llegar a ser insoportable, el peor de los suplicios carcelarios en opinión del fraile.

Fray Domingo de Rojas conservaba un alto concepto de sí mismo, se consideraba un hombre y un religioso importante. Seguramente de tan alta autoestima derivaban las plumas del sombrero con que se adornó durante su fuga. No tenía empacho en hablar de su persona, de su participación en la secta, pero se mostraba despiadado con algunos compañeros como Juan Sánchez, pervertidor de las monjas de Belén, decía, y de su incauta hermana María, y ambiguo con otros, como el arzobispo de Toledo, Bartolomé Carranza, a quien *nadie se atreve a echar el lazo*, solía decir. Otras veces afirmaba que Carranza no era luterano, pero su lenguaje sí que lo era. Hombre inestable, hablaba a Cipriano de su vocación, de su ingreso en los dominicos, como miembro de una familia fervientemente católica. Su relación con la secta, como la de Cipriano, había sido breve, apenas se había iniciado cuatro años atrás. Ardiente proselitista, había llevado al protestantismo a un hermano y a varios sobrinos suyos. En Pamplona, al ser detenido, no lo había ocultado. Al contrario, se vanaglorió de ser un religioso moderno, abierto a las nuevas corrientes. Pero, bien iniciara sus confidencias por un lado o por otro, siempre concluía en Bartolomé de Carranza, su bestia negra. Que el teólogo gozara de libertad mientras sus discípulos, como él decía, se pudrían en las mazmorras, le irritaba sobremanera. Pero también le llegaría su hora. Valdés le odiaba y terminaría procesándolo. De momento, el fraile se acogía a su patrocinio por si su alta jerarquía pudiera servirle de algo.

Aparte sus charlas con fray Domingo, Cipriano Salcedo, muy abrigado pese a lo caluroso del verano, permanecía solo, aislado en la penumbra, inquieto por su situación. Dedicaba parte de las mañanas a habituarse a andar con grilletes, arrastrando las cadenas, pero sus rozaduras en los tobillos le martirizaban, le deshollaban las canillas. Por eso, el catre, tumbado en él, o sentado en la banqueta, apoyando la nuca en el húmedo muro, eran sus posturas habituales. Leía algún rato por las tardes, sin provecho, y, a menudo, evocaba a Cristo para reconciliarse con él o pedirle luz para enfrentarse con el Tribunal. No pretendía exaltar su pasado ni renegar del presente únicamente por miedo. Aspiraba a ser sincero, de acuerdo con su creencia, pues a Dios no era fácil engañarle. Con los ojos entrecerrados, en cuyos párpados comenzaba a sentir un insidioso escozor, se lo decía así a Nuestro Señor, intentando concentrarse, olvidar donde se encontraba. Ninguno de los pasos que había dado le parecía ligero o irreflexivo. Había asumido la doctrina del beneficio de Cristo de buena fe. No hubo soberbia, ni vanidad, ni codicia en su toma de postura. Creyó sencillamente que la pasión y muerte de Jesús era algo tan importante que bastaba para redimir al género humano. Encogido en su fervor, ensimismado, esperaba en vano la visita de Nuestro Señor, un gesto suyo, por pequeño que fuese, que le orientara. «Muéstrame el camino, Señor», gemía, pero el Señor permanecía ajeno, en silencio. «Nuestro Señor no puede tomar partido, se decía, soy yo quien debe decidir, en aras de mi libertad.» Pero le faltaba determinación, claridad, la lucidez necesaria. Y en esta espera impaciente permanecía, hasta que un comentario de fray Domingo o el agudo chirrido de los cerrojos, anunciando la visita de Dato, le sacaban de su ensimismamiento. Entonces se quedaba mirando al carcelero sin moverse, su melenilla lisa y desflecada asomando bajo su gorro rojo de lana, sus desaseados calzones cubriéndole media pierna. El hechizo se había roto y la mente de Cipriano se incorporaba a su rutinaria vida sin resistencia.

Una tarde, Dato, antes de dirigirse a la letrina, pasó por su lado y, sin mirarle, depositó en su mano un papel doblado en mil pliegues. Cipriano se sorprendió. No hizo el menor ademán, sin embargo. Sabía que la compañía de fray Domingo no le obligaba a compartir con él las novedades, a comunicarle la venalidad del carcelero. Por eso quedó inmóvil hasta que Dato realizó el cambio de recipientes. Entonces desdobló el papel y, en la penumbra, forzando los ojos, leyó:

CONFESIÓN DE DOÑA BEATRIZ CAZALLA

Ante el tribunal del Santo Oficio, doña Beatriz de Cazalla declaró ayer, 5 de agosto de 1558, en el juicio que se le sigue, que ella había engañado al propio fray Domingo de Rojas. A su vez, Cristóbal de Padilla, de Zamora, fue engañado por don Carlos de Seso, mientras su hermano, don Agustín de Cazalla, había sido víctima del mismo don Carlos de Seso y de su hermano Pedro, párroco de Pedrosa. Juan de Cazalla había pervertido a su mujer y el Doctor a su madre, doña Leonor, con lo que prácticamente toda la familia Cazalla —Constanza vendría luego— quedaba adscrita a la secta luterana. Prosiguiendo con su sincera exposición, la declarante afirmó que doña Catalina Ortega había catequizado a Juan Sánchez y, entre los dos, al joyero Juan García. Por su parte, fray Domingo de Rojas pervirtió a su hermana María, aunque él lo niegue, y a buena parte de su familia. Cristóbal de Padilla, por su lado, al pequeño grupo de Zamora y su hermano Pedro, con don Carlos de Seso, al propietario de Pedrosa don Cipriano Salcedo.

Permaneció inmóvil, desconcertado, agarrotado por un extraño frío interior. Notaba en el estómago como la mordedura de una alimaña. Nunca tan pocos renglones podían haber causado tan hondos estragos. El desánimo le invadía. Cipriano Salcedo había imaginado todo menos la delación dentro del grupo. La fraternidad en que había soñado se resquebrajaba, resultaba una pura entelequia, nunca había existido, ni era posible que existiera. Pensó en los conventículos, en el solemne juramento final de los congregados, prometiendo que jamás delatarían a sus hermanos en tiempos de tribulación. ¿Sería cierto lo que decía aquella nota? ¿Era posible que la dulce Beatriz denunciara a tantas personas, empezando por sus propios hermanos, sin una vacilación? ¿Valía tanto la vida para ella como para incurrir en perjurio y enviar a su familia y amigos a la hoguera con tal de salvar su piel? Las lágrimas afloraban a sus ojos blandos cuando releía el papel. Luego pensó en Dato. Fray Domingo ya le había anticipado que la venalidad y la corrupción tenían asiento en los mandos subalternos carcelarios, pero el escrito del ayudante no podía ser obra de un carcelario, ni siquiera del alcaide, sino de algún miembro del Tribunal, tal vez el secretario o, con mayor probabilidad, el escribano. Vio abierta una vía de comunicación con la que, en principio, no había contado pero, después de breve reflexión, decidió no mostrar la confesión de Beatriz Cazalla a fray Domingo. ¿Para qué encrespar aún más los ánimos? ¿Qué ganaba el fraile sabiendo que Beatriz le había delatado a él y prácticamente a todos los del grupo?

A la tarde siguiente esperó la llegada de Dato tendido en el catre. Llegaba canturreando, como de costumbre, pero, al acercarse al camastro, Cipriano le consultó a media voz qué le debía. La respuesta de

Dato no le sorprendió: la voluntad, dijo. Cipriano depositó en su mano un ducado que él miró y remiró, por un lado y por otro, con ojos de codicia. Luego le preguntó si le interesaría más información y Cipriano asintió. No ignoraba que había establecido un precio pero no lo consideró excesivo ni mal empleado. Desde que el dominico le hablara de las penas utilizadas contra los herejes, había intuido que su patrimonio sería confiscado algún día. Entonces pensó que Nuestro Señor le había inspirado la decisión de repartir sus bienes con sus colaboradores. En todo caso, su dinero en la cárcel no era mucho. Sorprendentemente, en Cilveti, apenas le registraron por encima buscando un arma. Al bizco Vidal, fuera de las armas y los papeles, nada le interesaba. Respetó su dinero. Su misión consistía en trasladarle sin daño de Pamplona a Valladolid y es lo que había hecho: aquí estaba, a disposición del Tribunal.

Concluía agosto y aún no había sido llamado a la Sala de Audiencias, en la parte alta del edificio, ni tampoco fray Domingo, su compañero de celda. El día 27, sin embargo, recibió una sorpresa. Don Gumersindo, el alcaide, acompañado del carcelero mayor, le anunció una visita. Aséese, le dijo, volveré por vuesa merced dentro de quince minutos. Cipriano no salía de su asombro: ¿quién podía preocuparse por él en estas circunstancias?

Cipriano entró en la sala de visitas deslumbrado, los pies ligeros, sin grillos. Después de casi cuatro meses viviendo en la húmeda penumbra de la celda, la luz del sol le dañaba los ojos, le ofuscaba. Ya en la escalera, por precaución, había entornado los párpados pero, al entrar en la pequeña sala, el sol brillando en los cristales le obligó a cerrarlos del todo. Era como si tuviera tierra dentro de ellos, como los del cadáver de *el Perulero* al ser desenterrado. Había oído cerrar la puerta y el silencio ahora era total. Poco a poco entreabrió los párpados y, entonces, divisó ante sí a su tío Ignacio. Sintió un sobresalto análogo al que experimentó de adolescente cuando su tío le visitó en el colegio. No le esperaba; su tío siempre le sorprendía. Ambos vacilaron, pero, finalmente, se abrazaron y se dieron la paz en el rostro. Se sentaron después, frente a frente, y su tío le preguntó si tenía los ojos enfermos. Vivía en la oscuridad, dijo, pero inmediatamente precisó, casi en la oscuridad, y la falta de luz y la humedad le lastimaban la vista. Tenía los bordes de los párpados enrojecidos e hinchados y su tío le prometió enviarle un remedio a través del alcaide. Luego le dio una buena nueva: le habían ascendido a presidente de la Chancillería, cosa esperada pues era el más antiguo de los diecisiete oidores. La Chancillería y el Santo Oficio tenían buena relación y había sido autorizado para visitarle. Cipriano posaba en él sus ojillos pitañosos, sonriente, cuando le felicitó. Esperaba de su tío una regañina, incluso no se había movido de la postura en que quedó al sentarse, a la expectativa, pero su tío Ignacio no parecía reparar en su situación. Le habló como si conversaran en su casa, como si nada hubiera cambiado desde la última vez que se vieron. Se había desplazado a Pedrosa y había encontrado a Martín Martín animado y con la labranza organizada. De momento, los labrantines y pegujaleros de los pueblos próximos no habían levantado el gallo lo que probaba que la fórmula utilizada para repartir la hacienda y subir los salarios a los jornaleros era civilizada y no perjudicaba a terceros. Tenía a su disposición su parte de la cosecha de cereales que había sido óptima y se esperaba, asimismo, de la viña un rendimiento superior al normal. Cipriano continuaba mirándole embobado, los ojos cobardes. Le conmovían las cortinas, los visillos, el pañito de encaje en que reposaba el candelabro, el feo cuadro de la Asunción de María sobre el sofá. Era como si hubiera abierto los ojos en un mundo distinto, menos hostil e inhumano. Su tío proseguía hablándole sin pausas, como si tuviera tasados los minutos de la visita. Ahora le contaba del almacén y del taller. Visitaba la Judería con alguna frecuencia, un par de veces al mes. El nuevo Maluenda le parecía, en efecto, trabajador y solvente. Se carteaba con Dionisio Manrique y en su última carta le decía que la flotilla de primavera, con su escolta, había llegado a Amsterdam sin novedad. En lo tocante al taller, Fermín Gutiérrez, el sastre, aparte su habilidad para el corte, había resultado un buen organizador, y los tramperos, pellejeros, curtidores, costureras y acemileros estaban satisfechos con los nuevos contratos. Cambió de conversación de improviso para decirle que la regla penitenciaria no imponía los andrajos como uniforme y que por el alcaide le enviaría también ropa nueva. A Cipriano le emocionaba su preocupación. Intentó darle las gracias pero su voz se quebró y sus ojos se llenaron de agua. Deseaba pedirle perdón antes de que se marchara, convencerle de su buena fe al unirse a la secta, pero cuando abrió la boca apenas se le entendió una palabra: *religión*. Al oírla su tío extendió el brazo y le puso una mano efusiva en el hombro:

—Ése es el rincón más íntimo del alma —dijo—. Obra en conciencia y no te preocupes de lo demás. Con esa medida seremos juzgados.

De nuevo en su celda, la visita de su tío le dejó una sensación de irrealidad, como de algo ensoñado. No obstante, la llegada de ropa interior, un jubón, un sayo, unas calzas y el remedio para los ojos, le convenció de que su tío era algo real y tangible, como lo eran los visillos de la ventana, las cortinas, el pañito de encaje de la sala, o el cuadro de la Asunción.

Esa misma tarde, Dato le entregó disimuladamente otro papel plegado. Al desdoblarlo experimentó un almadiamiento y hubo de sentarse en la banqueta para afirmar las piernas. Era un extracto de la confesión de Ana Enríquez ante el Tribunal del Santo Oficio. Mientras leía, le era fácil adivinar su sufrimiento, el mar de dudas en que durante meses se habría debatido aquella niña:

«Vine a esta villa desde Toro para la Conversión de San Pablo —decía aquel informe— y conocí a Beatriz Cazalla que me habló de nuestra salvación, de que ésta se produciría por los solos méritos de Cristo, que toda mi vida pasada era cosa perdida porque las obras, por sí mismas, para nada servían. Y yo entonces le dije: "¿Qué es eso que dicen que hay herejes?". Y ella contestó: "La Iglesia y los santos lo son". Y, entonces, yo dije: "¿Y el papa?". Y ella me dijo: "El papa le tenemos cada uno en el Espíritu Santo". Y luego me sugirió que lo que debía hacer era confesarme a Dios de toda mi vida pasada porque los hombres no tenían potestad para absolver. Y yo, asustada, le pregunté: "Y ¿entonces el purgatorio y la penitencia?". Y ella me dijo: "No hay purgatorio; sólo nos vale la fe en Jesucristo". Pero yo me confesé con un fraile, como hacía antes, sólo por cumplimiento, pero nada le dije de estas conversaciones. Otro día Beatriz Cazalla me dijo que los curas sólo nos daban en la comunión la mitad de Cristo, el cuerpo pero no la sangre, que la Comunión verdadera constaba de pan y vino. Pasé semanas de angustia, hasta que con motivo de la Cuaresma llegó a casa fray Domingo de Rojas, buen amigo de mis padres, y así que le pregunté y me confirmó lo que Beatriz me había dicho, quedé tranquila y lo creí así realmente. En aquellos días, fray Domingo me dijo que Lutero era santísimo, que se había expuesto a todos los peligros del mundo solamente por decir la verdad. También me dijo otras cosas, como que sólo había dos sacramentos, el bautismo y la eucaristía, que adorar al crucifijo era idolatría y que, después de la Redención, habíamos quedado libres de toda servidumbre; y no teníamos que ayunar ni hacer voto de castidad sólo por obligación, ni otras muchas cosas como oír misa, porque en la misa se sacrificaba a Cristo por dinero y que, "si no fuera por el escándalo que provocaría, él mismo se quitaría los hábitos y dejaría de rezarla"».

Cipriano cerró los ojos. Lo primero que pensó no fue en la delación sino en la amargura que aquellas palabras habrían producido en el espíritu de doña Ana. Luego pensó en las plumas del sombrero de fray Domingo al disfrazarse para la huida. Sintió hacia él, de pronto, una cierta aversión, tan engreído, tan pagado de sí mismo, tan sesgo. Su crueldad para con doña Ana no había sido precisamente un acto cristiano. El dominico se había comportado brutalmente con la niña, había destruido su armazón espiritual sin miramientos. Volvió los ojos hacia el ventano y lo vio emperezado, tumbado en el petate, leyendo un libro aprovechando la última luz de la tarde, y experimentó antipatía hacia él. Únicamente después, Cipriano deploró las denuncias de Ana Enríquez, la delación de Beatriz Cazalla y del dominico, su espontáneo perjurio. Notaba encogido el ánimo, acrecentada la sensación de soledad, la angustia agazapada en la boca del estómago, un vivo malestar.

Pero las horas rodaban deprisa aquellos días en la cárcel secreta. El carcelero le visitó poco después para anunciar su comparecencia ante el Tribunal a las diez de la mañana del día siguiente. Ya en las escaleras, sin grilletes en los pies, casi volaba, mas, a medida que se alejaba de los sótanos y aumentaba la luz, los ojos le escocían, se veía obligado a entornarlos para procurarse un alivio. Y, antes de entrar en la Sala de Audiencias, descubrió la pequeña puerta de la habitación donde se había entrevistado con su tío. Luego oyó una voz, cuya procedencia ignoraba, que dijo: «Adelante el reo», y alguien le empujó hacia la puerta de nogal labrado que tenía ante sí. Andaba con desconfianza. El sol posado en las vidrieras le cegaba y el artesonado del techo y los largos cortinones rojos se imponían. El carcelero, que le conducía del brazo, le sentó en una silla. Entonces divisó al Tribunal ante él, tras la mesa larga, sobre la tarima, allí donde terminaba la alfombra granate que cubría el pasillo desde la puerta. La escena se ajustaba, punto por punto, a lo que le había ido anunciando fray Domingo, el inquisidor en el centro, envuelto en sotana negra, la cabeza cubierta por un bonete de cuatro puntas, el rostro alargado y grave. A su derecha el secretario, religioso y ensotanado también, asimismo circunspecto y lóbrego y, a la izquierda, envuelto en una severa loba negra, el escribano, un hombre civil, de bastantes años menos que los dos clérigos. Apenas le dio tiempo de distinguir, antes de que sonara la campanilla, que las orejas del inquisidor eran traslúcidas y despegadas. Inmediatamente se inclinó hacia adelante y experimentó una rara sensación, como si su cuerpo se desdoblase, y una mitad de él escuchase las respuestas que daba la otra mitad a las preguntas del eclesiástico. Mas, a poco de empezar, se esfumaron las siluetas del estrado, el artesonado, la alfombra y los cortinones, y únicamente permaneció la voz opaca del inquisidor, una voz acusadora, intimidatoria, y las respuestas escuetas, precipitadas, de su otro yo en un peloteo verbal picado, sin interrupciones, como si la premura en la formulación de las preguntas garantizase la veracidad de las respuestas. Sin embargo aquella voz dura y bien timbrada no parecía afectar a la lucidez de las réplicas de su otro yo, de su yo desdoblado:

—¿Quién pervirtió a vuesa merced?

—D... disculpe su eminencia pero no puedo responder a esa pregunta; lo he jurado.

—¿Es cierto que vuesa merced posee una hacienda importante en Pedrosa?

—Es cierto, señoría.

—¿No conoció ahí a don Pedro Cazalla, párroco del pueblo?

—Le conocí y nos tratamos. Ambos somos aficionados al campo y paseábamos juntos y él me hacía curiosas observaciones sobre los pájaros.

—¿Le hablaba de pájaros su paternidad?

—No sólo de pájaros, señoría. Otras veces me ha-

436

blaba de sapos. Ahora recuerdo una conversación que mantuvimos sobre sapos en las salinas del Cenagal. Es un naturalista perspicaz.

—Y ¿don Carlos de Seso? ¿Participaba el señor de Seso de esas divagaciones?

—A don Carlos apenas lo traté. En una ocasión le encontramos en el camino de Toro, pero no hablamos de pájaros ni de sapos. Iba a ser nombrado corregidor de la villa y había acudido allí a visitar a unos amigos.

—¿Había amistad entre don Carlos de Seso y Pedro Cazalla?

—Se conocían, conversaban. Ahora bien, si había amistad entre ellos no puedo decírselo, ni tampoco el grado de la misma.

—¿Nunca le habló don Pedro de religión en sus paseos?

—Hablábamos de los más diversos temas; con seguridad la religión sería uno de ellos.

—¿Considera vuesa merced la religión un tema importante?

—La religión pertenece al rincón más íntimo del alma —dijo Cipriano recordando la expresión de su tío.

—Creyéndolo así, ¿es posible que no recuerde ninguna conversación sobre religión con don Pedro Cazalla? ¿Cómo es posible que recuerde lo referente a los sapos y no lo que decía de Dios?

—El hombre es un animal muy complejo, eminencia.

—Y ¿con don Carlos de Seso?

—¿Con don Carlos de Seso, qué?

—¿Hablaron alguna vez de religión?

—Le conocí, como le he dicho, en el camino de Toro, él iba cabalgando y nosotros a pie. Montaba un pura sangre de mucho nervio; me interesó más la montura que el caballero, ésta es la verdad.

—¿Le gustan a vuesa merced los caballos?

—Los caballos de raza me producen verdadera fascinación.

—¿No hizo vuesa merced un viaje a Francia en 1557 con su caballo *Pispás*?

—Así fue, señoría.

—¿Quién le ayudó a pasar el Pirineo?

—El guía Pablo Echarren, un navarro. Era el mejor conocedor de la montaña y supongo que lo sigue siendo.

—¿Quién se lo recomendó?

—Entre la gente que visita Francia con frecuencia, Echarren es un personaje familiar. Le diría más: es una institución.

—¿Llegó vuesa merced hasta Alemania en ese viaje?

—Estuve en varias ciudades alemanas, señoría.

—¿Quién le indujo a visitar Alemania?

—Soy comerciante, eminencia, el creador del *zamarro de Cipriano* del que quizás haya oído hablar. Tengo amigos y corresponsales en el extranjero con los que estoy en relación permanente.

—¿No había motivos religiosos en ese viaje?

—Me parece que lo que vuestra paternidad desea saber es cuál es mi fe. ¿No es así? Si le digo que la doctrina del beneficio de Cristo me cautivó podemos ahorrarnos algunas palabras. Y si uno acepta esa doctrina forzosamente tiene que aceptar otras cosas que derivan de ella.

—¿Reconoce entonces vuesa merced que en los últimos años ha vivido en el error?

—Error no es la palabra apropiada, señoría. Creo en lo que creo de buena fe.

—¿Cree en lo que predica?

—Nunca fui proselitista, señoría. Simplemente he procurado ser fiel a mi creencia.

—¿Es cierto que mensualmente se reunían en conventículos en casa de doña Leonor de Vivero, madre de los Cazalla?

—Conocí a esta señora y al Doctor a través de mi amigo Pedro Cazalla, hijo y hermano, respectivamente, de los citados.

De pronto se abrió una pausa y el escribano levantó los ojos por primera vez. Estaba sometido a una prueba de resistencia. Cipriano escuchaba las respuestas de su doble, con los ojos cerrados, complacidamente. Era lo que respondería él si se le diera la oportunidad de reflexionar. Su doble no acusaba, no mentía, no delataba, pero no por ello desatendía las preguntas de su eminencia, aunque a éste no parecieran agradarle sus respuestas. Su voz se hizo aún más opaca cuando le dijo:

—Vuesa merced trata de eludir mis preguntas aunque no ignore que dispongo de sistemas eficaces para desatar las lenguas. ¿Ha oído hablar del tormento?

—Desgraciadamente, señoría.

—Y ¿del purgatorio?

—También, señoría.

—¿Cree en él?

—Si tengo fe y admito que Cristo sufrió y murió por mí, huelga toda pena temporal. Otra cosa sería desconfiar de su sacrificio.

—Y en la Iglesia Romana, ¿cree?

—Creo firmemente en la Iglesia de los Apóstoles.

—¿No se arrepiente de haber abrazado la nueva doctrina?

—Yo no la acepté por soberbia, codicia o vanidad, señoría. Simplemente me encontré con ella. Pero no me resistiría a apostatar si vuestra reverencia me convenciera de mi error, aunque nunca lo haría por salvar la vida.

—¿No sintió escrúpulos al asumirla?

—Antes los tuve, eminencia, en mi juventud. En ese sentido, la nueva doctrina aquietó mi espíritu.

—¿Tan ciego es que no ve los excesos de Lutero?

—Vuestra eminencia y un servidor buscamos a un mismo Dios por distintos caminos pero en toda interpretación humana del hecho religioso supongo que se cometen errores.

—Por última vez, señor Salcedo, antes de apelar a procedimientos más persuasivos, ¿tendría la bondad de responderme a estas dos sencillas preguntas? Primera: ¿quién le pervirtió? Segunda: ¿quién le indujo a viajar a Alemania en abril de 1557?

—Tropecé con la nueva doctrina, señoría, como se tropieza con una mujer que mañana será nuestra esposa, casualmente. En lo que atañe a su segunda pregunta, le repito que un hombre de negocios tiene el deber de viajar al extranjero de vez en cuando. Los mercaderes de Anvers son unos de mis corresponsales a quienes visité en ese viaje. Si su eminencia lo duda puede dirigirse a ellos.

En el lecho, tendido y sosegado, los brazos estirados a lo largo del cuerpo, los ojos cerrados, Cipriano volvió a encontrarse consigo mismo. Ahora notaba en la cabeza el esfuerzo de la concentración, el reconcomio pasado ante el Tribunal. Fray Domingo, arrastrando los hierros, se había aproximado a él al regresar a la celda y sonrió cuando Cipriano le dijo que todo había sido tal y como él se lo había anunciado. No pormenorizó el coloquio cuando el dominico inquirió detalles. Simplemente le dijo que los juzgadores eran tres, aunque únicamente preguntaba el inquisidor, los otros dos tomaban notas. La voz del presidente dominaba todo, pero mi reserva mental, dijo, no pareció irritarle.

Tres días después, muy de mañana, el alcaide y el carcelero le recogieron en su celda. No le prepararon, ni le explicaron, ni le dijeron más que una sola palabra: síganos. Y él los siguió por las húmedas losas del zaguán, por el corredor permeable y bajo de techo. Cipriano temía por sus ojos, pero esta vez el alcaide tomó el camino de los sótanos a través de una escalera de piedra de peldaños desiguales. Allí le esperaban ya el inquisidor, con su bonete de cuatro puntas y sus orejas traslúcidas, el secretario y el escribano sentado a una mesa ante un rimero de papeles blancos. Próximos a ellos, de pie, había otras dos personas y Cipriano dedujo, conforme a las explicaciones de fray Domingo, que el hombre de la loba oscura era el médico, y, el verdugo, el del pecho descubierto y los calzones cortos, de tela basta. Ante ellos, en una mazmorra amplia, tímidamente alumbrada por dos candiles, bailaban una serie de extraños artilugios, como los aparatos de un circo.

Antes de que el verdugo entrara en acción, el inquisidor volvió a preguntarle quién le pervirtió y quién le ordenó viajar a Alemania en abril de 1557.

Cipriano Salcedo, que agradecía la penumbra del lugar, dijo suavemente que tres días antes, en el interrogatorio de la sala, había dicho sobre el particular lo que sabía. Entonces, el inquisidor ordenó al verdugo que dispusiera la garrucha que colgaba del techo. Cipriano temía más los preparativos del suplicio que el suplicio mismo. Ante la vida había temido siempre más al amago que a la realidad por muy cruel y exigente que ésta fuera. Pero cuando el verdugo le ató las muñecas a la polea, le izó y le dejó suspendido en el aire, tuvo el convencimiento de que, en su caso, la garrucha resultaría ineficaz. Le habían desnudado de la cintura para arriba y el inquisidor hizo un sorprendido comentario sobre la desproporcionada musculatura del reo. El objetivo de la garrucha era desarticular al torturado en virtud de su propio peso, pero el verdugo no contaba con que el cuerpo de Cipriano era liviano, y nervudas sus extremidades de modo que la suspensión, al ser capaz de flexionar fácilmente sus brazos, no produjo efecto alguno. El verdugo consultó al inquisidor con la mirada y éste señaló la gran pesa que había en el suelo y que el verdugo ató a sus pies sin demora. Tornó luego a suspenderlo en el vacío de manera que Cipriano flotó en el aire, los brazos flexionados, como un atleta en las poleas, penduleando, la pesa inútil amarrada a sus pies. El inquisidor sentía frío y torcía la boca; experimentaba una rara frustración:

—El potro —dijo lacónicamente.

El verdugo le desató de la garrucha y le ató por las cuatro extremidades a una especie de bastidor, donde cuatro tambores de hierro permitían, girándolos, tensar a voluntad el cuerpo del torturado. Durante las primeras vueltas Cipriano casi sintió placer. Aquel aparato le ayudaba a estirar sus miembros y, de este modo, salía del agarrotamiento en que había vivido los últimos meses. Pero el verdugo, que no buscaba su placer, seguía girando el husillo hasta que el estiramiento de brazos y piernas alcanzó un punto doloroso. En ese momento, el inquisidor interrumpió la tortura:

—Por última vez —dijo— ¿puede decirme vuesa merced quién le convirtió a la maldita secta de Lutero?

Cipriano guardó silencio. Aún lo repitió otra vez el inquisidor, pero, en vista de su mutismo, hizo un leve gesto con la cabeza al verdugo. El hombre de la loba se aproximó al torturado, mientras el verdugo daba vueltas a los husillos, atirantaba el cuerpo del reo. La única ventaja de esta forma de tortura, pensó Cipriano, era la manera paulatina en que se entraba en él, de forma que entre cada vuelta de tambor se producía en el cuerpo una especie de descanso, de habituamiento. Pero cuando la tensión aumentó, Cipriano sintió un dolor agudísimo en axilas e ingles. Era como si una fuerza abrumadora, lenta y creciente, intentara sacar las apófisis de los huesos de sus respectivas cavidades, un descoyuntamiento. Pero, conforme con su vieja filosofía, se metió de golpe en el dolor, lo aceptó. Creía que una vez dentro de él, el dolor, por intenso que fuese, devendría en algo ajeno, se haría más fútil y soportable. Pero, al violento dolor inicial, se fueron añadiendo otros en el espinazo, codos y rótulas, en las cabezas de músculos y nervios. Entreabrió los párpados cuando el verdugo interrumpió el suplicio para dar ocasión al inquisidor de formular de nuevo su pregunta pero, ante su silencio obstinado, aquél volvió a girar las tuercas, de forma que la suma de todos los dolores se fue convirtiendo en un único dolor, su columna dorsal se rompía, estaba siendo descuartizado. Y la tensión de los nervios, al confluir en el cerebro, le provocaron una horrible punzadura, que gradualmente fue creciendo en intensidad, hasta alcanzar un punto insoportable. Cipriano, en ese momento, perdió el control de su voluntad, emitió un terrible alarido y su cabeza cayó sobre el pecho.

Más tarde, ya en el catre, bajo las atenciones del médico, recuperó el conocimiento, experimentó la extraña sensación de que todos los huesos de su cuerpo estaban descoyuntados, fuera de sitio. Cada movimiento, por leve que fuera, se traducía en un sordo dolor, por lo que Salcedo extremó la inmovilidad que venía a transformar el dolor en algo más llevadero, una sensación de cansancio infinito.

Fray Domingo mostró en los días siguientes una sensibilidad que Salcedo no sospechaba. Se sentaba en la banqueta, a la cabecera de la cama, y trataba de convencerle de la sinrazón de su resistencia, de que el Santo Oficio conocía de sobra que habían sido Pedro Cazalla y don Carlos de Seso quienes le incorporaron al grupo. Le advertía que el tormento no era un recurso aislado, que en un principio lo fue, pero que la Inquisición había inventado la figura de la suspensión, según la cual la tortura podía reanudarse una vez que el reo se hubiera recuperado. Entonces, decía, ¿quién ha salido beneficiado del silencio de vuesa merced? ¿Por qué callar? Una tarde en que Rojas insistía en estos argumentos, Cipriano le dijo con muy poca voz:

—Y... y ¿no cree vuestra paternidad que el perjurio, aparte un fracaso personal, es un grave pecado?

Fray Domingo no lo entendía así, le molestaban las grandes palabras, enseguida procuraba escapar de su influencia. El hombre debía adaptarse a las circunstancias, decía, evitar el tono heroico, imbuirse el convencimiento de que el hecho de aceptar que alguien atentase contra nuestra integridad era una falta más grave que el mismo perjurio. Cipriano apelaba a los mártires y el dominico le decía que los tiempos del testimonio habían pasado. El cristianismo estaba firmemente asentado en el mundo, no precisaba ya de sacrificios personales.

Dos semanas después de la tortura, Dato, el ayudante de carcelero, le pasó un billete directo de doña Ana Enríquez:

«Muy apreciado amigo —le decía—. Voy a pedirle una gran merced. Sé que le han dado tormento por no revelar el nombre de sus pervertidores. Por favor, no sea obstinado. Poner en riesgo la vida que Nuestro Señor nos ha regalado revela una actitud desdeñosa hacia el Creador. Satisfacer en algo a los inquisidores, pronunciar una palabra que les sea grata y les haga sentirse momentáneamente victoriosos, no significa doblegarse. Téngalo presente, pues su vida, sin que usted lo sospeche, puede un día ser necesaria para alguien.

Recuerdo su visita a La Confluencia, la finca de mi padre, con ocasión de las ligerezas de Cristóbal de Padilla que tan caras estamos pagando todos. Aquellos minutos felices de un otoño dorado, paseando en su amable compañía por el jardín, me han dejado honda huella.

¿Nos darán ocasión de revivir aquellas horas algún día? Cuídese, piense en que únicamente dispone de una vida y está obligado a guardarla. Le saluda con respeto y estima

Ana Enríquez».

Cipriano se animó al leer la carta cuyo contenido disipó el acre sabor a ceniza que el tormento le había dejado. ¿Qué quería decir Ana Enríquez con aquello de que su vida podía ser algún día necesaria para alguien? ¿A quién se refería? Disponía de papel y pluma y su primer impulso fue contestarla, pero el intento resultó fallido, las palabras precisas no acudían a su mente o se enredaban entre sí, carecía de la necesaria lucidez para redactar una frase coherente. Días después, dueño de sí mismo, se sintió capaz de hilvanar unas líneas. Las releyó varias veces antes de confiarlas a Dato:

«Muy apreciada amiga —decía—. Gracias por su interés, por la merced que me hace al preocuparse por mi salud. También yo recuerdo con emoción aquel paseo otoñal por los jardines de La Confluencia, como recuerdo su perfil en los conventículos, su fervor, su entrega, aquella mano blanca levantada pidiendo vez para intervenir en los coloquios, y, muy en particular, vuestra presencia en mi casa el día de la huida, vuestra despedida, aquel gesto imprevisto y efusivo con que me dijo adiós. Créame que aquel instante me ha confortado mucho, me ha entonado en los dolorosos momentos por los que he atravesado. ¿Pasará todo esto algún día? De momento le encarezco que no sufra por mí. Cumplir lo que estimamos nuestro deber ya encierra en sí mismo una recompensa. Os saluda con respeto y estima

Cipriano Salcedo».

446

El otoño vino muy frío y Cipriano, cada vez más debilitado, pasaba los días tendido en el catre, cubierto con la manta cuartelera. El alcaide no había ido en su busca y Cipriano pensaba si en la interrupción del tormento no tendría su tío algo que ver. A primeros de noviembre recibió de su parte un zamarro forrado de piel de jineta y una capa segoviana. Sin embargo, el tío Ignacio no se dejó ver. Seguramente la frecuencia de las visitas a un inculpado de herejía representaría un demérito en su carrera. Por su parte, fray Domingo seguía leyendo libros que le facilitaba la Inquisición. A mediados de diciembre fue llamado a la Sala de Audiencias y regresó tres horas más tarde, sin ganas de contarle las incidencias del juicio. Lo esperado, decía, lo de siempre. Se tendió en el catre y reanudó sus lecturas como si nada hubiera ocurrido.

En vísperas de Navidad, cuando ya no lo esperaba, Dato le entregó unas líneas de Ana Enríquez felicitándole la Pascua. Era una misiva halagüeña en su primera parte, donde subrayaba su probidad, su inteligencia, el hecho de haber echado sobre sus hombros, sin pedir nada a cambio, la seguridad del grupo. «En esa hora, decía, me di cuenta de que vuesa merced no me era indiferente.» El corazón de Cipriano se aceleraba, amagaba con desbocarse. Aquello era demasiado, no era precisamente una declaración de amor, pero sí la constatación de haberlo distinguido entre los demás miembros de la secta. Mas, por si cupiera aún alguna duda, en el párrafo siguiente porfiaba: «Ahora quizá comprenda mejor vuesa merced mi interés por su suerte». Cipriano Salcedo se conmovió. Por vez primera, a los cuarenta y un años, estaba viviendo una experiencia amorosa propia de la adolescencia. Evocaba detalles de la figura de Ana, su collar de perlas, su turbante rojo, su blanca mano enjoyada levantándose como un pájaro en los conventículos, su voz cálida, como inflamada. ¿Sería posible, Señor, que aquella singular criatura hubiera puesto sus ojos en él? Le contestó escuetamente, deseándole felicidad y suerte, diciéndole que aquellas Pascuas, pese a todo, quedarían en su vida como un hito inolvidable. Su carta, decía, rezuma esperanza, «vos sentís, señora, la ilusión de que algo nace». Desgraciadamente no podía compartir su optimismo: «La idea de que algo concluye prevalece en mí», decía. Mas también reconocía que nunca había sido insensible a su presencia. «Admiré siempre vuestra sagacidad, vuestra discreción, vuestro aplomo y, ¡cómo no!, vuestra belleza», añadía en un impulso de sinceridad. Y en su despedida, le confirmaba su respeto y cariño.

Dato se convirtió en el correo interior entre doña Ana Enríquez y Cipriano Salcedo. Las misivas se cruzaban entre ellos cada vez con mayor frecuencia y ponían un punto de luz y esperanza en la sordidez de las mazmorras. Ana iba siempre por delante en efusividad y confianza. «Catalina de Reinoso, una de las monjas de Belén, compañera de celda, aduce la diferencia de edad como un obstáculo entre nosotros», decía doña Ana Enríquez en carta de 6 de febrero. Y agregaba: «Pero yo digo, ¿qué importa la edad en estos negocios de los sentimientos? ¿Tienen las almas edad?». Sus mensajes contenían, de una manera o de otra, una nota de optimismo: «Algún día nos dejarán ser felices», decía. O bien: «Nuestro paseo por el jardín de La Confluencia será el primer peldaño de nuestra historia en común».

Cipriano Salcedo se mostraba más cauto. A su entusiasmo inicial vino a poner sordina su promesa un tanto olvidada. La conciencia empezó a reprocharle su flaqueza, el hecho de que se dejara llevar por un fácil sentimiento animando a Ana Enríquez a construir castillos en el aire. Esta vez demoró la respuesta, guardó silencio. No tenía derecho a alentar los proyectos de la muchacha cuando él sabía cuál iba a ser el desenlace. Las cosas estaban planteadas de tal manera que ante su futuro no cabía alternativa. La Inquisición nunca aceptaría su silencio pero tampoco él estaba dispuesto a romperlo porque le favoreciese. Preparó borrador tras borrador, pero uno detrás de otro los rompía. Fray Domingo le miraba desde su cama:

—¿Prepara vuesa merced su testamento?

Cipriano no respondió a la broma del reverendo. Al fin y al cabo lo que trataba de escribir guardaba bastante semejanza con un testamento. Por eso, tras la pregunta del dominico, resolvió hablar claro, como si fuera —¿lo era tal vez?— su última voluntad. La amaba, esto era esencial. La amaba por encima de todas las cosas. Y, sin embargo, entre ambos se levantaban dos obstáculos insalvables: el voto de castidad ofrecido espontáneamente por él a Nuestro Señor hacía más de un año y su resolución de no incurrir en perjurio delatando a quienes le habían acristianado. Esta actitud suya nunca sería disculpada por el Santo Oficio.

Como si fuera respuesta a su mensaje, Dato le trajo esa tarde un informe de procedencia imprevisible:

«El emperador Carlos V acaba de fallecer en el Monasterio de Yuste, lamentando no haber dado muerte a Lutero cuando le tuvo en sus manos en Worms. En el codicilo de su testamento exige con autoridad de padre a su hijo Felipe que castigue a los herejes con todo rigor y conforme a sus culpas, sin excepción ni respeto para persona alguna. Por su parte, el nuevo rey Felipe II ha bendecido el *santo celo* de su padre».

A partir de este momento, y como si Dato hubiera ido almacenando la correspondencia en espera de que la crisis amorosa de Cipriano se resolviera, empezaron a llegar papeles de toda laya, declaraciones, noticias, informes, mensajes en torno a los procesos de los hermanos Cazalla, don Carlos de Seso, su vecino de celda, fray Domingo, un informe del arzobispo de Toledo y varias comunicaciones más que Cipriano ordenó cronológicamente antes de tumbarse en el petate y cubrirse con su capa segoviana. Habituado a la delación, poco podían impresionarle ya las declaraciones de sus compañeros. Leyó descorazonado la confesión de su amigo Pedro Cazalla:

«Un día, encontróme don Carlos de Seso, corregidor de Toro, en Pedrosa, a la puerta de la iglesia de donde soy párroco, pensando en el beneficio de Cristo y me dijo de pronto que no había purgatorio y que podía demostrármelo. Y tal maña se dio que me dejó convencido de ello aunque con el espíritu lleno de zozobra y ansiedad (el reo contó aquí el episodio de la visita de Seso a Carranza en el Colegio de San Gregorio, escena que no repetimos por ser sobradamente conocida de todos). Hablé luego de ello con el bachiller Herrezuelo, no para que yo le enseñara sino que fue él quien me transmitió lo de la justificación por la fe sin necesidad de las obras e insistió en la inexistencia del purgatorio. Igualmente, Cristóbal de Padilla pasó tres veces por mi casa en Pedrosa y me habló de la misma materia y yo le encarecí que no volviera a hacerlo. Del mismo negocio trató también conmigo un criado que yo tenía, Juan Sánchez de nombre, pero le acogí con aspereza, y él, disgustado, dejó mi servicio y yo me holgué de ello. Por último, hablé de estos asuntos con mi compañero de estudios fray Domingo de Rojas y, antes de que yo le apuntara el tema del purgatorio, me salió con ello y estaba en ello».

A Cipriano le rezumaban los ojos enfermos ante tanta mezquindad. Carlos de Seso, en cambio, aunque atribuía al recién nombrado arzobispo Carranza el origen de la secta, trataba de convencer al Tribunal de su inocencia en la cuestión del purgatorio. Disfrazaba la verdad en su provecho:

«Mi intención al hablar a alguno de la no existencia del purgatorio no era la de apartarle de la Iglesia sino de aumentar su fe en la Pasión de Jesucristo. Nunca dogmaticé, ni hice juntas ni reuniones sino que si se presentaba la ocasión daba mi opinión sobre el particular. Seso acabó pidiendo misericordia por el escándalo que había dado, puntualizando sus ideas sobre el purgatorio, del que dijo que "no existe para aquellos que mueren unidos a Cristo, sirviéndole y confesando sus pecados". Informó que sus ideas luteranas nacieron en Verona durante su juventud, oyendo hablar a un conocido predicador. En las últimas frases de su declaración expresó su deseo de morir en el seno de la Iglesia».

Sorprendió a Cipriano el tono del corregidor de Toro, su humildad y acatamiento. Su confesión, parte de ella al menos, no marchaba de acuerdo con su conducta. Atribuyó el reblandecimiento de don Carlos a las duras condiciones de la prisión, a la enfermedad de la que daban cuenta los doctores de la cárcel secreta, Bartolomé Gálvez y Miguel Sahagún, en nota aparte:

«El doctor Gálvez, médico del Consejo General de la Inquisición, encuentra al reo, don Carlos de Seso, preso en la cárcel secreta de Valladolid, un pulso débil y desigual, con notable flaqueza. En cuanto a las rodillas, de las que se queja el reo, no se observa mudanza exterior pero, al tocarlas, sí las encuentro muy agarrotadas. Y siendo tan antiguo su sufrimiento, y estando peor cada día por el peso de los grillos, me parece conforme a razón ponerle inmediato remedio.

El doctor Sahagún precisa: pulso flaco y ánimo melancólico y triste. Piernas asimismo flacas en relación con el cuerpo que lo tiene gordo. Muy envaradas las cuerdas de las rodillas por lo que estima prudente sacarlo del ruin aposento en que está encerrado.

Doctores Gálvez y Sahagún».

Por su parte el Doctor, don Agustín Cazalla, parecía derrumbarse, su pusilanimidad se imponía a su pretendida fe. Leyendo su declaración, el pesimismo sobre su futuro se acentuaba en Cipriano. Decía así:

«Ante el tormento, el doctor Cazalla prometió confesar y ello le salvó de ser torturado. Afónico, realizó su confesión por escrito, de puño y letra. Se declaró luterano pero no dogmatizante. No había hablado con nadie que no conociera de antes las doctrinas reformistas. Al sugerirle que informara sobre *él y los otros*, respondió que no podía hacerlo sin levantar falsos testimonios. Y se ratificó en lo dicho una vez que se le prometió misericordia. Se comprometió a ser católico ejemplar si el tribunal respetaba su vida y en todo momento mostró inequívocas muestras de arrepentimiento».

Conforme leía informes y confesiones, Cipriano sentía aumentar su desolación. A medida que la primavera se aproximaba, crecía el número de papeles que Dato le ofrecía. Pero estaba tan débil que se sentía incapaz de arrastrar los grilletes y se pasaba los días y las noches tendido en el catre cubierto con la capa. Así iba desestimando documentos que Dato aportaba, generalmente cobardes, falaces o maledicentes. El carcelero había llegado con él a tal grado de confianza, que le permitía leer por encima los papeles que le ofrecía antes de determinar si se quedaba o no con ellos. En el fondo, Cipriano siempre había esperado respuesta de doña Ana a su carta de despedida, pero ésta no llegaba. Habría acogido con júbilo dos letras suyas, la continuidad, aun en pequeñas dosis, de los dulces mensajes de antaño, pero él mismo, con su inflexibilidad, había dado carpetazo a aquella correspondencia cuya interrupción lamentaba ahora. Ana Enríquez, siempre delicada con la conciencia ajena, había respetado su promesa y su deseo de no incurrir en perjurio. Aunque Cipriano pensaba en ella con frecuencia, el paso del tiempo y la flaqueza de su memoria hacían cada día más difícil la representación de su imagen: las proporciones de su perfil, la línea de la boca, un poco dura, el nacimiento del pelo, la forma de sus orejas, eran detalles físicos que se le escapaban. En él dominaba la duda de si el silencio de Ana vendría impuesto por el respeto o por el despecho y, ante cualquiera de los dos casos, sus ojos encarnizados se llenaban de lágrimas y él las dejaba fluir mansamente en un íntimo desahogo.

Postrado en el camastro, los párpados entornados, inmóvil, sus ojos buscaban el rayo de sol vespertino que se adentraba oblicuamente por el ventano, en el que flotaban infinidad de corpúsculos. En esta tesitura llegó Dato, con su gorro rojo, como un gnomo, con la declaración de fray Domingo, tendido también en su petate, ajeno a todo. Cipriano aceptó el informe:

«Temperamento inestable —decía el resumen de su declaración—. Adhesión tardía al luteranismo y afán proselitista. Vanidoso, el declarante se presentó ante este Santo Tribunal como viejo miembro de la secta y partidario de las nuevas corrientes. Atribuyó sus ideas a *su maestro*, el arzobispo de Toledo, don Bartolomé Carranza, luterano tal vez sin saberlo, o mejor dicho, precursor del luteranismo en España. De su epístola *Ad Galathas*, dijo que respondía a un lenguaje luterano y de su *Catecismo* que era duro y recio manjar para los hombres simples, "los cuales no tienen dientes para mascarlo ni estómago para digerirlo". Estas cosas, dijo, no deben ponerse en manos de iletrados, sino de licenciados y teólogos.

Al ser llamado al orden por el inquisidor, insistió en que Bartolomé Carranza podía ser católico pero que oyéndole expresarse no lo parecía. Y, en una pirueta retórica muy de su gusto, fray Domingo afirmó "que ése era el jarabe que el arzobispo utilizó para ganarlo a él para la causa". En conjunto dejó al señor arzobispo de Toledo muy mal parado.

Delató, asimismo, a Juan Sánchez como pervertidor de las religiosas de Belén y de su propia hermana María. A la vista de sus contradicciones, se le amenazó con el tormento, pero una vez en la garrucha, rogó ser muerto antes que torturado. El Santo Tribunal accedió a su deseo a condición de que dijera la verdad. A última hora exoneró de culpa a varios acusados aunque no al arzobispo Carranza».

Cipriano doblaba de nuevo el papel con una sensación de malestar ante la coincidencia de varios declarantes en atribuir a Carranza la paternidad del foco luterano de Valladolid. Implicándole a él, parecían pensar, una autoridad en la Iglesia, ellos, en cierto modo, quedaban libres de culpa. Carranza se erigía entonces como una garantía de vida, la cabeza de turco, el supremo. Sin sus prédicas, sin sus medias palabras, el protestantismo nunca hubiera arraigado en Castilla. Pero por el momento, Carranza parecía contar con influyentes valedores.

Oyó el siseo de fray Domingo y, al volverse, el dominico le dijo si le permitía leer *ese papel*. Salcedo se sobresaltó y le preguntó si sabía siquiera de qué se trataba. Fray Domingo se mostró expeditivo: «Mi declaración, dijo. ¿Qué otra cosa puede ser? Vuesa merced ha mirado dos veces hacia mi lecho antes de empezar a leerlo». Cipriano se incorporó, tortoléandose, dio dos pasos torpes hacia su catre y le alargó el papel con la mano izquierda:

—Tal vez a vuestra paternidad no le guste lo que dice —dijo.

—Y ¿eso qué importa? Hay que conocer no sólo lo que hacemos sino lo que nos atribuyen.

El dominico leyó el informe en silencio, sin aspavientos ni comentarios. Salcedo, que no cesaba de mirarlo, al verle plegar de nuevo el papel, le preguntó:

—¿Está de acuerdo vuestra paternidad?

Y el dominico respondió con cierta mordacidad:

—Sí con lo que dice, pero no con lo que calla.

A mediados de abril se desató sobre la ciudad un martilleo fragoroso que se iniciaba con la primera luz del día y no cesaba hasta bien entrada la noche. Era un claveteo en diversos tonos, en cualquier caso seco y brutal, que procedía de la Plaza del Mercado y se difundía, con diferente intensidad, por todos los barrios de la villa. Aquel golpeteo siniestro pareció activar la vitalidad del penal, acelerar su ritmo. La vida rutinaria de la cárcel secreta se convirtió de pronto en algo ajetreado y activo. Hombres aislados, o en grupo, pasaban y regresaban por el zaguán, por los corredores, ante las celdas, introduciendo o sacando cosas, dando instrucciones a los reos. En cualquier caso, parecía haberse desatado una agitación inusitada que vino a coincidir con la prisa de Dato por facilitarle noticias y mensajes. La primera noche del atronador tamborileo, el carcelero aclaró:

—Están levantando los tablados.

—¿Para el auto?

—Así es, sí señor, en la plaza, para el auto.

Al día siguiente, Dato le trajo un informe urgente que Cipriano cambió por un ducado. La urgencia estaba justificada:

rezaba el titular. Se advertía que estaba escrito apresuradamente, acuciado por las últimas novedades, aunque con letra disciplinada, de escribano, perfectamente legible. Era evidente que el explotador del *negocio* había tenido prisas por poner el papel en circulación. Cipriano echó atrás la cabeza, buscando el eje de visibilidad entre sus párpados inflamados. La nota era sucinta pero categórica, indicativa, además, de que las sentencias de los reos empezaban a conocerse. Seso había sido condenado a la hoguera y, ante el hecho, hacía ahora una nueva profesión de fe. Sus excusas, sus circunloquios, sus tergiversaciones, su expreso deseo de morir en el seno de la Iglesia, no le habían servido de nada. Entonces rectificaba. En la nueva nota hablaba ya sin rodeos, convencido de que la sentencia era firme, y no había apelación posible contra ella:

«Al ser informado de que sus señorías me han condenado a la hoguera, cosa que nunca creí, para descargar mi conciencia y ayudar a la verdad quiero hacer esta declaración final: La justificación por la fe basta para salvarse. Es, pues, Cristo quien nos salva, no nuestras obras. Para los que mueren en gracia no hay purgatorio ni pena temporal alguna: el cielo es su destino. No sería justo que después de la Pasión de Nuestro Señor, los hombres tuvieran que purgar algo. Esto significa que me desdigo de lo que dije, que existía el purgatorio. Tengo fe y creo en lo mismo que creyeron los apóstoles, y en la Iglesia católica, verdadera esposa de Nuestro Señor Jesucristo, y en la palabra de ésta que son las Sagradas Escrituras».

Cipriano leyó tres veces la breve confesión de don Carlos de Seso. Recordó las razones que en su día le dio en Pedrosa para demostrar que no había purgatorio y cómo él las había aceptado sin disputa. Ahora miró a fray Domingo tendido en su camastro y le dijo con voz apagada:

—Don Carlos de Seso ha sido condenado a la hoguera.

Pero los acontecimientos se encadenaban en una noria sin fin, mientras los martillazos de la plaza atronaban en un sordo tamborileo. A la mañana siguiente, el alcaide en persona anunció una visita para Salcedo, pero Cipriano ya no podía andar, era incapaz de moverse. Sus articulaciones parecían haber criado herrumbre. Le trajeron una palangana de agua tibia con sal, le quitaron los grilletes y le hicieron lavar los pies. No obstante, alrededor de los tobillos tenía dos llagas en carne viva y las pantorrillas hinchadas. Dando tumbos siguió al alcaide, apoyado en el brazo del carcelero. Se bandeaban como dos bueyes uncidos. La luz de la escalera le deslumbró, sintió como un cuerpo extraño dentro de los ojos. Los cerró y se dejó conducir. Los pies, sin el lastre habitual, se le escapaban, pero las piernas embotadas no aguantaban su peso. Entreabrió los ojos cuando el carcelero se detuvo y, al oír el golpe de la puerta, levantó la cabeza y miró por la estrecha rendija que dejaban sus párpados tumefactos. El tío Ignacio le miraba incrédulo, afligido, al tomarle de las dos manos. Se le notaba con prisas de hablar, de no callar ni un segundo para evitar que Cipriano le interrogara:

—Esos ojos no han mejorado, Cipriano. ¿Por qué no avisaste al médico?

—Es por la oscuridad, tío, la humedad y el frío. Los párpados están inflamados, es como si tuviera tierra dentro.

—Hay que curarlos —insistió el tío Ignacio—. En la cárcel hay dos médicos. Están para eso.

En seguida se lanzó, se lo dijo, le dijo que el arzobispo Carranza había sido procesado y se pensaba en un juicio largo y apasionado. Seguramente más de cinco años. Cipriano le confió que tanto en la cárcel como fuera de ella había mucha presión contra él. Alzaba la cabeza para ver a su tío, sentado en el sofá monjil, bajo el ingenuo cuadro de la Asunción de la Virgen, acodado en los muslos, las manos con los dedos entrelazados, las uñas muy pulcras. Continuó hablándole de Carranza, estaba dolido con las declaraciones de Seso, Rojas y Pedro Cazalla que, según él, faltaban a la verdad. Le habló de que el Inquisidor General había llegado a Valladolid y había dicho que, de haberse tratado de otra persona, le hubiera prendido sin más miramientos. Cipriano le indicó que el caballo de batalla había sido el encuentro de Seso con Carranza después de convertir aquél a Pedro Cazalla. El tío estaba bien informado y apenas le daba tiempo para responder; resultaba evidente que no quería dejar un resquicio por donde las preguntas de su sobrino pudieran filtrarse. Carranza afirmaba que Seso les había engañado a él y al Santo Oficio, había hecho creer que su interpretación de las cosas provenía del arzobispo. Mas las precauciones del nuevo presidente de la Chancillería fueron insuficientes. Bastó una pausa mínima de su tío para que Cipriano formulara la temida pregunta:

—¿C... conoce las sentencias, tío?

Don Ignacio Salcedo le miraba desarmado, los ojos blandos, temblándole el labio inferior. Dijo mediante un esfuerzo:

—Me las han enseñado ayer. Por mi cargo tenían que hacerlo.

Cipriano seguía con la cabeza levantada para que su tío no escapara de su campo visual. Le vio vacilar, empalidecer. No trató por ello de quitar fuerza a su pregunta:

—¿Cuál ha sido mi suerte?

No respondió inmediatamente Ignacio Salcedo. Se limitó a mirar profunda, compasivamente, sus ojos encarnizados, pero cuando trató de hablar se le anudó dos veces la voz en la garganta. Cipriano acudió en su auxilio:

—¿La hoguera tal vez? —preguntó.

El tío calló, asintiendo.

—Vas con otros veinte —dijo al fin.

Sonreía Cipriano para aliviar la tirantez de la conversación, para dar a su tío la sensación de que la noticia no le había sorprendido, ni le asustaba; de que no esperaba otra cosa:

—¿Sería indiscreto preguntarle a vuesa merced quiénes son esos veinte?

Don Ignacio sonrió:

—Ese pequeño favor puedo hacértelo —dijo—. Anota: los Cazalla, incluida su hermana Beatriz y los restos de doña Leonor, fray Domingo de Rojas, don Carlos de Seso, Juan García, tres mujeres de Pedrosa, el bachiller Herrezuelo, Juan Sánchez... ¿quién más?

—Es suficiente, tío.

—En todo caso, la lista no es definitiva. Esta noche

460

os visitará un confesor y mañana, en el auto, aún tendréis oportunidad de cambiar vuestra suerte: la hoguera por el garrote. ¡Ah, otra cosa!, los restos de doña Leonor de Vivero serán desenterrados y el solar de su casa sembrado de sal para escarmiento de las generaciones futuras.

Don Ignacio Salcedo parecía más sosegado. Ahora cargaba el énfasis en lo anecdótico, tratando de desviar la cabeza de Cipriano de la idea fundamental. Pero Cipriano no pensaba en sí mismo. Titubeó. En su vacilación perdió de vista el rostro de su tío y hubo de acomodar de nuevo la cabeza para volver a apresarlo:

—Y... y ¿qué será de doña Ana Enríquez? —preguntó con un hilo de voz.

—Quedará libre tras una pena leve, unos días de ayuno, no recuerdo cuántos. Es una criatura demasiado bella para quemarla.

Cipriano pensó que retener más tiempo a su tío suponía prolongar su suplicio. Se puso en pie tambaleándose. Su tío tenía razón: Ana Enríquez era demasiado hermosa para quemarla. Además había sido engañada, era excesivamente joven cuando Beatriz Cazalla y fray Domingo la pervirtieron. Sonaba el martilleo de los carpinteros en la plaza, un golpeteo ininterrumpido, enloquecedor. Su tío también se había incorporado y le tomó de las manos con aprensión, como a un ciego.

—No quiero hacerle perder más tiempo, tío —dijo Cipriano—. Le agradezco todo lo que ha hecho por mí.

Don Ignacio Salcedo le atrajo hacia sí, le besó en las mejillas y le retuvo un momento entre sus brazos:

—Algún día —musitó a su oído— estas cosas serán consideradas como un atropello contra la libertad que Cristo nos trajo. Pide por mí, hijo mío.

Cipriano no pudo comer. Mamerto se llevó intacta su bandeja. Por la tarde comenzaron las confesiones. Fray Luis de la Cruz, dominico como fray Domingo, recorrió las celdas y llegó a la de Cipriano cuando el sol declinaba, aunque el martilleo unísono de la plaza continuaba sonando con toda intensidad. Fray Domingo rechazó los auxilios de fray Luis de la Cruz cuando éste se acercó servicialmente a su lecho.

—Padre —dijo fray Luis de la Cruz al advertir su gesto—: solamente pido a Dios que muráis en la misma fe en que murió nuestro glorioso Santo Tomás. Estaré en pie toda la noche. Vuestra reverencia puede llamarme a cualquier hora.

Cipriano, tumbado en el camastro, acogió con afecto al confesor. Le agradeció su presencia y le dijo que en su vida había tres pecados de los que nunca se arrepentiría bastante, y, aunque ya los tenía confesados, se los confiaba al padre en prueba de humildad: el odio hacia su padre, la seducción de su nodriza aprovechándose de su cariño maternal y el desafecto hacia su esposa, su abandono, que la llevó a morir trastornada en un hospital. Fray Luis de la Cruz asentía sonriente, le dijo que su confesión general le dignificaba, pero que en este momento, en víspera del auto de fe, esperaba unas palabras de arrepentimiento por su adscripción a la doctrina de Lutero. Cipriano que, en las medias tinieblas, apenas distinguía las facciones del fraile, le respondió que abrazó la teoría del beneficio de Cristo de corazón, con buena fe, es decir, obró en conciencia y ésta, ahora, no se lo reprochaba. Como sin darle importancia, fray Luis de la Cruz le preguntó entonces quién le había pervertido y Cipriano contestó que no podía decírselo, que así lo había jurado, pero le constaba que tampoco su inductor obró con intención perversa. El fraile, que venía cansado, empezó a dar muestras de acrimonia, le impacientaba la obcecación de Cipriano, le dijo que no podía absolverle pero que aún estaba a tiempo. Desde media noche el padre Tablares, jesuita, seguiría a disposición de los reos. Humildemente ahora le recomendó que reflexionara y, antes de separarse de él, le tuvo cogido por las dos manos un largo rato y le llamó *hermano mío*.

Apenas había abandonado la celda, cuando se produjo en la de enfrente, en la del Doctor, un gran alboroto. Sobre las voces más serenas para acallarlo, entre las que estaban la de fray Luis de la Cruz, sonaban los gritos implorantes del Doctor pidiendo a Dios misericordia, suplicándole que le iluminase con su gracia y le ayudara a alcanzar su salvación. Eran gritos agudos, descompuestos, y, en los breves silencios, se oía la voz pausada de fray Luis de la Cruz, la del carcelero y la del alcaide que habían acudido al oír la algarabía. Pero el Doctor, en trance, no cesaba de proclamar que aceptaba la sentencia como justa y razonable, que moriría de buena gana puesto que no merecía la vida aunque se la dieran, pues estaba convicto que según había desaprovechado la pasada, la que le quedaba no sería distinta.

Había cesado el martilleo de la plaza y las palabras del Doctor, pronunciadas a voz en cuello, con la puerta de la cija abierta, llegaban nítidamente a las celdas próximas y, con ellas, los intentos apaciguadores de los responsables: el alcaide, los carceleros, el médico. Un clima tenso se palpaba en el primer corredor, cuando el Doctor reanudó su discurso sobre el sambenito que acababan de entregarle, la ropa que vestiría con mayor gusto, decía, porque era la apropiada para confusión de su soberbia y purga de sus pecados. Luego volvió a la idea del arrepentimiento, que renegaba de cualquier perversa y errónea doctrina que hubiera creído, bien fuera contra el dogma o contra la Iglesia, y que persuadiría a todos los reos para que hiciesen lo mismo. El médico de la Inquisición debía de haber tomado alguna medida, porque del tono chillón con que el Doctor inició su peroración, pasó, en pocos segundos, a otro más coloquial y, posteriormente, a un tenue murmullo, para cesar al poco rato.

Cipriano Salcedo no durmió en su última noche carcelaria. Le agobiaba la idea del auto de fe, no su ejecución sino el procedimiento: la luz, la multitud, el griterío, el calor. Padecía un amortecimiento creciente y un ardor de orina que le obligaba a visitar la cubeta de las heces cada pocos minutos. A la una empezaron a doblar las campanas. Toques lentos, de agonía. Fray Domingo ya le había hablado de ello. Todos los templos y conventos de la villa, que esa noche no dormía, convocaban a las misas de alma por los condenados. Las campanas habían venido a sustituir a los martillos, voces cambiantes pero igualmente ominosas y terribles. Al cesar su tañido, empezó a oírse el rumor del gentío, los cascos de las caballerías en el empedrado, el rechinar de las ruedas de los carruajes. Todo parecía estar a punto. El *gran día*, aún sin luz, ya había comenzado.

A las cuatro de la madrugada entraron a despertarlos. Mamerto les sirvió un desayuno extraordinario: sopas de ajo, huevos con torreznos y vino de Cigales. Cipriano no probó bocado. Le ardían los ojos, sentía los bultos en las cuencas, y su amortecimiento iba en aumento. En la cárcel reinaba un desorden desacostumbrado. Gentes que entraban y salían, los guardianes repartiendo por las celdas corozas y sambenitos, en tanto los familiares de la Inquisición, con sus altos bombines marrones, esperaban en el patio, charlando en corrillos, a que se organizara la procesión. En el momento de mayor confusión, se presentó Dato en la celda, entregó un papel doblado a Cipriano Salcedo y emitió un silbido al recibir dos ducados por el servicio. El mensaje, como Cipriano presumía, era de Ana Enríquez y no podía ser más lacónico:

Valor, decía solamente y, debajo, traía su firma: Ana.

XVII

El cautiverio de los más de sesenta reclusos de la cárcel secreta de Pedro Barrueco, acusados de pertenecer al foco luterano de Valladolid, concluyó definitivamente en la madrugada del 21 de mayo de 1559, más o menos un año después de haber comenzado. Una mínima parte de los reos sería puesta en libertad tras el auto de fe, en tanto otros muchos pagarían con la muerte en garrote o en la hoguera su desviación religiosa o su pertinacia. Y como suele ocurrir en estas agrupaciones circunstanciales, sometidas a rígidas normas, el primer síntoma de que el final se acercaba fue la quiebra de la disciplina. Familiares de la Inquisición charlaban en pequeños grupos en el patio de la cárcel, cubiertos con capas y bombines de copa alta, en espera de los penitentes, en tanto los carceleros, los ayudantes de carcelero y el propio alcaide, iban y venían, prestaban a aquéllos las últimas atenciones y les daban instrucciones para el buen orden de la procesión que partiría de la cárcel una hora antes del alba. Pero, fuera de los indultados, que sacaban fuerzas de flaqueza y confraternizaban festivamente con sus carceleros, el resto de los reos, aplastados por el rigor de la sentencia, tras larga y severa cautividad, se encontraban tan decaídos y exánimes que aguardaban la orden de partida derrumbados en sus camastros, rezando o meditando.

Dato, el tontiloco ayudante de carcelero, se contaba entre los vallisoletanos incapaces de reprimir su júbilo ante el gran festejo que se avecinaba. Reconocido a la generosidad de Cipriano, sentado a los pies de su catre, pasaba con él los últimos minutos de su estancia en prisión, le hablaba de los preliminares del auto con tal entusiasmo como si Salcedo, en lugar de una de las víctimas, fuese un forastero más de visita en la villa. Tanto Dato, como el resto de los carceleros, se había puesto ropa nueva y había sustituido los sucios calzones de paño por unos vistosos zaragüelles.

Para el ayudante de carcelero todo eran novedades dignas de ser conocidas, desde los pregoneros a caballo, apostados en las esquinas, anunciando el auto y encareciendo la asistencia de los mayores de catorce años con la promesa de cuarenta días de indulgencia, hasta la prohibición de andar a caballo y portar armas, blancas o de fuego, durante el tiempo que durase la ceremonia.

Los azules ojos desvaídos de Dato rutilaban y sus lacias guedejas albinas se estremecían bajo el gorro rojo de lana, al dar cuenta de la enorme afluencia de forasteros llegados a la ciudad. Toda Castilla se ha volcado en Valladolid, decía, aunque había también representantes de otras comarcas y nutridos grupos de extranjeros que hablaban lenguas extrañas. Más de doscientas mil almas, se lo juro a vuesa merced, por la bendita memoria de mi madre, decía santiguándose. Tantos eran que ni en pensiones, ventas, posadas y mesones habían encontrado alojamiento, y millares de forasteros habían tenido que pernoctar en aldeas y granjas próximas o, aprovechando la benignidad del clima, al sereno, en las huertas y viñas de los alrededores o en las calles menos concurridas y apartadas de la villa. El Rey nuestro señor se había personado, acompañado de los Príncipes y la Corte, para presidir el acto.

Dato se hacía lenguas sobre la transformación de la Plaza Mayor en un enorme circo de madera, con más de dos mil asientos en las gradas, cuyos precios oscilaban entre diez y veinte reales, y, en torno al cual, se había montado una guardia de alabarderos, reforzada en las horas nocturnas, después de dos intentos de prenderle fuego por parte de elementos subversivos.

Cipriano, con los ojos cerrados, un intenso latido en el párpado superior, encomendaba su alma y pedía luz a Nuestro Señor para distinguir el error de la verdad, mientras escuchaba distraído de labios de Dato las últimas nuevas: se anunciaba un día sofocante, más propio de agosto que de mayo, y muchos vecinos, que no habían encontrado localidad en las gradas, preparaban su emplazamiento en los tejados bajo toldos de anjeo, preservados por barandillas de madera. En espera de la llegada del Rey nuestro señor y de los Príncipes, más de dos mil personas velaban en la plaza al resplandor de hachones y luminarias. «No vea vuesa merced, parece el juicio final» —sentenció Dato en el colmo de la admiración.

En pleno monólogo del carcelero, empezaron a oírse carreras por los corredores, golpes apremiantes en las puertas de las celdas y voces habituadas al mando, gritando: ¡a formar!, ¡a formar! Fray Domingo, serio y circunspecto, con el nuevo sayo, se puso en pie por sí mismo; Cipriano, auxiliado por Dato. Le habían liberado de los grilletes y notaba sueltas las piernas pero no las fuerzas precisas para sostenerse en pie. En el zaguán Dato le encomendó a dos familiares de la Inquisición que vestían sayo de paño bajo la capa, pese al día caluroso que se avecinaba. Allí se concentraban los condenados varones que eran ayudados a vestirse y calzarse por los propios acompañantes. Aquella reunión ocasional era como el envés de los conventículos, los mismos hombres, pero sin el sentimiento de fraternidad que antaño los unía, más bien dominados por el recelo y la desconfianza, cuando no por la hostilidad o el odio. Cipriano levantaba la cabeza, tratando de encontrar el eje de visión. A su derecha, fruncido, transparente, huidizo, encogido sobre sí mismo, descubrió al Doctor y, tras él, a don Carlos de Seso, a quien los malos tratos y un año de prisión habían convertido en un viejo mendigo claudicante. La cabeza indócil, escurrido de carnes, vencido de hombros, se asía al brazo de un familiar como un náufrago a una tabla. Las piernas no soportaban su peso y la antigua gallardía, su aticismo y nobleza se habían venido abajo. Del otro lado, dos familiares embutían al bachiller Herrezuelo en el nuevo sayo y le protegían los pies hinchados con calzado de cuerda. Se hallaba amordazado y maniatado y sus ojos grises, bajo las espesas cejas, miraban enloquecidos a todas partes sin detenerse en ninguna. Cipriano se acercó a Juan García, el joyero, y le preguntó por la razón de la mordaza del bachiller y aquél, que en la penumbra del zaguán apenas advertía quien le hablaba, respondió que se había vuelto loco, que desde que salió de la celda no había hecho otra cosa que blasfemar contra Dios. Las conversaciones se mantenían a medio tono de forma que en el zaguán reinaba un murmullo uniforme, un ronroneo monótono, sin altibajos. Juan Sánchez, desde un rincón, miraba a Cipriano Salcedo, la cabeza levantada, tanteando desorientado, como un invidente. Se acercó a él solícito y le dijo si la oscuridad de la celda le había cegado. Cipriano restó importancia a su mal, eran los párpados —dijo—, se habían inflamado y tenía que mirar a través de un resquicio, en línea recta, ya que sólo veía en esa dirección. Se sonreían mutuamente y Cipriano advertía que el criado no había cambiado en el último año: su cabeza grande, su tez de papel viejo, amarilla, arrugada, seguía siendo la misma. Juan Sánchez entró en prisión con cien años y salía con un siglo. Era la ventaja de los hombres magros, momificados, sin belleza.

Apenas tenían de qué hablar, ninguno de los dos deseaba envenenar el ambiente ni sembrar la discordia. Entonces Juan Sánchez, en una de sus salidas intempestivas, señaló el sambenito de Cipriano con un dedo, luego el suyo, y subrayó irónicamente que habían sido facturados al mismo infierno. Su risa, reprimida e inoportuna, aumentó la tensión. Buena parte de los allí reunidos se habían delatado entre sí, habían perjurado, habían procurado salvarse a costa del prójimo, y rehuían el contacto, las miradas, las explicaciones. Pedro Cazalla también le esquivó. Al ver a Cipriano buscó una zona oscura del zaguán donde poder pasar inadvertido. La declaración de Pedro, como la de su hermana Beatriz, había sido despiadada. Una decena de reos habían sido denunciados por ellos. No obstante, Pedro Cazalla vestía también el sambenito de llamas y diablos, distintivo de los condenados a muerte. En el oscuro rincón, flanqueado por sus guardadores, estaba solo, cabizbajo, incómodo. Seguramente él y su hermano Agustín, cabezas de la secta, eran, en aquel infierno de prevenciones y sospechas, los más aborrecidos.

Los ojos desorbitados del bachiller Herrezuelo saltaban de uno a otro con infinito desprecio. No podía escupirles ni abofetearles pero su mirada enloquecida lo decía todo. Llevaba las manos atadas a la espalda para evitar que se arrancara la mordaza pero, cada vez que los familiares le colocaban la coroza en la cabeza, él movía ésta violentamente de un lado a otro hasta hacerla caer. Uno de los familiares, más paciente e ingenioso, optó por improvisar un barbuquejo con una cinta para sujetarla bajo la barbilla, pero el bachiller se encolerizó, la emprendió a cabezazos contra el inventor hasta que la coroza se desprendió hecha un gurruño y cayó al suelo. En el forcejeo se soltó también la mordaza y Herrezuelo empezó a insultar a Cazalla y a jurar como un poseído contra Dios y la Virgen hasta que los familiares lograron acallarle echándosele encima.

Las cosas aparentaron serenarse una vez en la calle, cuando los reos, en filas de a dos, acompañados por familiares de la Inquisición, empezaron a formar la comitiva. Delante de Cipriano caminaba don Carlos, esforzándose por avanzar erguido, por no perder la dignidad. Precediéndole, menudo y cargado de espaldas, como si llevara una cruz a cuestas, avanzaba el Doctor y, abriendo marcha, fray Domingo de Rojas,

472

con la misma imperturbable indiferencia con que había vivido el año de prisión.

Eran apenas las cinco de la mañana pero un incierto resplandor lechoso anunciaba el día por encima de los tejados. A la cabeza de la procesión, a caballo, portado por el fiscal del reino, flameaba el estandarte de la Inquisición, con el blasón de Santo Domingo bordado, seguido por los reos reconciliados, con cirios en las manos y sambenitos con el aspa de San Andrés. Y, tras ellos, dos dominicos portando la enseña carmesí del Pontificado y la cruz enlutada de la iglesia del Salvador, precedían a los reos relajados, destinados a la hoguera, con sambenitos de demonios y llamas y corozas decoradas con los mismos motivos. Mezclados con ellos, con atuendos semejantes, atados a altas pértigas, desfilaban los muñecos de los condenados en efigie, burlescas reproducciones de sus modelos, uno de ellos representando a doña Leonor de Vivero, cuyo ataúd, con el cuerpo desenterrado y llevado a hombros en la procesión por cuatro familiares, sería también arrojado al fuego.

El resto de la comitiva, esto es, los condenados a penas menores, iban detrás, encabezados por cuatro lanceros a caballo, anunciando a las comunidades religiosas de la villa y al grupo de cantores, que avanzaba calle arriba entonando a media voz el himno *Vexilla regis*, propio de las solemnidades de Semana Santa.

Aferrado a los brazos de sus acompañantes, Cipriano Salcedo se movía casi a ciegas y, aunque paulatinamente iba insinuándose el día, únicamente veía cuando alzaba la cabeza y sus pupilas enfocaban el objetivo en línea recta. De esta guisa divisó las dos densas murallas humanas que les abrían calle, de ordinario afligidas y silenciosas, aunque nunca faltaba la voz desgarrada de algún mozalbete, que aprovechaba la impunidad de la masa para insultarlos.

Al abandonar la calle Orates, la procesión de los reos hubo de detenerse para ceder el paso al séquito real que subía por la Corredera. La guardia a caballo, con pífanos y tambores, abría marcha y tras ella el Consejo de Castilla y los altos dignatarios de la Corte con las damas ricamente ataviadas pero de riguroso luto, escoltados por dos docenas de maceros y cuatro reyes de armas con dalmáticas de terciopelo. Acto seguido, precediendo al Rey —grave, con capa y botonadura de diamantes— y a los Príncipes, acogidos con aplausos por la multitud, apareció el conde de Oropesa a caballo, con la espada desnuda en la mano. Cerraban el desfile, encabezados por el marqués de Astorga, un nutrido grupo de nobles, los arzobispos de Sevilla y Santiago y el obispo de Ciudad Rodrigo, domeñador de los conquistadores del Perú.

Cipriano, en primera fila, veía desfilar tanta grandeza buscando el ángulo de visión más apropiado, la boca sonriente, sin rencor, como un niño ante una parada militar. Al cabo, la procesión de penitentes reanudó la marcha y entró en la plaza entre dos vallas de altos maderos. La multitud impaciente, que se apretujaba en ella, prorrumpió en voces y gritos destemplados. Los reos, caminando cansinamente, agobiados, arrastrando los pies, componían una comitiva lastimosa y estrafalaria, los sambenitos torcidos, las corozas ladeadas, siempre a punto de caer. Cipriano tendió la mirada sobre la plaza moviendo también la cabeza para no perder el eje de visión y comprobó que los informes de Dato se habían quedado cortos.

La mitad de la plaza se había convertido en un enorme tablado, con graderíos y palcos, recostado en el convento de San Francisco y dando cara al Consistorio adornado con enseñas, doseles y brocados de oro y plata. La otra mitad y las bocacalles adyacentes se veían abarrotadas por un público soliviantado y chillón que coreó con silbidos el desfile de los reos ante el Rey. Frente a los palcos, en la parte baja de los graderíos, se levantaban tres púlpitos, uno para los relatores que leerían las sentencias, el segundo para los penitentes destinatarios, y un tercero para el obispo Melchor Cano que pronunciaría el sermón y cerraría el auto. En un tabladillo, a nivel algo inferior al de los púlpitos, con cuatro bancas en grada, fueron aposentándose los reos en el mismo orden que traían en la procesión, de forma que don Carlos de Seso quedó a la derecha de Cipriano, y Juan García, el joyero, a su izquierda. Transido, angustiado, tenso, Cipriano Salcedo esperaba la llegada de los reos absueltos, miraba obsesivamente las escaleras de acceso al entablado, hasta que vio aparecer a doña Ana Enríquez de la mano del duque de Gandía. Envuelta en parda saya, se movía con la misma gracia natural que en los jardines de La Confluencia. La cárcel no parecía haberla marcado, tal vez había ahilado un poco su figura, subrayado su esbeltez, pero sin mancillar la frescura y esplendor de su rostro. Subía los peldaños con arrogancia y, al desfilar ante la primera banca de los reos, los miró uno a uno con ansiedad y sus ojos se detuvieron un momento, incrédulos, en los de Cipriano. Pareció dudar, miró al resto de los ocupantes del banco y volvió a él, inmóvil, la pequeña cabeza levantada, los ojos entrecerrados, medio ciegos. Luego siguió adelante y subió hasta la cuarta grada de la tribuna, dejando a Cipriano en la duda de si habría sido reconocido.

La luz cegadora, brutal, que se iba adueñando de la plaza, lastimaba aún más sus ojos. Tras la contemplación de Ana Enríquez, los cerró largo rato para protegerlos. Un apagado rumor de conversaciones llegaba a sus oídos mientras el obispo de Palencia, Melchor Cano, desgranaba el sermón sobre los falsos profetas y la unidad de la Iglesia. Y, cuando Cipriano volvió a abrirlos, le sobrecogió de nuevo la gran masa que tenía ante sí, una inmensa muchedumbre, tan prieta y enardecida, que había inmovilizado contra las talanqueras dos lujosos coches ocupados por gente de alcurnia.

Durante el sermón el público había guardado silencio aunque la voz un poco rota y fatigada del orador no pareciera llegar hasta ellos, pero, poco después, cuando uno de los relatores tomó juramento al Rey, a los nobles y al pueblo y todos ellos prometieron defender al Santo Oficio y a sus representantes, aun a costa de la vida, un estruendoso vocerío coreó el *amén* final. Luego, retornó el silencio, una vez que el relator hizo comparecer al primer condenado, el doctor Cazalla, que, ayudado de cerca por los auxiliares, a duras penas pudo alcanzar el pulpitillo. Su postración, la palidez de su rostro, las mejillas sumidas, la extrema delgadez de su figura, parecieron predisponer al público en su favor. Cipriano le miraba como a un ser ajeno, desconocido, y, cuando el relator enumeró sus cargos y anunció con voz estentórea la sentencia de muerte en garrote antes de ser arrojado a las llamas, el Doctor rompió a llorar, miró hacia el palco del Rey pretendiendo hablar, pero, inmediatamente, fue rodeado de guardas y alguaciles que se lo impidieron. Ortega y Vergara, los dos relatores, empezaron entonces a leer, alternativamente, las sentencias, en tanto los condenados, por su propio pie o ayudados por los familiares, se relevaban desordenadamente en el púlpito para escucharlas. Era una ceremonia que, aunque escalofriante y atroz, iba degenerando en una tediosa rutina, apenas quebrada por los abucheos o aplausos con que el pueblo despedía a los reos condenados a muerte al reintegrarse al tabladillo:

Beatriz Cazalla: confiscación de bienes, muerte en garrote y dada a la hoguera.

Juan Cazalla: confiscación de bienes, cárcel y sambenito perpetuos, con obligación de comulgar las tres Pascuas del año.

Constanza Cazalla: confiscación de bienes, cárcel y sambenito perpetuos.

Alonso Pérez: degradación, muerte en garrote y dado a la hoguera.

Francisco Cazalla: degradación, muerte en garrote y dado a la hoguera.

Juan Sánchez: muerte en la hoguera.

Cristóbal de Padilla: confiscación de bienes, muerte en garrote y dado a la hoguera.

Isabel de Castilla: sambenito y cárcel perpetuos y confiscación de bienes.

Pedro Cazalla: degradación, confiscación de bienes, muerte en garrote y dado a la hoguera.

Ana Enríquez:

Antes de que la muchacha subiera al púlpito se produjo una vacilación en el relator y un silencio expectante en la muchedumbre. Temiendo un almadiamiento, o simplemente buscando un apoyo a su soledad, había subido la escalera de la mano del duque de Gandía, pero, en contra de lo esperado, una vez arriba se encaró al relator con resolución y mirada retadora. Impávida oyó a Juan Ortega repetir su nombre y la pena simbólica a que era condenada:

> Ana Enríquez: saldrá al cadalso con sambenito y vela, ayunará tres días con tres noches, regresará con hábito a la cárcel y, una vez allí, quedará libre.

Una rechifla general subió de la plaza, bajó de los tejados y balcones, se alzó de los graderíos. El pueblo no podía perdonar la insignificancia de la pena, los aires de superioridad de la penitente, su rango, belleza y suficiencia. Cipriano Salcedo, la cabeza levantada, los ojos encarnizados, la miraba tembloroso. Le irritaba la reacción de la masa pero no menos la solicitud del duque de Gandía, su aire protector, su proximidad. La vio descender del púlpito con fingida altivez, su mano derecha en la izquierda del de Denia, recogiéndose el halda, aparentemente ajena al abucheo del pueblo. El relator Vergara se apresuró a convocar a un nuevo condenado intentando acallar las protestas de la multitud, que, al observar ahora la mordaza de Herrezuelo, sus manos atadas a la espalda, su indefensión, tornó a un silencio expectante:

> *Antonio Herrezuelo* —voceó el relator—: confiscación de bienes y muerte en la hoguera.
> *Juan García:* confiscación de bienes, muerte en garrote y dado a la hoguera.
> *Francisca de Zúñiga:* sambenito y cárcel perpetuos.
> *Cipriano Salcedo:*

La rápida sucesión de condenados en el pulpitillo se interrumpió de pronto. Cipriano, la cabeza erguida, el latido en el párpado, fue ayudado a incorporarse por un familiar de la Inquisición. A pesar de que éste le ofrecía su brazo, no acertaba a echar el paso. Las piernas entumecidas no le pesaban pero tampoco le obedecían. Una pausa tensa se abrió en la plaza. Ante el agarrotamiento del reo, el familiar miró al alguacil y un segundo familiar se adelantó hasta ellos. Pasivo, ligero de peso, Cipriano Salcedo se dejó alzar del suelo y, en volandas, fue trasladado al púlpito y allí quedó, con la coroza torcida, grotesco e inane, entre los dos familiares tocados con sus bombines de alta copa. Un sol despiadado hería los ojos del penitente que los cerró, apretando visiblemente los párpados. Se bamboleaba, era un hombre destruido y el rumor compasivo de la multitud iba en aumento. El relator encampanó la voz para repetir su nombre:

Cipriano Salcedo —dijo—: confiscación de bienes y muerte en la hoguera.

El rumor de la muchedumbre era ahora creciente y racheado como el bramido del mar. El condenado no parecía afectado por la sentencia. Daba la impresión de que, aun indultado, ya no sería capaz de volver a la vida. Permaneció inmóvil, los párpados cerrados, apoyado en el brazo de un familiar, desdibujado y nimio. De nuevo se incorporó el segundo familiar y, entre ambos, le izaron sobre la barandilla de la escalera y le transportaron en un vuelo a su lugar en el tablado. Sus párpados seguían cerrados pero sus ojos cobardes estaban llenos de lágrimas. Se sentía vejado, confundido, degradado. Dame ya la muerte, Señor, suplicó. Pero su humillación activó la curiosidad morbosa del pueblo. Eran estos incidentes los que animaban la fiesta y, en realidad, no habían hecho más que empezar. Cipriano oyó llamar a fray Domingo de Rojas y envidió su fuerza, su entereza física. Dijo el relator:

> *Fray Domingo de Rojas:* degradación y muerte en la hoguera.

El público rebullía inquieto y expectante. Paso a paso el auto había entrado en la fase dramática que esperaba. Todavía llamaron los relatores a *Eufrosina Ríos,* condenada a muerte en garrote y a *Catalina de Castilla,* a sambenito y cárcel perpetuos, antes de que le llegara el turno a don Carlos de Seso. El corregidor de Toro, con su voluntad indomable, subió las escaleras del púlpito por sí mismo, laboriosamente a causa de la flaqueza de sus piernas, pero erguido y noble:

> *Carlos de Seso* —dijo el relator Vergara—: confiscación de bienes y muerte en la hoguera.

Don Carlos hizo un ademán de aceptación con una reverencia deferente y simuló retirarse en compañía del familiar, pero, una vez a la altura del palco real, se detuvo, se encaró con el Rey, hizo otra pequeña venia y dijo con una punta de ironía:

—¿Cómo permitís, señor, este atentado contra la vida de vuestro súbdito?

480

A lo que Su Majestad replicó pronto frunciendo el ceño:

—Si mi hijo fuera tan malo como vos, yo mismo apilaría la leña para quemarlo.

Más por sus modales que por sus palabras, que no alcanzaron los oídos de la mayoría, el pueblo, que despreciaba la dignidad, abucheó al preso, le afrentó, en tanto los inquisidores, poco amigos de apostillas y comentarios, le retiraban y reforzaban la guardia de alabarderos ante el palco real para impedir otros excesos. Los relatores continuaban desgranando nombres y penas, pero el pueblo, que ya había cogido gusto a los números fuera de programa, dejó de prestar atención, aplanado por el tedio y la ardentía.

Seguidamente, con un sol cada vez más vivo desplomándose sobre la plaza, el obispo de Palencia procedió a degradar a los clérigos condenados, lo que de nuevo despertó expectación en la masa. Ante el palco de Su Majestad, el obispo, revestido de sobrepelliz, estola y capa pluvial, y tocado de mitra blanca, se aproximó a los cinco reos arrodillados, cubiertos de casullas de terciopelo negro, con cálices y patenas en las manos como si fueran a decir misa, y, uno a uno, los fue despojando de ellos, sustituyendo sus ornamentos por sambenitos de llamas y diablos, mientras decía:

—Por la potestad que me da la Santa Iglesia, borro los signos de tu condición sacerdotal que has deshonrado con el delito de herejía.

Luego procedió a raerles la boca, los dedos y las palmas de las manos con un paño húmedo y ordenó al barbero que les afeitara la cabeza para colocar sobre ellas las corozas. De rodillas como estaba, pálido, flaco y desaseado, con el capirote por sombrero, el

481

doctor Cazalla, sacando fuerzas de flaqueza, gritó de pronto por tres veces:

—¡Bendito sea Dios, bendito sea Dios, bendito sea Dios! —Y como un alguacil se le acercara y le empujara hacia el tabladillo, el Doctor, llorando y moqueando, continuó gritando:

—¡Óiganme los cielos y los hombres, alégrese Nuestro Señor y todos sean testigos de que yo, pecador arrepentido, vuelvo a Dios y prometo morir en su fe, ya que me ha hecho la merced de mostrarme el camino verdadero!

Las palabras y lágrimas del Doctor produjeron en el auditorio dos reacciones distintas: los más sensibles sollozaban con él, mientras que los más duros, de pie en las gradas, encolerizados, le insultaban llamándole leproso, y alumbrado. Cuando la reacción amainó, el obispo de Palencia se encaramó de nuevo en el púlpito desde donde había predicado y dijo que, leídas las ejecutorias, degradados los curas sectarios, daba el auto por concluido, siendo las cuatro de la tarde del día 21 de mayo de 1559. Los reos sentenciados a prisión —añadió— serán conducidos en procesión a las cárceles Real y del Santo Oficio para cumplir sus condenas, en tanto los restantes se desplazarán en borriquillos al quemadero, erigido tras la Puerta del Campo, para ser ejecutados.

El pueblo fue abandonando las gradas alborotadamente, los rostros congestionados y sudorosos, comentando a gritos las incidencias del auto, cabizbajas las mujeres, los ojos enrojecidos, los hombres, con pañuelo al cuello, la bota en alto, bebiendo según el rito de las eras. En el momento de mayor confusión se produjo un altercado en la tribuna de reos, que congregó en torno a numerosos espectadores. El bachiller Herrezuelo, liberado ya de su mordaza, se volvió hacia las gradas superiores, donde se hallaba su esposa, Leonor de Cisneros, con el sambenito de reconciliada, y la increpó con palabras gruesas, llamándola felona, puta e hija de puta, y como nadie reaccionara, subió de tres trancos las gradas que les separaban y la abofeteó por dos veces. Guardas, familiares y alguaciles se interpusieron, al fin, le redujeron, le echaron otra vez la mordaza, en tanto el Doctor Cazalla, ganado de nuevo por la fiebre oratoria, le llamaba a la razón, que reflexionase y le escuchara «pues más letras que vos he estudiado —le dijo— y engañado estuve en el mismo error». En estos términos prosiguió aleccionando al irritado bachiller, con voz henchida, que imposible parecía que saliera con tanta fuerza de un cuerpo tan lábil, hasta que Herrezuelo, que aún no había sido maniatado, se arrancó nuevamente la mordaza y le replicó con acento de burla entre el entusiasmo del auditorio:

—Doctor, Doctor, para ahora quisiera yo el ánimo que mostrasteis en otras ocasiones.

Amordazado y esposado el bachiller, los penitentes, divididos en dos grupos, se separaron al pie del tablado, los indultados, formados y flanqueados por familiares de la Inquisición, iniciaron el camino de regreso a la cárcel, entre las vallas, con sambenitos aspados y velas verdes encendidas, mientras los condenados a muerte, con cordeles infamantes al cuello, en señal de menosprecio, iban encaramándose, uno a uno, en borricos preparados al efecto, desde el último descansillo de la escalera para dirigirse al cadalso, por el angosto camino que abrían los soldados entre la multitud, colocando horizontalmente sus alabardas. El primero en subir al asno fue el Doctor, detrás fray Domingo de Rojas y cuando Cipriano Salcedo se disponía a hacerlo divisó a su tío Ignacio enlutado, nervioso, departiendo con familiares y alguaciles al pie de la escalera. Cipriano vaciló al verle tan próximo. Con la cabeza alta, sonriente, quiso darle la paz pero su tío se dirigió al familiar que conducía la borriquilla sin reparar en él, le apartó de la procesión y colocó en su lugar a una mujer de cierta edad, con gracioso tocadillo alemán en la cabeza, sencilla y fina de cuerpo, de agraciado rostro. La mujer se aproximó a Salcedo con los ojos llenos de lágrimas y le acarició la barbada mejilla con ternura:

—Niño mío —dijo—. ¿Qué han hecho contigo?

Cipriano alzó la cabeza, buscó el eje visual y, a pesar del tiempo transcurrido, la reconoció enseguida. No pudo hablar pero trató de cogerle una mano, de mostrarle de alguna manera su cariño, pero una oleada de la multitud los separó. Dos forzudos auxiliares le subieron a lomos de un borriquillo roano mientras el Doctor y fray Domingo iniciaban la marcha por el angosto pasillo entre los soldados. Un guardia palmeó la grupa del borrico que conducía a Cipriano y éste apretó las rodillas contra su montura, vacilante, y desde su posición preeminente miró con ternura a la dulce figura que le precedía. Dócilmente, Minervina tiraba del ronzal y lloraba en silencio, tratando de alcanzar a los asnos de fray Domingo y el Doctor. La plaza hervía, era un mar descontrolado. A ambos lados de Cipriano se extendía la multitud, fluctuante e indecisa, hombres acalorados discutiendo con otros que les obstaculizaban el paso, mujeres compasivas y llorosas, niños traveseando entre los puestos de golosinas que se alzaban aquí y allá. El bochorno era tan húmedo, tan agobiante el vaho que despedía la plaza, que hombres y mujeres acalorados, con las axilas húmedas, se despojaban de sus ropas de fiesta, se quedaban en jubón o en camisa incapaces de soportar el sol de la tarde.

Cipriano, mecido por el vaivén del borrico, no sentía el calor. Viendo a Minervina tirando del ronzal se sentía inusitadamente tranquilo, protegido, como cuando niño. Avanzaba tan gentil y confiada que nadie pensaría que le llevaba al encuentro con la muerte. Entre los conductores era la única mujer y, a pesar de su edad, era tal la gracia de su figura que rústicos medio bebidos, llegados a la villa para la fiesta, la requebraban, la acosaban con frases soeces. Pero *la procesión de las borriquillas*, aunque lentamente, discurría sin pausa entre la muchedumbre. Veintiocho asnillos en fila, montados por otros tantos seres estrambóticos, con sambenitos de diablos al pecho y corozas en la cabeza, componían una comitiva grotesca que desfilaba por el estrecho pasillo que abrían los alabarderos. Pero una vez que Cipriano alcanzó a fray Domingo, entró en la onda de las prédicas del Doctor, que iba delante, de sus voces de arrepentimiento, de sus apelaciones a la compasión. Cipriano miraba su figura vencida y cargada de espaldas, la coroza ladeada, balanceándose en lo alto del pollino y se preguntaba qué tenía en común aquel hombre con aquel otro que pocos meses antes le instruía enfervorizado con motivo de su viaje a Alemania. Oía sus exhortos y súplicas con desconfianza, seco, sin emoción:

—Entended y creed que en la tierra no hay Iglesia invisible sino visible —decía—. Y ésta es la Iglesia Católica, Romana y Universal. Cristo la fundó con su sangre y pasión y su vicario no es otro que el Sumo Pontífice. Y tened por seguro que aunque en aquella Roma se registraron todos los pecados y abominaciones del mundo, residiendo en ella el Vicario de Cristo, allí estaba el Espíritu Santo.

Le llamaban hereje, pelele, viejo loco, mas él lloraba y, en ocasiones, sonreía al referirse a su destino como a una liberación. Las mujeres se santiguaban e hipaban y sollozaban con él, pero algunos hombres le escupían y comentaban: ahora tiene miedo, se ha ensuciado los calzones el muy cabrón. Unos pasos más atrás, Cipriano iba recogiendo los insultos e improperios que las palabras del Doctor despertaban en el pueblo. De esta manera entraron en la calle de Santiago, donde la masa de gente era más densa aún, casi impenetrable, y los borricos avanzaban al paso, entre los alabarderos. Grupos de mujeres endomingadas, con vistosos atavíos, se asomaban a las ventanas y balcones para ver pasar la procesión y comentaban los incidentes a voz en grito, de lado a lado de la calle. Los chiquillos lo invadían todo, retozaban, dificultaban la ya difícil circulación, aturdían soplando sus silbatos o los titos huecos de los albaricoques. Y, en medio de aquella barahúnda, todavía llegaban a oídos de Cipriano frases truncadas del Doctor, palabras sueltas de su interminable soliloquio. Pero su atención, sin apenas advertirlo, iba en otra dirección, su débil cerebro se desplazaba hacia Minervina, hacia su airosa figura, decidida, la soga del ronzal en su mano derecha, abriéndose paso entre la multitud. Se recreaba en su gentileza y, al contemplarla, sus ojos cegatosos se llenaban de agua. Sin duda era Minervina la única persona que le quiso en vida, la única que él había querido, cumpliendo el mandato divino de amaos los unos a los otros. Cerró los ojos acunado por el bamboleo del borrico y evocó los momentos cruciales de su convivencia con ella: su calor ante la helada mirada del padre, sus paseos por el Espolón, la galera de Santovenia, la ternura con que velaba sus sueños, su espontánea entrega a su regreso, en la casa de sus tíos. Al ser despedida, Mina desapareció de su vida, se esfumó. De nada valieron sus pesquisas para encontrarla. Y ahora, veinte años después, ella reaparecía misteriosamente para acompañarle en los últimos instantes como un ángel tutelar. ¿Sería Mina, en realidad, la única persona que había amado? Pensó en Ana Enríquez, un proyecto apenas esbozado; su tío Ignacio, esclavo de las convenciones; su gran fracaso con Teo, el ejército de sombras que había cruzado por su vida y que fue desvaneciéndose conforme él creyó haber encontrado la fraternidad de la secta. Pero ¿qué había quedado de aquella soñada hermandad? ¿Existía realmente la fraternidad en algún lugar del mundo? ¿Quién de entre tantos había seguido siendo su hermano en el momento de la tribulación? No, desde luego, el Doctor, ni Pedro Cazalla, ni Beatriz. ¿Quién? ¿Acaso don Carlos de Seso pese a sus contradicciones? ¿Por qué no Juan Sánchez, el más oscuro, humilde y deteriorado de los hermanos? La idea del perjurio y la fácil delación continuaba atormentándole. Una vida sin calor la mía, se dijo. Por sorprendente que pudiera parecer, la mortecina actividad de su cerebro evitaba la idea de la muerte para detenerse a reflexionar en el tremendo misterio de la limitación humana. Al aceptar el beneficio de Cristo no fue vanidoso ni soberbio, pero tampoco quería serlo a la hora de perseverar. Debería perseverar o volver a la fe de sus mayores, una de dos, pero, en cualquier caso, en la certidumbre de hallarse en la verdad. Mas ¿dónde encontrar esa certidumbre? Mentalmente pedía a Nuestro Señor una pequeña ayuda: una palabra, un gesto, un ademán. Pero Nuestro Señor permanecía en silencio y, al mostrarse mudo, estaba respetando su libertad. Pero ¿era la inteligencia del hombre por sí sola suficiente para resolver el arduo problema? Él sintió el soplo divino leyendo *El beneficio de Cristo* pero, con el tiempo, todo, empezando por las palabras de los Cazalla, se había venido abajo. Entonces ¿no valía nada de lo andado? Oh, Señor —se dijo acongojado—, dame una señal. Le atribulaba el prolongado silencio de Dios, la taxativa limitación de su cerebro, la terrible necesidad de tener que decidir por sí mismo, solo, la vital cuestión.

Los tumbos del asnillo en aquel mar ondulante le adormecían. Cuando abrió los ojos observó que docenas de sotanas revoloteaban como moscas alrededor de fray Domingo de Rojas, emparejaban su paso al de la borriquilla, se dirigían a él a voces, sorteando las picas de los alabarderos. También ellos trataban de arrancarle una palabra, tal vez sólo un gesto, le acosaban. Pero ¿qué les movía en realidad? ¿La salvación de su alma o el prestigio de la orden dominicana? ¿Por qué esta alborotada compañía en contraste con la desolación del resto de los condenados? El dominico se mostraba íntegro, no, no, reiteraba la negativa y sus acompañantes, mezclados con los espectadores, se comunicaban la mala nueva: ha dicho que no, sigue pertinaz, pero hay que salvarlo. Y reanudaban sus acechanzas y uno se arrimó hasta tocarle y le instó a morir en la misma fe que *nuestro* glorioso Santo Tomás, pero fray Domingo mostraba una formidable entereza, no, no, repetía, hasta que fray Antonio de Carreras, que había pasado la noche a su lado, le había confesado y le había aupado para montar en el jumento, ahuyentó los moscones, se colocó a su lado y fue protegiéndole, conversando con él hasta el quemadero.

Fuera ya de la Puerta del Campo, la concurrencia era aún mayor pero la extensión del campo abierto permitía una circulación más fluida. Entremezclados con el pueblo se veían carruajes lujosos, mulas enjaezadas portando matrimonios artesanos y hasta una dama oronda, con sombrero de plumas y rebocinos de oro, que arreaba a su borrico para mantenerse a la altura de los reos y poder insultarlos. Mas a medida que éstos iban llegando al Campo crecían la expectación y el alboroto. El gran broche final de la fiesta se aproximaba. Damas y mujeres del pueblo, hombres con niños de pocos años al hombro, cabalgaduras y hasta carruajes tomaban posiciones, se desplazaban de palo a palo, preguntando quién era su titular, entretenían los minutos de espera en las casetas de baratijas, *el tiro al pimpampum* o *la pesca del barbo*. Otros se habían estacionado hacía rato ante los postes y defendían sus puestos con uñas y dientes. En cualquier caso el humo de freír churros y buñuelos se difundía por el quemadero mientras los asnos iban llegando. El último número estaba a punto de comenzar: la quema de los herejes, sus contorsiones y visajes entre las llamas, sus alaridos al sentir el fuego sobre la piel, las patéticas expresiones de sus rostros en los que ya se entreveía el rastro del infierno.

Desde lo alto del borrico, Cipriano divisó las hileras de palos, las cargas de leña, a la vera, las escalerillas, las argollas para amarrar a los reos, las nerviosas idas y venidas de guardas y verdugos al pie. La multitud apiñada prorrumpió en gran vocerío al ver llegar los primeros borriquillos. Y al oír sus gritos, los que entretenían la espera a alguna distancia echaron a correr desalados hacia los postes más próximos. Uno a uno, los asnillos con los reos se iban dispersando, buscando su sitio. Cipriano divisó inopinadamente a su lado el de Pedro Cazalla, que cabalgaba amordazado, descompuesto por unas bascas tan aparatosas que los alguaciles se apresuraron a bajarle del pollino para darle agua de un botijo. Había que recuperarlo. Por respeto a los espectadores había que evitar quemar a un muerto. Luego, alzó la cabeza y volvió la vista enloquecida hacia el quemadero. Los palos se levantaban cada veinte varas, los más próximos al barrio de Curtidores para los reconciliados, y, los del otro extremo, para ellos, para los quemados vivos, por un orden previamente establecido: Carlos de Seso, Juan Sánchez, Cipriano Salcedo, fray Domingo de Rojas y Antonio Herrezuelo. El de don Carlos era contiguo al del Doctor, que sería agarrotado previamente, y, antes de que el verdugo lo ejecutara, intentó hablar de nuevo al pueblo, pero el gentío, que adivinó su intención, prorrumpió en gritos y silbidos. Les enojaban los arrepentimientos tardíos, que dilataban o escamoteaban lo más atractivo del espectáculo. En tanto al Doctor le ajustaban al cuello el tornillo del garrote, dos guardas desmontaron del borrico a Cipriano Salcedo y, una vez en el suelo, le sostuvieron por los brazos para evitar que cayera. No podía tenerse en pie, pero vio a Minervina tan próxima que le dijo en un susurro: «¿Dónde te metiste, Mina, que no pude encontrarte?». Mas ya le habían cogido a peso dos guardas y le llevaban en volandas hasta el palo, donde le ataron. A su lado, en el de fray Domingo, proseguía el revuelo de sotanas, curas que subían y bajaban la escala, que se hablaban entre sí o corrían buscando clérigos más representativos para auxiliarle. Entonces volvió a comparecer el padre Tablares, jesuita, que subió atropelladamente la escalera y tuvo un largo rato de plática con el penitente. El ajetreo de la muchedumbre no permitía oír sus voces, pero algo importante debió de decirle porque fray Domingo se ablandó, y el padre Tablares, desde lo alto de la escalerilla, encareció a voces a los curas que se encontraban al pie que buscaran sin demora al escribano, quien, al cabo de unos minutos, se presentó montado en una mula negra. Era hombre de media edad y barba corta, que familiarizado con su oficio, extrajo un papel blanco de la escribanía, mientras un fraile muy joven le sostenía el tintero. Fray Domingo miraba a un lado y otro como desorientado, ausente, pero cuando el padre Tablares le habló de nuevo al oído, él asintió y proclamó, con voz llena y bien timbrada, que creía en Cristo y la Iglesia y detestaba públicamente todos sus errores pasados. Los curas y frailecillos acogieron su declaración con gritos y muestras de entusiasmo y se decían unos a otros: ya no es pertinaz, se ha salvado, en tanto el escribano, firme al pie del palo, levantaba acta de todo ello y la multitud enfurecida protestaba de la intervención de aquéllos.

Cipriano, atado a la argolla del palo, los ojos cobardes posados en Minervina, sentía el empuje de la muchedumbre, la actividad de verdugos y alguaciles, sus evoluciones, sus voces. ¿Dónde estaba el suyo, su verdugo? ¿Por qué no comparecía? Le sobrecogió el alarido de la multitud, el golpe sordo del cuerpo agarrotado de fray Domingo al caer sin vida a su lado, la rápida acción del gigantesco verdugo empujándole a las llamas, el chisporroteo inicial. El gentío, defraudado al ver quemar un cuerpo sin vida, trataba ahora de desplazarse a la izquierda, frente a los cuatro reos que esperaban aún la ejecución, pero los ya instalados, al darse cuenta de sus pretensiones, forcejeaban con ellos y armaban pequeñas algaradas. El verdugo, ajeno a sus problemas, acababa de prender la hoguera de Juan Sánchez que ardía furiosamente y desprendía un acre hedor a carne quemada. Mas las llamas consumieron antes sus ligaduras que su cuerpo y Juan Sánchez, al sentirse libre, se agarró al palo y trepó por él, con agilidad de mono, gritando a voz en cuello y pidiendo misericordia. La muchedumbre aplaudía y reía ante su actitud simiesca. Juan Sánchez tenía achicharrado el costado izquierdo, la piel arrugada y gris, y, agarrado al extremo del palo, escuchaba las exhortaciones de un dominico, que por un momento le hicieron vacilar, mas, al volver la cabeza y reparar en la gallardía con que don Carlos de Seso aceptaba el suplicio, se dejaba quemar sin un gesto de protesta, dio un gran salto y se arrojó de nuevo a las llamas donde murió, dando brincos hasta que perdió el conocimiento.

La multitud apostada ante los palos rugía de entusiasmo. Los niños y algunas mujeres lloraban, pero muchos hombres, encendidos por el alcohol, reían de las batudas y torsiones de Juan Sánchez, le llamaban leproso y malnacido y remedaban ante los espectadores sus gestos y piruetas. Asimismo despertaron la hilaridad y las lágrimas de los presentes los contoneos y muecas del bachiller Herrezuelo, amordazado, las llamas reptando por su entrepierna, estirándose hasta abrasarlo, el alarido inhumano que escapó de su garganta una vez que el fuego devoró su mordaza y liberó su boca. Muchas mujeres cerraban los ojos horrorizadas, otras rezaban, las manos juntas, la mirada recogida, pero algunos hombres seguían voceando e insultándole. Cipriano apenas tenía una vaga idea de que había visto morir a Seso, a Juan Sánchez y al bachiller a su lado. Las llamas habían dado rápida cuenta de sus vidas y el pesado hedor de carne quemada se asentaba sobre el campo. Divisó al verdugo encaminándose al palo, la tea humeante en su mano derecha, y, entonces, volvió a cerrar sus ojos encarnizados y a encarecer de Nuestro Señor una señal. Un cura corría ahora hacia el verdugo, la sotana arremangada, suplicándole con violentos ademanes que demorara la ejecución. Era el padre Tablares. Llegó a la escala jadeando, se llevó una mano al pecho y se detuvo en el primer peldaño. Al cabo, subió de un tirón y juntó su rostro compasivo al del falleciente Salcedo. Jadeaba. Todavía aguardó unos minutos para hablar:

493

—Hermano Cipriano, aún es tiempo —dijo al fin—. Reducíos y afirmad vuestra fe en la Iglesia.

Los hombres silbaban. Cipriano entreabrió sus párpados hinchados y esbozó una tímida sonrisa. Tenía la boca seca y la mente borrosa. Levantó la cabeza y miró a lo alto:

—C... creo —dijo— en la Santa Iglesia de Cristo y de los Apóstoles.

El padre Tablares aproximó los labios a su mejilla y le dio la paz en el rostro:

—Hermano —suplicó—, decid Romana, solamente eso, os lo pido por la bendita Pasión de Nuestro Señor.

La gente se impacientaba. Sonaban silbidos e imprecaciones. Cipriano, con la nuca apoyada en el palo, miraba reconocido al padre Tablares. Por nada del mundo quería pecar de engreimiento. El verdugo les miraba impaciente, la tea en la mano derecha, mientras el escribano, pluma en ristre, esperaba al pie del palo la confesión del reo. Cipriano volvió a cerrar los ojos, a pedir una seña a Nuestro Señor. Sintió el latido doloroso en el párpado y murmuró humildemente, como excusándose por su obstinación:

—Si la Romana es la Apostólica, creo en ella con toda mi alma, padre —musitó.

La cólera del pueblo exigiendo la hoguera, la buena disposición del verdugo para complacerle, apremiaban al padre Tablares que, en un impulso paternal, levantó la mano derecha y acarició la mejilla del reo:

—Hijo, hijo, ¿por qué has de poner condiciones en esta hora? —dijo.

La angustia crecía en el pecho de Cipriano. Buscó

una nueva fórmula que no le traicionara, que expresara sus sentimientos y, al propio tiempo, diera satisfacción al jesuita; unas tiernas palabras ambiguas:

—Creo en Nuestro Señor Jesucristo y en la Iglesia que lo representa —dijo con un hilo de voz.

El padre Tablares bajó la cabeza desalentado. No había más tiempo. Los espectadores pedían a gritos el sacrificio: voceaban, brincaban, alzaban los brazos. Los silbatos de los niños aturdían. El humo hacía llorar los ojos. Una mujer gruesa comía buñuelos tranquilamente junto a Minervina. El padre Tablares, consciente de su fracaso, descendió lentamente la escalerilla, vio a Minervina sollozando junto al verdugo y a éste mirándole a él atentamente. Entonces hizo la seña, un leve ademán con la mano derecha señalando la carga de leña, sobre el burrajo. El verdugo arrimó la tea a la incendaja y el fuego floreció de pronto como una amapola, despabiló, humeó, rodeó a Cipriano rugiendo, lo desbordó. La multitud prorrumpió en gritos de júbilo cuando se produjo la deflagración y enormes llamas envolvieron al reo. «Señor, acógeme» —murmuró éste. Sintió un dolor intensísimo, como si le arrancaran la piel a tiras, en las caras internas de los muslos, en todo su cuerpo, con una intensidad especial en las yemas de los dedos. Apretó los párpados en silencio, sin mover un músculo, resignadamente. El pueblo, sobrecogido por su entereza, pero en el fondo decepcionado, había enmudecido. Entonces rompió el silencio el desgarrado sollozo de Minervina. La cabeza de Cipriano había caído de lado y las puntas de las llamas se cebaban en sus ojos enfermos.

En la villa de Valladolid, a veintiocho días del mes de mayo de mil quinientos cincuenta y nueve, estando los señores inquisidores don Teodoro Romo y don Mauricio Labrador en su audiencia de la tarde, ordenaron comparecer ante sí a Minervina Capa, de cincuenta y seis años, natural de Santovenia de Pisuerga y vecina de Tudela, que juró en forma debida decir la verdad.

Preguntada por la razón de su presencia en el quemadero en la tarde del 21 de mayo de 1559 y su relación con el relajado Cipriano Salcedo, la atestante manifestó que el interfecto había sido *su niño*, desde la muerte de su madre en 1517, que le había criado a sus pechos y le había atendido en sus necesidades. Manifestó asimismo que, terminada la crianza, esta testigo quedó al servicio de don Bernardo Salcedo, viudo y padre de la criatura, hasta que decidió internar al niño en el Hospital de Niños Expósitos para su formación, determinación que dolió mucho a la declarante.

Preguntada por el hecho de haber conducido la borriquilla hasta el palo, la atestante declaró que el reo iba muy enfermo de los ojos y las piernas, y que la idea de que ella le condujera partió del tío y tutor del interfecto don Ignacio Salcedo, presidente de la Real Chancillería, que había ordenado buscarla por todos los pueblos del alfoz mediante pregones, y hallóla, al fin, en Tudela de Duero donde residía desde su matrimonio con el labrantín Isabelino Ortega, al cual había dado dos hijos, ya mozos. Y que el dicho don Ignacio Salcedo al pedirle que acompañara a la hoguera a su sobrino, le hizo saber que de otro modo éste se iba a encontrar muy solo en esa tarde tan triste, momento en que esta declarante aceptó acompañarle como hubiera accedido —dijo— a morir en su lugar si así se lo hubiesen pedido.

Preguntada por las personas que hablaron con el reo en el palo, o si se le encomendó algún encargo para cuando el mismo falleciera, o si vio u oyó alguna cosa tocante a la herejía de la que debe dar cuenta al Santo Oficio, la atestante juró en forma de derecho que el día de autos no advirtió ni vio nada en el quemadero fuera de lo que a continuación iba a decir. O sea el gran número de religiosos y colegiales de la Santa Cruz que rodeaban al penitente más grueso, un fraile de mejillas sonrosadas al que decían fray Domingo, que al decir de ellos iba pertinaz. Pero que fue solamente el llamado padre Tablares el que le exhortó y convenció. Y que una vez terminada la asistencia, el mismo padre Tablares acudió al palo de *su niño* y le dijo: «Hermano Cipriano, aún es tiempo. Reducíos y afirmad vuestra fe en la Iglesia Romana», pero que *su niño* abrió un poco los ojos enfermos y le dijo: «Creo en la Santa Iglesia de Cristo y de los Apóstoles». Asegura esta declarante que el llamado padre Tablares porfió para que el penitente pronunciara la palabra *romana* a lo que el penitente respondió que si la Romana era la de los Apóstoles, como debía ser, creía en ella. Dijo asimismo que algo más debió de decirle el fraile a *su niño* puesto que estuvieron un rato con los rostros juntos pero que no guardaba memoria de lo que le dijo o tal vez no alcanzó a oírlo porque era mucho el jolgorio y la confusión que había en el quemadero.

Preguntada finalmente la atestante si vio u oyó alguna otra cosa que, por una razón o por otra, considerase que debe declarar al Santo Oficio, la atestante manifestó que, en todo caso, de lo que vio aquella tarde, lo que más la conmovió fue el coraje con que murió *su niño*, que aguantó las llamas tan tieso y determinado, que no movió un pelo, ni dio una queja, ni derramó una lágrima, que a la vista de sus arrestos, ella diría que Nuestro Señor le quiso hacer un favor ese día. Preguntada la atestante si ella creía de buena fe que Dios Nuestro Señor podía hacer favor a un hereje, respondió que el ojo de Nuestro Señor no era de la misma condición que el de los humanos, que el ojo de Nuestro Señor no reparaba en las apariencias sino que iba directamente al corazón de los hombres, razón por la que nunca se equivocaba. Por lo demás, terminó la declarante, no advirtió ni vio, ni oyó nada que su memoria guarde, aparte de lo transcrito.

Fuela encargado el secreto so pena de excomunión.

Fui presente yo, Julián Acebes, escribano.

(Declaración de Minervina Capa, de Santovenia de Pisuerga, en el informe de las personas que asistieron a las ejecuciones del día 21 de mayo de 1559.)

Aparte los libros y autores expresamente mencionados en la novela, hay historiadores como Jesús A. Burgos, Bartolomé Bennassar, Carmen Bernis, Germán Bleiberg, Teófanes Egido, Isidoro González Gallego, Marcelino Menéndez Pelayo, Juan Ortega y Rubio, Anastasio Rojo Vega, Matías Sangrador, J. Ignacio Tellechea y Federico Wattenberg que con sus obras me han ayudado a reconstruir y conformar una época (el siglo XVI). A todos ellos expreso por estas líneas mi reconocimiento.

ÍNDICE